Ten dzień

BLANKA LIPIŃSKA

EDIPRESSE
KSIĄŻKI

Edipresse Polska SA, ul. Wiejska 19, 00-480 Warszawa

Dyrektor zarządzająca segmentem książek: Iga Rembiszewska
Redaktor inicjujący: Natalia Gowin
Produkcja: Klaudia Lis
Marketing i promocja: Renata Bogiel-Mikołajczyk, Beata Gontarska
Digital i projekty specjalne: Katarzyna Domańska
Dystrybucja i sprzedaż: Izabela Łazicka (tel. 22 584 23 51)
Beata Trochonowicz (tel. 22 584 25 73)
Andrzej Kosiński (tel. 22 584 24 43)
Koordynator projektu: Marta Kordyl

Redakcja: Krystyna Podleska
Korekta: Ewa Charitonow, Anna Parcheta

Projekt okładki i stron tytułowych: Magdalena Zawadzka
Zdjęcie na okładce: Ania Szuber i Michał Czajka
Skład: Perpetuum

Biuro Obsługi Klienta
www.hitsalonik.pl
e-mail: bok@edipresse.pl
tel.: 22 584 22 22
(pon.–pt. w godz. 8:00–17:00)
www.facebook.com/edipresseksiazki
www.instagram.com/edipresseksiazki

EDIPRESSE
KSIĄŻKI

Druk i oprawa: ABEDIK, Poznań
Książkę wyprodukowano na papierze Creamy 60 g vol. 2.0
dostarczonym przez firmę ZiNG sp. z o.o.

ISBN: 978-83-8117-914-0

***

Jacht zacumował w porcie Fiumicino. Sobowtór mojej Pani wciąż był na pokładzie. Jej zadanie było proste – miała być.

– Wsadź Laurę w samochód i wyślij do mnie – powiedziałem, gdy przebywający w Rzymie Domenico odebrał telefon.

– Dzięki Bogu... – westchnął Młody. – Robiła się już nieznośna. – Usłyszałem, jak zamyka za sobą drzwi. – Nie wiem, na ile cię to zainteresuje, ale wypytywała o ciebie.

– Nie jedź z nią – odparłem, ignorując go.

– Zobaczymy się w Wenecji. Odpocznij.

– Nie zapytasz, co mówiła? – Nie dawał za wygraną Domenico. Usłyszałem w jego głosie wesołość.

– A interesuje mnie to? – zapytałem najpoważniej, jak to możliwe, mimo że w środku jak dzieciak byłem ciekaw, o czym rozmawiali.

– Tęskni za tobą. – To krótkie stwierdzenie ścisnęło mnie w żołądku. – Tak sądzę.

– Dopilnuj, by jak najszybciej wyjechała. – Rozłączyłem się i popatrzyłem na morze.

Kolejny raz za sprawą tej kobiety ogarnęła mnie panika. Uczucie to było zbyt obce, bym mógł je zdiagnozować i powstrzymać.

5

Odprawiłem dziewczynę, która udawała Laurę, ale nakazałem, by cały czas była niedaleko. Nie miałem pojęcia, czy nie będzie za chwilę potrzebna. Według doniesień Matosa, Flavio z przestrzelonymi łapami wrócił na wyspę, ale nic poza tym się nie wydarzyło. Jakby cała sytuacja z Nostro nie miała miejsca. Zdawkowe informacje, jakie przekazywał pomazaniec, nie zadowalały mnie, wysłałem więc tam swoich ludzi, którzy potwierdzali wszystko, czego się dowiadywałem.

W porze lunchu odbyłem telekonferencję z ludźmi ze Stanów Zjednoczonych. Musiałem mieć pewność, że będą uczestniczyli w weneckim festiwalu filmowym. Potrzebowałem spotkania z nimi w cztery oczy; zamówienie kolejnej dostawy broni, którą miałem zamiar sprzedać na Bliskim Wschodzie, wymagało mojej obecności.

– Don Torricelli? – zapytał Fabio, wsuwając głowę do mojej kajuty, na co pokiwałem ręką i zakończyłem połączenie. – Pani Biel jest na pokładzie.

– Wypływamy – powiedziałem, podnosząc się z miejsca.

Wyszedłem na górny pokład i rozejrzałem się wokół. Gdy zobaczyłem swoją kobietę ubraną jak nastolatka, zacisnąłem pięści i zęby. Kuse szorty i mikroskopijna koszulka nie przystają wybrance głowy sycylijskiej rodziny, pomyślałem.

– Co ty, do cholery, masz na sobie! Wyglądasz jak... – Powstrzymałem się od dokończenia zdania, gdy popatrzyłem na niemal pustą butelkę po szampanie. Dziewczyna obróciła się, wpadając na mnie, a gdy odbiła się od mojej klatki, bezwładnie opadła na kanapę. Znów była pijana.

– Wyglądam, jak chcę, i nic ci do tego – wybełkotała, wymachując rękami, czym mnie nieco rozbawiła. – Zostawiłeś mnie bez słowa i traktujesz jak kukiełkę, którą się bawisz, gdy masz na to ochotę. – Wyciągnęła palec w moją stronę, próbując jednocześnie nieudolnie, lecz uroczo podnieść się z siedziska. – Dziś kukiełka ma ochotę bawić się solo.

Zataczając się, ruszyła w stronę rufy, gubiąc po drodze buty.

– Lauro... – zacząłem ze śmiechem, bo nie mogłem już dłużej się powstrzymać. – Lauro, do cholery! – Mój śmiech przeszedł w warkot, gdy zobaczyłem, jak niebezpiecznie zbliża się do krawędzi jachtu. Ruszyłem za nią, krzycząc:
– Zatrzymaj się!

Nie słuchała mnie albo nie słyszała. W pewnym momencie poślizgnęła się. Butelka z jej dłoni wypadła, a ona sama, nie złapawszy równowagi, runęła do wody.

– Kurwa mać!... – Zacząłem biec. Zrzuciłem ze stóp buty i wskoczyłem do wody. Całe szczęście, że Tytan płynął wolno, a dziewczyna upadła na bok. Kilkadziesiąt sekund później już miałem ją w ramionach.

Na moje szczęście Fabio widział całe zajście i kiedy jacht się zatrzymał, rzucił mi przywiązane do liny koło ratunkowe i wciągnął na pokład. Dziewczyna nie oddychała.

Zacząłem ją reanimować. Kolejne uściski i wdechy nie pomagały.

– Oddychaj, kurwa mać!

Byłem zrozpaczony. Uciskałem coraz mocniej i coraz bardziej desperacko wdmuchiwałem powietrze do jej płuc.

– Oddychaj! – zawołałem po angielsku, bezsensownie sądząc, że może mnie zrozumie. Wtedy złapała haust powietrza i zaczęła wymiotować.

Gładziłem ją po twarzy i patrzyłem na wpół przytomne oczy, które usiłowały na mnie spojrzeć. Wziąłem ją na ręce i ruszyłem do kajuty.

– Wezwać lekarza?! – krzyknął Fabio.

– Tak, wyślij po niego helikopter.

Musiałem zabrać Laurę na dół, zostać z nią sam i upewnić się, że jest bezpieczna. Położyłem ją na łóżku i wpatrywałem się w jej bladą twarz, szukając potwierdzenia, że nic jej nie jest.

– Co się stało? – zapytała cicho.

Miałem wrażenie, że za chwilę stracę przytomność. W głowie mi dudniło, a serce waliło jak oszalałe. Uklęknąłem obok na podłodze i próbowałem się uspokoić.

– Spadłaś z pomostu. Dzięki Bogu, że nie płynęliśmy szybciej, a ty upadłaś na bok. Co nie zmienia faktu, że prawie utonęłaś. Kurwa, Lauro, mam ochotę cię zabić, a zarazem jestem wdzięczny, że żyjesz... – Pochyliłem głowę i zacisnąłem szczęki. Nieznośny ból głowy odbierał mi zdolność logicznego myślenia.

Laura delikatnie musnęła palcami mój policzek, podnosząc go tak, bym musiał na nią spojrzeć.

– Uratowałeś mnie?

– Dobrze, że byłem blisko. Nawet nie chcę myśleć, co ci się mogło stać. Czemu jesteś taka nieposłuszna i uparta...? – Strach, który czułem mówiąc to, był czymś zupełnie nowym. Jeszcze nigdy w życiu nie martwiłem się tak o nikogo.

– Chciałabym się umyć – powiedziała.

Gdy usłyszałem, co mówi, niemal wybuchnąłem śmiechem. Omal nie umarła, a myśli o tym, że ocieka słoną wodą. Nie mogłem uwierzyć w to, co słyszę. Nie miałem jednak ani siły, ani ochoty kłócić się z nią teraz, chciałem mieć ją blisko siebie, przytulić i chronić przed całym światem. Wciąż myślałem o tym, co by było, gdybym był dalej, a łódź płynęłaby szybciej...

Odruchowo zaproponowałem, że ją umyję, a gdy nie protestowała, odkręciłem wodę w łazience i wróciłem pomóc jej się rozebrać. Byłem skupiony i nie myślałem o tym, co za chwilę zobaczę. Dopiero po chwili dotarło do mnie, że leży przede mną naga. Ku mojemu zaskoczeniu, nie zrobiło to na mnie wrażenia; przede wszystkim była żywa.

Wziąłem ją na ręce i wszedłem do ciepłej wody. Kiedy jej plecy oparły się o moją klatkę, wtuliłem głowę w jej włosy. Byłem zły, przerażony i... cholernie wdzięczny. Nie chciałem z nią rozmawiać, dyskutować, a już na pewno kłócić się. Upajałem się jej obecnością. Niczego nieświadoma tuliła do mnie policzek. Nie zdawała sobie sprawy, że wszystko, co działo się od kilku dni, działo się z jej powodu. Do mnie powoli docierało, że wszystko w moim życiu się zmieni. Prowadzenie interesów przestanie być proste, bo moi wrogowie wiedzieli już, że mam słaby punkt: drobną istotę, którą trzymałem w ramionach. Nie byłem na to gotów i nikt nie mógł przygotować ani mnie, ani jej na to, co przyniesie przyszłość.

Wolno i bez słowa umyłem każdy fragment jej ciała, ku zdziwieniu Laury bez erekcji, a nawet prób dotknięcia jej w sposób choćby zbliżony do erotycznego.

Wytarłem ją i położyłem do łóżka, delikatnie całując w czoło. Nim zdążyłem oderwać od niej usta, już spała. Sprawdziłem jej puls, bojąc się, że ponownie straciła przytomność. Na szczęście był miarowy. Stałem tak, chwilę patrząc na nią, gdy usłyszałem dźwięk helikoptera. Zdziwiłem się, ale przypomniałem sobie, że byliśmy przecież dość blisko brzegu.

Lekarz po zapoznaniu się z kartą choroby i zbadaniu nieprzytomnej Laury nie stwierdził, by jej życiu coś zagrażało. Podziękowałem mu za trud i wróciłem do swojej kajuty.

Noc była ciepła i spokojna. A spokój był tym, czego najbardziej potrzebowałem. Wciągnąłem kreskę narkotyku i ze szklanką ulubionego trunku usiadłem w gorącym jacuzzi. Odprawiłem całą obsługę, nakazując, by pozostała w przestrzeniach służbowych, i delektowałem się samotnością. Nie miałem ochoty myśleć ani zastanawiać się nad czymś innym niż spokój, który przynajmniej pozornie mnie ogarnął. Po kilku minutach w ciemności dostrzegłem Laurę, która idąc w wielkim białym szlafroku, rozglądała się po pokładzie. Jej widok mnie ucieszył. Jeśli wstała, oznaczało to, że czuje się już lepiej.

– Wyspana? – spytałem. Na dźwięk mojego głosu dziewczyna podskoczyła ze strachu. – Widzę, że czujesz się już lepiej. Może dołączysz do mnie?

Chwilę myślała, patrząc na mnie ze spokojem. Nie wyglądała, jakby biła się z myślami; wiedziałem, że za chwilę szlafrok opadnie na podłogę.

Naga usiadła naprzeciwko, a ja upajałem się jej widokiem i smakiem doskonałego trunku. Milczałem, przyglądając się jej pięknej, nieco zmęczonej twarzy. Miała potargane włosy i lekko spuchnięte usta. Nagle nieoczekiwanie zmieniła pozycję, czym mnie zaskoczyła. Usiadła na moich kolanach, mocno do mnie przywierając, na co mój kutas w sekundę zareagował. A gdy zębami

11

chwyciła moją dolną wargę, całkiem się pogubiłem. Zaczęła poruszać się na mnie, dociskając cipką coraz mocniej. Nie wiedziałem, do czego zmierza, ale niezbyt miałem ochotę na jej gierki. Nie dziś. Nie po tym, jak prawie ją straciłem.

Jej język wślizgnął się do moich ust, a ja odruchowo ścisnąłem jej pośladki, które trzymałem w dłoniach.

– Tęskniłam za tobą – wyszeptała.

To krótkie wyznanie zmroziło mnie. Całe moje ciało zesztywniało, a ja spanikowałem, nie mając pojęcia, dlaczego tak reaguję. Odsunąłem ją od siebie, by popatrzeć na jej twarz. Mówiła poważnie. Nie chciałem, by wyczuła moją słabość, nie byłem gotów się przed nią odkryć, zwłaszcza że sam nie wiedziałem, co się ze mną dzieje.

– Czy tak okazujesz tęsknotę, Mała? Bo jeśli tak zamierzasz wyrażać wdzięczność za uratowanie ci życia, to wybrałaś sobie najgorszy z możliwych sposób. Nie zrobię z tobą tego, póki nie będziesz pewna, że naprawdę tego chcesz.

Chciałem, by jak najszybciej się ode mnie odsunęła, a uczucie dyskomfortu zniknęło. Obrzuciła mnie spojrzeniem pełnym wyrzutu i smutku, a uczucie we mnie, zamiast zniknąć, wezbrało. Co się kurwa dzieje?, pomyślałem, gdy niemal wyskoczyła z jacuzzi i zakładając szybko szlafrok, pobiegła przez pokład.

– Co ty, do cholery, wyprawiasz, idioto – warknąłem do siebie, wstając. – Dostajesz to, czego chcesz, po czym to odtrącasz – mamrotałem, idąc po jej mokrych śladach.

Moje serce waliło jak szalone, a ja podświadomie wiedziałem, co się stanie, gdy ją znajdę. Zobaczyłem, jak wbiega do mojej kajuty, i uśmiechnąłem się na myśl, że to nie może być przypadek. Wszedłem za nią i zobaczyłem, jak stojąc tyłem do mnie, usiłuje w mroku znaleźć włącznik światła. Nagle pomieszczenie zalało jasne światło, a ja ujrzałem, jak się miota. Trzasnąłem drzwiami, paraliżując ją tym dźwiękiem. Wiedziała, że to ja. Zgasiłem światło i podszedłem do niej, jednym ruchem rozwiązując jej szlafrok, który opadł na ziemię. Czekałem cierpliwie. Chciałem być pewien, że wiem, co robię, mimo że pierwszy raz w życiu nie miałem pojęcia. Zacząłem ją całować, a ona namiętnie odwzajemniła pocałunek.

Wziąłem ją na ręce i zaniosłem do łóżka. Leżała przede mną, a blade światło lampek oświetlało jej doskonałe ciało. Czekałem na jakiś znak.

I oto on: dziewczyna zarzuciła ręce za głowę i uśmiechnęła się do mnie, jakby zapraszała, bym w nią wszedł.

– Wiesz, że tym razem, jeśli zaczniemy, nie będę umiał się powstrzymać? Jeśli przekroczymy pewną granicę, zerżnę cię, czy będziesz tego chciała, czy nie. Ostrzegam.

– A więc zerżnij.

Usiadła na łóżku, wciąż wpatrując się we mnie gigantycznymi oczami.

– Już jesteś moja, a teraz zatrzymam cię na zawsze – warknąłem po włosku, stając kilkanaście centymetrów od niej.

Oczy jej nienaturalnie pociemniały, wydawało się, że pożądanie za chwilę rozsadzi to drobne ciałko. Bez skrępowania złapała mnie za pośladki i przyciągnęła do siebie.

Uśmiechnąłem się. Wiedziałem, że nie może się już doczekać chwili, kiedy mnie spróbuje.

– Złap mnie za głowę. I wymierz mi wybraną przeze mnie karę.

Te słowa na kilka sekund pozbawiły mnie powietrza w płucach. Kobieta, która miała być przyszłą matką moich dzieci, zachowywała się jak dziwka. Nie mogłem uwierzyć, że chce mi się oddać w ten sposób. Byłem zachwycony, ale i przerażony tym, jak była doskonała.

– Prosisz, bym cię potraktował jak dziwkę. Czy tego właśnie chcesz?

– Tak, don.

Jej cichy szept i uległość obudziły we mnie demona. Poczułem, jak w moim ciele napinają się wszystkie mięśnie, a mnie ogarnia znajome uczucie spokoju i kontroli. Gdy poprosiła, bym był sobą, wszystkie niepotrzebne emocje odeszły. Powoli i pewnie wsunąłem się do jej ust, dochodząc nieomal w tym samym momencie, w którym wbiła we mnie oczy. Czułem, jak mój kutas opiera się o jej gardło, natarłem więc mocniej, czując na nim uścisk, który tak uwielbiałem. Byłem zachwycony. A kiedy Laura zniosła całą długość, byłem z niej dumny. Zacząłem lekko poruszać biodrami, by sprawdzić, ile wytrzyma. Była niesamowita. Przyjmowała wszystko, co jej dawałem.

– Jeśli w którymś momencie przestanie ci się podobać, daj mi znać – powiedziałem. – Tylko tak, żebym wiedział, że się ze mną nie droczysz.

Nie było w niej jednak żadnego oporu. Oddawała mi się bez reszty.

– To samo się tyczy ciebie – powiedziała, na sekundę wyciągając go z gardła.

Gdy jej usta znowu go objęły, wyraźnie przyspieszyła. Widziałem, że ją to bawi; była wyuzdana i bardzo chciała mi coś udowodnić. Pieprzyłem jej gardło, a ona chciała jeszcze. Ta myśl doprowadzała mnie na skraj rozkoszy. Usiłowałem spowolnić jej ruch, ale bezskutecznie.

Czułem, jak orgazm przetacza się przez moje ciało. Nie chciałem go. Nie teraz i nie tak szybko, pomyślałem. Odepchnąłem ją gwałtownie i dysząc, usiłowałem opanować wytrysk. Laura uśmiechała się triumfalnie. Tego już nie wytrzymałem. Cisnąłem nią o materac i przekręciłem na brzuch. Nie mogłem na nią patrzeć, nie przy pierwszym razie. Nie chciałem kończyć w sekundę, a wiedziałem, że taki będzie finał, jeśli ujrzę na jej twarzy rozkosz.

Wsadziłem w Laurę dwa palce i z przyjemnością odkryłem, że ociekają wilgocią. Jęczała i wiła się pode mną, a ja kolejny raz odchodziłem od zmysłów. Chwyciłem członek i powoli wsunąłem go w jej ciasną szparkę. Była gorąca, mokra i należała do mnie. Czułem każdy centymetr jej złaknionego pieprzenia środka. Wszedłem do końca i mocno przytuliłem jej ciało do siebie. Zastygłem bez ruchu, chciałem się nasycić tą chwilą, po czym wysunąłem się i natarłem mocniej, a moja Pani jęczała, niecierpliwiąc się coraz bardziej. Chciała, bym ją pieprzył, potrzebowała poczuć to mocno. Moje biodra ruszyły do ataku, gdy ciało odkleiło się od niej. Rżnąłem ją najmocniej, jak potrafiłem, a mimo to czułem, że chce jeszcze. Krzyczała, a po chwili nie mogła złapać tchu. Zwolniłem, by unieść jej biodra wyżej, chciałem widzieć w całej okazałości to, co moje. Gdy jej plecy wygięły się w łuk, zobaczyłem śliczny ciemny otwór i nie mogłem się powstrzymać. Oblizałem kciuk i zacząłem głaskać jej wąski odbyt.

– Don...? – jęknęła przerażona, ale nie cofnęła się nawet o centymetr.

Zaśmiałem się.

– Spokojnie, maleńka. Do tego też dojdziemy, ale jeszcze nie dziś.

Nie oponowała, a ja ucieszyłem się, że mnie nie widzi, bo miałem na twarzy szeroki uśmiech. Moja Pani lubiła seks analny, była idealna.

Wziąłem głęboki wdech i chwytając ją mocno za biodra, wbiłem się w nią głębiej, a po chwili jeszcze raz i jeszcze. Rżnąłem ją tak mocno i bezlitośnie. Pochylony zacząłem palcami drażnić jej łechtaczkę i poczułem, jak zaczyna zaciskać się w środku. Wbiła twarz w poduszkę, krzycząc coś niezrozumiale, a ja natarłem jeszcze mocniej, czując, jak rośnie w niej spełnienie. Jedyne, czego nie mogłem znieść, to tego, że nie widzę jej twarzy. Chciałem widzieć jej orgazm, zobaczyć w jej oczach ulgę, jaką jej dawałem. Przekręciłem ją na plecy i mocno przytuliłem, kolejny raz pieprząc jak dziwkę. I wtedy poczułem, jak rytmicznie zaciska się wokół mnie. Jej oczy stały się mętne. Usta miała szeroko otwarte, ale nie wydobywał się z nich żaden dźwięk. Szczytowała długo, swoją cipką nieomal miażdżąc mi kutasa. Nagle jej ciało rozluźniło się, a ona zapadła się głębiej w materac. Zwolniłem i delikatnie kołysząc biodrami, sięgnąłem po jej wiotkie nadgarstki. Była wykończona. Położyłem jej ręce za głową i przytrzymałem. Wiedziałem, że to, co za chwilę zrobię, wzbudzi w niej opór.

– Skończ na mój brzuch, proszę... Chcę to zobaczyć... – wydyszała na wpół przytomna.

– Nie – odparłem z uśmiechem i zacząłem ją na nowo pieprzyć.

Eksplodowałem.

Czułem, jak fale mojej spermy zalewają jej cały środek.

Był to doskonały dzień na poczęcie, jakby cały wszechświat chciał, by zaszła w ciążę. Walczyła i odpychała mnie od siebie, ale była zbyt drobna

17

na to, by przeciwstawić się mojej sile. Po chwili opadłem na nią gorący i spocony.

– Massimo, co ty, do cholery, wyprawiasz...!? – krzyknęła. – Przecież doskonale wiesz, że nie biorę tabletek.

Wciąż jeszcze szarpała się ze mną, usiłując zrzucić z siebie, a ja nie potrafiłem ukryć zadowolenia.

– Tabletek może i nie – powiedziałem. – Ciężko im ufać. Masz w sobie implant antykoncepcyjny, zobacz. – Wskazałem palcem.

Nadajnik, który kazałem jej wszczepić, niewiele się różnił od implantu antykoncepcyjnego, jaki miała Anna. Dlatego dobrze wiedziałem, że bez problemu uwierzy w tę bajeczkę.

– Już pierwszego dnia, kiedy spałaś, kazałem ci go wsadzić. Nie chciałem ryzykować. Będzie działał przez trzy lata, ale oczywiście po roku możesz go usunąć. – Nie mogłem przestać się uśmiechać na myśl o tym, że może dziś zacznie w niej rosnąć mój syn.

– Zejdziesz ze mnie? – parsknęła z wściekłością, co postanowiłem zignorować.

– Niestety, będzie to niemożliwe jeszcze przez jakiś czas, Mała. Bo ciężko mi będzie posuwać cię na odległość. – Odgarnąłem jej włosy z czoła. – Kiedy pierwszy raz zobaczyłem twoją twarz, nie pragnąłem cię. Byłem raczej przerażony tą wizją. Z czasem jednak, gdy zacząłem wieszać twoje portrety, tak że były już wszędzie, zacząłem dostrzegać każdy szczegół twojej duszy. Nie masz pojęcia, jak bardzo pokrywają się z oryginałem. Jesteś taka podobna do mnie, Lauro.

Jeśli byłem zdolny do miłości, to właśnie w tej sekundzie zakochałem się w kobiecie leżącej pode mną. Patrzyłem na nią i czułem nieomal fizycznie, jak coś się we mnie zmienia.

– Pierwszej nocy tak długo na ciebie patrzyłem, aż zrobiło się jasno. Czułem twój zapach, czułem ciepło twojego ciała; byłaś żywa, istniałaś i byłaś obok. Później przez cały dzień nie potrafiłem od ciebie odejść, irracjonalnie się bojąc, że wrócę, a ciebie już nie będzie.

Nie miałem pojęcia, dlaczego jej to wszystko mówię, ale czułem nieodpartą potrzebę, by wiedziała o mnie wszystko. W moim głosie słychać było strach.

Z jednej strony chciałem, żeby się mnie bała, ale z drugiej, by poznała o mnie całą prawdę.

Kilkanaście, może więcej dni później
(nie wiem, przestałam liczyć)

ROZDZIAŁ 1

Nastała cisza, a ja uświadomiwszy sobie, co właśnie powiedziałam, zamknęłam oczy. Kolejny raz mój mały rozumek chciał tylko o czymś pomyśleć, a polecił gardłu, by wydało dźwięk.

– Powtórz – powiedział spokojnym głosem, podnosząc mi brodę do góry.

Popatrzyłam na niego i poczułam, jak do oczu napływają mi łzy.

– Jestem w ciąży, Massimo, będziemy mieli dziecko.

Czarny wpatrywał się we mnie szeroko otwartymi oczami, a po chwili osunął na ziemię, klękając przede mną. Podniósł moją koszulkę i zaczął delikatnie całować dół brzucha, mamrocząc coś po włosku. Nie wiedziałam, co się dzieje, ale gdy złapałam w dłonie jego twarz, poczułam, że po policzkach spływają mu łzy. Ten silny, władczy i niebezpieczny mężczyzna klęczał teraz przede mną i płakał. Gdy to zobaczyłam, nie byłam w stanie się powstrzymać i po chwili ja również poczułam na swojej twarzy strumień łez. Zastygliśmy oboje na kilkanaście minut, dając sobie nawzajem czas na przetrawienie emocji.

Czarny podniósł się z kolan i złożył na moich ustach gorący, długi pocałunek.

– Kupię ci czołg – oznajmił. – A jak trzeba będzie, wykopię bunkier. Obiecuję, że ochronię was, nawet jeśli będę musiał zapłacić za to głową.

Powiedział „was". To słowo rozczuliło mnie tak, że znów zaczęłam płakać.

– Hej, Mała, dość już łez.

Wytarłam ręką policzki.

– To ze szczęścia – wymamrotałam w drodze do łazienki. – Zaraz wrócę.

Gdy po chwili z niej wyszłam, siedział na łóżku w samych bokserkach, po czym wstał i podszedł do mnie, całując w czoło.

– Wezmę prysznic, a ty nigdzie się stąd nie ruszaj.

Położyłam się i wtuliłam twarz w poduszkę, analizując sytuację, która dopiero co się wydarzyła. Nie spodziewałam się, że Czarny umie płakać, a tym bardziej że z radości. Po kilku minutach drzwi do łazienki otworzyły się i stanął w nich nagi i ociekający wodą. Niespiesznie podszedł do łóżka, jakby dawał mi czas na nacieszenie się swoim widokiem, i położył się obok.

– Od kiedy wiesz? – zapytał.

– Dowiedziałam się przypadkiem w poniedziałek, kiedy zrobiłam badanie krwi.

– Czemu nie powiedziałaś mi od razu?

– Nie chciałam przed wyjazdem, poza tym musiałam to przetrawić.

– Olga wie?

– Tak, i twój brat też.

Massimo zmarszczył brwi i przekręcił się na plecy.

– Czemu mi nie powiedziałeś, że ty i Domenico jesteście rodziną? – spytałam.

Myślał przez chwilę, zagryzając wargi.

– Chciałem, żebyś miała przyjaciela, bliską osobę, której zaufasz. Gdybyś wiedziała, że to mój brat, byłabyś bardziej zachowawcza. Domenico wiedział, jak cenna dla mnie jesteś, i nie wyobrażałem sobie, by ktoś inny opiekował się tobą pod moją nieobecność.

To, co mówił, nawet miało sens. Nie odczuwałam więc złości ani pretensji, że wcześniej nie wiedziałam.

– A więc odwołujemy ślub? – zapytałam, przekręcając się w jego stronę.

Massimo położył się na boku i przywarł do mnie nagim ciałem.

– Chyba żartujesz. Dziecko musi mieć pełną rodzinę. Co najmniej trzy osoby ją tworzą. Pamiętasz?

Po tych słowach zaczął delikatnie mnie całować.

– Co powiedział lekarz? Pytałaś go, czy możemy...

Zaśmiałam się i wsadziłam mu język głęboko do gardła. Jęknął i mocniej natarł na moje usta.

– Hm... Rozumiem, że tak – wydyszał, odrywając się na chwilę ode mnie. – Będę delikatny, obiecuję.

Sięgnąwszy ręką na nocną szafkę, wyłączył pilotem telewizor i w pokoju zaległa zupełna ciemność.

Zerwał ze mnie kołdrę i zrzucił ją z łóżka, po czym powoli wsunął dłonie pod moją koszulkę i ściągnął mi ją przez głowę. Jego ręce swobodnie wędrowały po moim ciele. Musnąwszy twarz i szyję, ujął moje piersi i zaczął rytmicznie je ugniatać. Po chwili pochylił się, złapał je wargami, przygryzł i zaczął ssać. Ogarnęło mnie dziwne uczucie: jakby przenikała mnie czysta rozkosz; nigdy wcześniej nie odczuwałam z tego aż takiej przyjemności. Massimo nie spieszył się z pieszczotami, chciał się nacieszyć każdym kawałkiem mojego ciała. Jego usta wędrowały od jednego sutka do drugiego, po czym wracał do moich ust i namiętnie je całował. Czułam, jak jego kutas powoli nabrzmiewa; ocierał się nim o mnie przy każdym ruchu. Chwilę później byłam już tak zniecierpliwiona, napalona i stęskniona, że przejęłam inicjatywę. Chciałam go już, teraz, natychmiast. Uniosłam się lekko, ale gdy Czarny wyczuł, co planuję, mocno przytrzymał mnie za barki.

– Chodź do mnie – wyszeptałam, wijąc się pod nim z podniecenia.

Czułam, że w tym momencie uśmiecha się triumfalnie, wiedząc, jak bardzo mam na niego ochotę.

– Mała, ja dopiero zaczynam.

Jego wargi sunęły wolno po moim ciele, poczynając od szyi, przez piersi, brzuch, aż dotarły tam, gdzie powinny od dawna być. Całował i lizał mnie przez koronkę majtek, drażniąc moją spragnioną cipkę, po czym niespiesznie ściągnął je i rzucił na podłogę. Rozłożyłam szeroko nogi, wiedząc, co się za chwilę stanie. Moje biodra delikatnie i rytmicznie zaczęły przesuwać się po atłasowym prześcieradle. Gdy poczułam jego oddech między nogami, fala pożądania kolejny raz przelała się przeze mnie. Massimo powoli wsunął język do środka i głośno jęknął.

– Jesteś taka mokra, Lauro... – wyszeptał.

– Nie wiem, czy to wina ciąży, czy tak bardzo za mną tęskniłaś.

– Zamknij się, Massimo – odparłam, wciskając jego głowę w moją mokrą szparkę. – Zrób mi dobrze.

Mój władczy ton podziałał na niego jak płachta na byka. Złapał mnie za uda i ściągnąwszy do połowy z łóżka, podłożył mi pod plecy poduszkę, a sam usiadł na kołdrze, którą wcześniej zrzucił. Mój oddech przyspieszył. Wiedziałam, że cokolwiek zechce zrobić, nie zajmie mu to zbyt wiele czasu.

Wsunął we mnie dwa palce, a kciukiem zaczął delikatnie zataczać koła na łechtaczce. Spięłam mimo woli mięśnie i zaczęłam jęczeć z rozkoszy. Wtedy przekręcił dłoń i jego palec ustąpił miejsca językowi.

– Pomóż mi trochę, Mała.

Wiedziałam, o co mnie prosi. Zsunęłam dłonie w dół i rozchyliłam cipkę, dając mu lepszy dostęp do najwrażliwszych miejsc. Kiedy jego język

24

zaczął rytmicznie uderzać o moją łechtaczkę, poczułam, że długo nie wytrzymam i eksploduję. Jego palce wewnątrz mnie przyspieszyły, a ich nacisk przybrał na sile. Nie mogłam już dłużej powstrzymywać orgazmu, który wzbierał we mnie gwałtowną falą, odkąd mnie dotknął. Szczytowałam długo, głośno krzycząc, aż w końcu opadłam bez sił na poduszkę.

– Jeszcze raz – wyszeptał, nie odrywając ode mnie warg. – Zaniedbywałem cię ostatnio, skarbie.

Myślałam, że żartuje, ale chyba nie żartował.

Jego palce ponownie we mnie przyspieszyły, a kciuk, który wcześniej bawił się łechtaczką, zaczął delikatnie pocierać o moje tylne wejście. Mimo woli zacisnęłam pośladki. Nie, na pewno nie żartował.

– No już, rozluźnij się, kochanie.

Grzecznie wykonałam jego polecenie. Wiedziałam, że czeka mnie rozkosz. Gdy jego palec wreszcie się delikatnie we mnie wsunął, poczułam, że zbliża się kolejny orgazm. Massimo doskonale wiedział, jak się obchodzić z moim ciałem, by robiło dokładnie to, czego sobie życzył. Zaczął szybko i rytmicznie uderzać palcami o oba moje wejścia, a językiem i wargami mocno napierać na łechtaczkę. Fala orgazmu zalała mnie nieomal natychmiast, a po niej przyszła kolejna i kolejna. Gdy osiągnęłam punkt, w którym rozkosz zaczęła boleć, wbiłam mu paznokcie w szyję. Zabrakło mi tchu. Ponownie opadłam na poduszkę, głośno dysząc.

Czarny przekręcił mnie, tak bym cała znalazła się na łóżku, i podniósł mi nogi niemal za głowę, po czym klęknął przede mną z wyprężonym członkiem.

– Jeśli zaboli, powiedz – wyszeptał, wsuwając się we mnie jednym szybkim ruchem.

Jego gruby, nabrzmiały kutas zaczął przesuwać się we mnie, rozdzierając mój środek. Kiedy doszedł do końca, zatrzymał biodra, jakby czekał na moją reakcję.

– Zerżnij mnie, don – powiedziałam, łapiąc go za głowę.

Nie musiałam dwa razy prosić ani powtarzać; jego ciało poruszało się jak karabin maszynowy. Pieprzył mnie mocno i szybko, czyli tak, jak oboje lubiliśmy najbardziej. Po chwili przekręcił mnie na brzuch i ułożył na płasko, po czym ponownie wsunął członek we mnie i rozpoczął szalony sprint. Czułam, że jest już blisko, ale on jakby nie mógł się zdecydować, kiedy i jak chce dojść. W pewnej chwili znów wyszedł ze mnie i przekręcił na plecy. Odszukał pilota i zapalił światło w salonie, tak by dawało lekką poświatę w sypialni. Kolanami rozsunął na boki moje uda i nie odrywając wzroku od mojej twarzy, wsunął się powoli w moją mokrą cipkę. Pochylił się i przywarł do mnie, a jego usta znajdowały się kilka centymetrów od moich. Widziałam, jak oczy Czarnego zmieniają się i w pewnym momencie zalewa je potężna rozkosz. Jego biodra zaczęły z całej siły się we mnie wbijać, a plecy zalał zimny pot. Szczytował długo, nie odrywając wzroku od moich oczu. To był najseksowniejszy widok w moim życiu.

– Nie chce z ciebie wychodzić – powiedział, ciężko dysząc.

Zaśmiałam się i przegarnęłam ręką jego włosy.

– Gnieciesz naszą córkę.

Massimo chwycił mnie mocno i przekręcił ze mną tak, że teraz to ja leżałam na nim. Zsunął rękę z łóżka i naciągnął mi kołdrę na plecy.

– Dziewczynka? – zdziwił się, gładząc mnie po głowie.

– Wolę dziewczynkę, ale jak znam swoje szczęście, pewnie będzie chłopak. A wtedy umrę z niepokoju o jego los, jak pójdzie w ślady taty.

Czarny zaśmiał się i wtulił głowę w moją szyję.

– Zrobi, co zechce, ja tylko zapewnię mu wszystko, o czym będzie marzył.

– Będziemy musieli przedyskutować sposób wychowywania dziecka, ale to nie jest dobra na to pora.

Massimo nic nie odpowiedział, przytulił mnie mocno do siebie i władczym tonem nakazał:

– Śpij.

Nie wiem, ile godzin spałam. Otworzyłam oczy i wzięłam do ręki telefon.

– O kurwa! Znowu dwunasta, to chore tyle spać.

Odwróciłam się na bok w poszukiwaniu Czarnego, ale jego miejsce było puste. Czemu mnie to nie dziwi? Leżałam chwilę, pomału dochodząc do siebie, po czym wstałam i poszłam się ogarnąć. Skoro Massimo wrócił, chciałam wyglądać lepiej niż przez ostatnie dni, ale oczywiście w stylu: och, ja nic nie robiłam, ja się taka śliczna budzę. Lekko podmalowałam oczy i przeczesałam genialnie obcięte wczoraj włosy. Wygrzebałam w garderobie krótkie dżinsowe szorty, jasny sweter, który opadał mi na ramię, i beżowe emu, które włożyłam na nogi. Póki mogę eksponować ciało, a na dworze jest dość ciepło, ale nie gorąco, będę się ubierać tak, jak lubię.

Przechodząc przez korytarz, spotkałam Domenica.

– O, cześć! Widziałeś Olgę?

– Przed chwilą wstała. Właśnie zamówiłem śniadanie, choć powinienem raczej lunch.

– A Massimo?

– Wyjechał wcześnie rano, powinien niedługo być. Jak się czujesz?

Oparłam się o jedne z drewnianych drzwi i figlarnie uśmiechnęłam.

– Och, cudownie... doskonale... idealnie...

Domenico uniósł dłoń i zrobił nią wymowny ruch.

– Bla, bla, bla. Mój brat też miał dziś wyjątkowo dobry humor. Ale ja się pytam, czy nic cię nie boli? Zarezerwowałem ci kolejną wizytę u ginekologa i kardiologa, według zaleceń twojego lekarza, tak że o piętnastej musisz być w klinice.

– Dzięki, Domenico – powiedziałam, odchodząc w stronę ogrodu.

Dzień był ciepły, a zza chmur co jakiś czas wyglądało słońce. Przy ogromnym stole siedziała Olo i czytała gazetę. Przeszłam obok niej i pocałowałam ją w głowę, siadając na fotelu.

– Cześć, suko – powiedziała, patrząc zza ciemnych okularów. – Co jesteś taka zadowolona? Czyżbyś dostała takie same zajebiste leki jak moje? Wycięło mnie po nich z butów, ocknęłam się jakieś pół godziny temu. Może ten wasz doktorek ma tego więcej?

– Ja dostałam coś zdecydowanie lepszego – oznajmiłam, z uśmiechem unosząc brwi.

Olga zdjęła okulary i odłożyła gazetę, wlepiając wzrok w coś, co się za mną znajdowało.

– Dobra, ciach bajera. Massimo wrócił.

Obróciłam się na fotelu i zobaczyłam, jak Czarny wyłania się zza drzwi, zmierzając w naszą stronę. Na jego widok aż zrobiło mi się gorąco; miał na sobie szare, materiałowe spodnie i grafitowy sweter, spod którego wystawał kołnierzyk białej koszuli. Jedną rękę trzymał w kieszeni, a drugą przy głowie, rozmawiając przez telefon. Był zachwycający, boski i przede wszystkim mój.

Olga lustrowała go uważnie, kiedy stał pogrążony w rozmowie na skraju ogrodu, spoglądając na morze.

– Ależ on się musi bzykać – rzuciła, kręcąc głową.

Podniosłam kubek z herbatą, wciąż nie odrywając od niego wzroku.

– Ty się mnie pytasz czy stwierdzasz?

– Patrzę na ciebie i wiem. Poza tym taki facet to gwarancja satysfakcji.

Ucieszyłam się, że humor jej wrócił i nie wspomina już o tym, co się wczoraj działo. Sama też starałam się o tym nie myśleć, by nie popaść w paranoję.

Czarny skończył rozmawiać i z kamienną twarzą podszedł do stolika.

– Miło, że jesteś, Olgo.

– Dzięki za zaproszenie, don. Miło, że zgodziłeś się na moją obecność w tym ważnym dla Laury dniu.

Na te słowa Massimo skrzywił się, a ja wymierzyłam jej pod stołem potężnego kopniaka.

– No i czemu mnie kopiesz, Lari? – zdziwiła się. – Przecież prawda jest taka, że to zaszczyt, którego na przykład twoi rodzice nie dostąpią.

Złapała oddech, chcąc kontynuować, ale chyba przypomniała sobie, że nie wolno mi się denerwować, i zamilkła.

– A jak się mają moje dziewczyny? – zainteresował się nagle Massimo, pochylając ku mnie i składając pocałunek wpierw na brzuchu, a później na moich wargach.

Ten widok zupełnie wytrącił Olo z równowagi.

– Powiedziałaś mu? – zapytała po polsku. – Myślałam, że on dopiero wrócił.

– Powiedziałam, przyjechał w nocy.

– No i już wiem, skąd twój doskonały humor od rana. Nie ma to, jak dymanko po prochach na uspokojenie. – Pokiwała głową i na powrót zatopiła się w lekturze.

Massimo zajął fotel u szczytu stołu i zwrócił się w moją stronę.

– O której mamy wizytę u lekarza?

– Jak to: mamy?

– Jadę z tobą.

– No, nie wiem, czy tego chcę. – Skrzywiłam się na myśl o jego obecności u ginekologa. – Mój lekarz jest mężczyzną, chciałabym, żeby jeszcze pożył. Wiesz w ogóle, jak wygląda badanie?

Na te słowa Olo parsknęła zza gazety, unosząc przepraszająco rękę.

– Skoro Domenico go wybrał, to na pewno jest najlepszy i profesjonalny. Poza tym, jeśli nie chcesz, mogę wyjść w trakcie badania.

– Ależ nie, to jest za parawanem – wtrąciła Olga, odkładając prasę. – Myślę, że się będziesz świetnie bawił.

– Jak chcesz kolejnego kopa, to wystarczy, że powiesz – warknęłam do niej po polsku.

– Możecie mówić po angielsku? – zdenerwował się Czarny. – Kiedy rozmawiacie po polsku, mam wrażenie, że nabijacie się ze mnie.

Gęstniejącą atmosferę przerwał Domenico, który odsunął krzesło i usiadł przy stole.

– Olga, potrzebuję twojej pomocy – powiedział. – Pojedziesz ze mną w jedno miejsce?

Zdziwiłam się na te słowa i zwróciłam w stronę młodego Włocha.

– Czy ja o czymś nie wiem?

– Niestety, wiesz o wszystkim – odparła zrezygnowana Olo. – Pewnie, że pojadę, jak nasze gołąbeczki będą u lekarza. I tak nie mam co robić.

– Bracie – zwrócił się Domenico w stronę Czarnego – czyli mogę już oficjalnie ci pogratulować?

Oczy Massima złagodniały, a na jego twarzy pojawił się lekki uśmiech.

Młody Włoch podszedł do niego i kiwając głową, rzucił kilka zdań po włosku, po czym przytulili się, klepiąc po plecach. Widok ten był dla mnie nowy i niesłychanie wzruszający. Czarny zadowolony usiadł i upił łyk kawy.

– Mam coś dla ciebie, Mała – powiedział, kładąc na stole czarne pudełko. – Mam nadzieję, że ten będzie bardziej fartowny.

Zaskoczona popatrzyłam na niego, wzięłam do ręki prezent, otworzyłam i zszokowana oparłam się o oparcie. Olo zajrzała mi przez ramię i aż cmoknęła z uznaniem.

– Bentley, fajnie. A nie masz może więcej takich pudełeczek?

Patrzyłam na zmianę to na niego, to na kluczyk.

– Najpierw chciałem, żebyś nie miała samochodu i jeździła wszędzie z kierowcą. Ale nie mogę pozwolić, żebyś popadła w paranoję, a poza tym, już wiem więcej o tej sprawie i nie sądzę, by ci zagrażało coś poważnego.

– Słucham? Jak to: wiesz więcej?

– Widziałem się rano z moim człowiekiem z policji i oglądałem nagrania z autostrady. Okazało się, że w samochodzie, który w was uderzył, była tylko jedna osoba. Po tym, co się nagrało na taśmie, nie dało się jej zidentyfikować, dlatego udostępniono nam także materiały spod spa. Tam, co prawda, też nic nie było widać, bo człowiek był w czapce i kapturze. Ale to mi pozwoliło wykluczyć pewne osoby z kręgu podejrzanych ze względu na chaotyczny sposób działania. Po drugie, osoba, która próbowała was staranować, nie miała pojęcia, jak to zrobić, a gdyby to robił zawodowiec, raczej byście już tu nie siedziały. Więc albo to był przypadek, albo akcja zupełnie niezwiązana z rodziną.

– Co za szczęście, że trafił się taki nieudacznik – powiedziała Olga, wznosząc ręce ku niebu.

– Nie uspokaja mnie to. W końcu będę musiała wyjechać i zostawię ją tu z tobą. Mam nadzieję, że włos jej z głowy nie spadnie, inaczej ta twoja horda ci nie pomoże, kiedy cię dorwę.

Massimo nie krył rozbawienia, a Domenico, wyraźnie skonfundowany, patrzył w stronę mojego pitbula w damskiej skórze.

– Widzisz, Massimo, ten temperament to jest chyba ich cecha narodowa.

Ucałowałam Olo i pogłaskałam ją po głowie, śmiejąc się.

Stół uginał się od pyszności i wszyscy czworo zabraliśmy się do jedzenia. Wyjątkowo miałam dziś ogromny apetyt i nie odczuwałam żadnych dolegliwości żołądkowych.

– No dobra, panowie – zaczęłam, odkładając widelec – to teraz opowiedzcie mi coś o waszym braterstwie. Fajnie było udawać relację szef–podwładny?

Popatrzyli na siebie, jakby chcieli ustalić, kto ma zacząć.

– Nie do końca jest to udawane – odparł Domenico. – Massimo, jako głowa rodziny, jest zasadniczo moim szefem, choć przede wszystkim bratem, bo rodzina jest najważniejsza, ale także donem, więc należy się mu także inny rodzaj szacunku, nie tylko taki, jaki okazuje się bliskim. – Oparł się łokciami o stół i lekko pochylił. – Poza tym dowiedzieliśmy się o tym, że jesteśmy rodzeństwem, dopiero kilka lat temu, a dokładnie po śmierci ojca.

– Kiedy mnie postrzelono, potrzebowałem krwi – wtrącił Czarny. – No i badania wykazały u nas dość duże zbieżności genetyczne. Później, jak wydobrzałem, zaczęliśmy drążyć temat i się okazało, że jesteśmy przyrodnimi braćmi. Matka Domenica jest rodzoną siostrą mojej mamy, a ojca mamy wspólnego.

– Zaczekaj, bo nie rozumiem – przerwała Olga. – Więc twój ojciec bzykał siostry?

Obaj zmarszczyli się, przybierając podobny wyraz twarzy.

– Mówiąc bardzo kolokwialnie – wycedził Massimo – owszem. Właśnie tak było.

Przy stole zapadła wymowna cisza.

– Czy coś cię jeszcze interesuje, Lauro? – zapytał Czarny, nie spuszczając wzroku z Olgi.

– Skoro jesteśmy w gronie rodziny – powiedziałam – to może dla rozluźnienia wybierzemy imię dla dziecka?

– Henryk! – zawołała Olo. – Piękne i władcze imię, królewskie.

Domenico zmarszczył czoło, próbując razem z donem wymówić to imię.

– Nie, to nie jest dobry pomysł. – Pokręciłam głową. – Poza tym ja cały czas jestem przekonana, że to będzie dziewczynka.

Trzy sekundy później rozpętała się taka dyskusja, że zaczęłam żałować zmiany tematu. Olga wrzeszczała, a Massimo ze spokojem i kamienną twarzą odpierał jej argumenty. Tak naprawdę najmniej potrzebna byłam ja. Patrząc na nich, uświadomiłam sobie, że dopóki Olo nie będzie pewna tego, iż jestem bezpieczna i szczęśliwa, jej wojna z Czarnym nigdy się nie skończy, a ona wciąż będzie go prowokować i sprawdzać.

Podniosłam się z krzesła i pocałowałam ją w głowę.

– Kocham cię, Olo.

Wszyscy nagle umilkli. Podeszłam do Massima i złożyłam na jego ustach długi, namiętny pocałunek.

– Kochamy cię – powiedziałam. – A teraz jadę do lekarza, bo się spóźnię. – Po czym wzięłam czarne pudełeczko i odeszłam od stołu.

Mój narzeczony przeprosił i powoli podniósł się z fotela. Ruszył za mną, a po chwili dogonił i objął ramieniem.

– A wiesz, gdzie stoi samochód, kochanie, czy postanowiłaś zastanowić się nad tym później?

Szturchnęłam go ze śmiechem, na co poprowadził mnie w stronę tej części ogrodu, w której nigdy nie byłam, bo znajdowała się za domem. Ponieważ nie było tam ani słońca, ani morza, nie miałam potrzeby tam chodzić.

Kiedy dotarliśmy na miejsce, zobaczyłam ogromny parterowy budynek, jakby wbudowany w skałę. Brama garażowa otworzyła się i odkryłam ze zdziwieniem, że garaż, a raczej hala garażowa, faktycznie był wewnątrz zbocza góry. W środku stało kilkadziesiąt różnych aut. Zgłupiałam. Po co komu tyle samochodów?

– Jeździsz nimi wszystkimi?

– Każdym jechałem przynajmniej raz. Ojciec miał taką pasję. Kolekcjonował je.

Ku swojej radości zobaczyłam pod ścianą kilka motocykli i od razu ruszyłam w ich stronę.

– Och, mój ukochany – powiedziałam, głaszcząc motor marki Suzuki Hayabusa. – Czterocylindrowy silnik, sześciobiegowa skrzynia i ten moment obrotowy! – jęknęłam. – Wiesz, że jego nazwa pochodzi od japońskiego słowa, które oznacza najszybsze zwierzę świata, czyli sokoła wędrownego? Jest cudowny.

Massimo stał koło mnie, z zaskoczeniem słuchając tego, co mówię.

– Zapomnij – warknął, pociągając mnie za rękę w stronę wyjścia. – Nigdy, i mówię teraz bardzo poważnie, Lauro, nigdy w życiu nie wsiądziesz na motocykl.

Z wściekłością wyszarpnęłam rękę z jego dłoni i stanęłam jak wryta.

– Nie będziesz mi mówił, co mam, do cholery, robić!

Czarny odwrócił się i chwycił w ręce moją twarz.

– Jesteś w ciąży, nosisz moje dziecko, a kiedy się urodzi, będziesz matką mojego dziecka. – Akcentował słowo „moje", wpatrując się we mnie. – Nie zaryzykuję utraty ciebie albo was obojga, więc wybacz, ale będę ci mówił, co masz robić. – Wskazał palcem na maszyny pod ścianą. – A motocykle jeszcze dziś znikną z domu. I nie chodzi tu o twoje umiejętności ani rozwagę, ale o to, że nie masz wpływu na to, co się dzieje na drodze.

Właściwie miał rację. Nie lubiłam tego przyznawać, ale nie pomyślałam o tym, że teraz już nie będę żyła tylko dla siebie.

Patrząc mu w zimne, rozwścieczone oczy, pogłaskałam brzuch. Ten gest go wyraźnie udobruchał; złapał mnie za ręce i przycisnął je, opierając czoło o moje. Nawet nie musiałam mówić, że rozumiem. Dobrze wiedział, co czuję i myślę.

– Nie bądź uparta, Lauro, tylko po to, żeby być. I pozwól mi o was zadbać. Chodź.

W garażu przed jedną z bram stał zaparkowany czarny bentley continental. Potężny dwudrzwiowy samochód w niczym nie przypominał krowiastego porschaka, którego dostałam poprzednio.

– Powiedziałeś, że nie będę mieć sportowego auta.

– Zmieniłem zdanie. Poza tym wmontuję ci kontrolę rodzicielską w kluczyk.

Stałam lekko skonfundowana, patrząc na niego z niedowierzaniem.

– Żartujesz, prawda?

Czarny wyszczerzył swoje białe zęby w uśmiechu.

– Oczywiście, bentley nie ma takiej funkcji. – Uniósł z rozbawieniem brwi. – Ale jest bardzo bezpiecznym i szybkim samochodem; po konsultacji wybrałem go dla ciebie. Jest prostszy w obsłudze niż porsche i bardziej elegancki, a w środku ma dużo miejsca, więc brzuszek będzie się mieścił. Podoba ci się?

– Podoba mi się hayabusa – powiedziałam i wydęłam dolną wargę.

Czarny rzucił mi ostrzegawcze spojrzenie i otworzył drzwi od strony kierowcy. Zdziwiona, że pozwala mi prowadzić, wolno wsiadłam do samochodu. Wnętrze było w pięknym miodowo-orzechowym kolorze, eleganckie, proste i wyrafinowane. Fotele i część drzwi pokrywała jakby pikowana skóra, a całą deskę ozdabiało drewno. Z zaskoczeniem odkryłam, że jest to wbrew pozorom ogromne czteroosobowe auto. Kiedy oszołomiona szczegółami wykończenia rozglądałam się po wnętrzu, Massimo wsiadł do samochodu od strony pasażera.

– Może być? – zapytał.

– Ostatecznie jakoś go przeżyję – odparłam ironicznie.

W drodze do kliniki Czarny objaśniał mi niezbyt skomplikowane działanie samochodu i już po dwudziestu minutach osiągnęłam status eksperta w jego obsłudze.

U lekarza Massimo był spokojny i zdyscyplinowany. Słuchał doktora i zadawał sensowne pytania, a w trakcie badania wyszedł, oznajmiając, że chce mi dać maksimum komfortu. Tak jak sądziłam, wczorajszy wypadek nie odbił się ani na moim zdrowiu, ani na zdrowiu dziecka. Kardiolog również potwierdził, że nic mi nie dolega, a serce jest w wyjątkowo dobrym jak na mnie stanie. Przepisał doraźne leki, które miałam brać w sytuacjach, gdybym poczuła się gorzej.

Po dwóch godzinach byliśmy w drodze powrotnej. Tym razem poprosiłam Czarnego, by to on prowadził, bo mimo wszystko te wizyty były dla mnie sporym stresem i wolałam nie ryzykować.

– Luca – powiedział nagle, patrząc na drogę. – Chciałbym, żeby nasz syn nazywał się jak mój dziadek. Był wielkim i mądrym Sycylijczykiem, spodobałby ci się. Niezwykle szarmancki i inteligentny człowiek, który myśleniem zdecydowanie wyprzedzał swoją epokę. To dzięki niemu ojciec wysłał mnie na studia i pozwolił kształcić się, zamiast biegać z bronią.

Obracając w głowie imię, które usłyszałam, pomyślałam, że właściwie nie mam nic przeciwko temu. Dla mnie liczyło się tylko to, by dziecko było zdrowe i normalnie dorastało.

– To będzie dziewczynka, zobaczysz.

Usta Massimo złożyły się w nieśmiały uśmiech, a jego dłoń powędrowała na moje kolano.

– A więc Eleonora Klara, jak twoja i moja matka.

– Czy mam coś do powiedzenia?

– Nie, wpiszę to w akt urodzenia, kiedy będziesz dochodzić do siebie po porodzie.

Spojrzałam na niego i uderzyłam pięścią w jego bark.

– No co? – zaśmiał się. – To tradycja. – I zaczął gładzić miejsce, w które dostał cios. – Don decyduje o rodzinie, a ja zdecydowałem.

– A wiesz, jakie mamy tradycje w Polsce? Kastrujemy męża po pierwszym dziecku, żeby zdrada nie przyszła mu do głowy, skoro już spłodził potomka.

– No to z tego, co mówisz, wynika, że jeszcze chwilę będę korzystał ze swojego przyrodzenia, skoro pierwsza będzie dziewczynka.

– Massimo, jesteś nieznośny – skwitowałam, kręcąc głową.

Jechaliśmy autostradą, posuwając się niezbyt szybko. Delektowałam się cudownymi widokami fascynującej Etny, z której ciągle wydobywał się słup dymu. Nagle rozległ się dźwięk telefonu Massima, który połączył się z zestawem głośnomówiącym auta. Czarny westchnął i odwrócił wzrok w moją stronę.

– Muszę odebrać i chwilę porozmawiać z Mariem.

Jego *consigliere* sporadycznie nam przeszkadzał, ale wiedziałam, jak ważną funkcję pełni, i nie miałam nic przeciwko temu. Machnęłam ręką, pozwalając mu odebrać.

Uwielbiałam, kiedy mówił po włosku; to było bardzo seksowne i niesamowicie mnie kręciło. Po kilku minutach zaczęłam się jednak nudzić i przyszedł mi do głowy sprośny pomysł.

Położyłam rękę na udzie Massima i powoli przesunęłam ją w stronę jego krocza. Zaczęłam go delikatnie pieścić przez spodnie. Czarny jednak zdawał się zupełnie nie reagować na to, co robiłam, postanowiłam więc dalej się posunąć. Rozpięłam jego rozporek i z zadowoleniem odkryłam, że nie ma na sobie bielizny. Mruknęłam i oblizałam usta, wyciągając jego męskość przez otwór w spodniach.

Czarny zerknął najpierw na dół, a później na mnie, wciąż nie przerywając rozmowy. Ta udawana obojętność była dla mnie jak wyzwanie, rozpięłam więc pas bezpieczeństwa i zapięłam go ponownie w uchwycie, tak by alarmujący pisk nie przeszkadzał mu w rozmowie. Massimo zmienił pas na prawy i jeszcze bardziej zwolnił. Lewą ręką mocno złapał kierownicę, a prawą oparł o siedzenie pasażera, robiąc mi miejsce. Pochyliłam się, wzięłam jego członek do ust i zaczęłam mocno ssać. Czarny wziął głęboki oddech, jakby westchnął, a ja oderwałam się na chwilę i uniosłam tak, by wyszeptać mu do ucha:

– Będę cicho, ale ty też musisz. Nie przeszkadzaj sobie.

Pocałowałam go w policzek, po czym wróciłam do zabawy jego penisem. Z każdą chwilą coraz bardziej twardniał mi w ustach, słyszałam, jak moje pieszczoty utrudniają mu mówienie. Robiłam to szybko i sprawnie, dołączając dłoń. Po chwili poczułam, jak na mojej głowie ląduje ręka Massima, który dociska mnie, wkładając go jeszcze głębiej. Chciałam, żeby doszedł; chyba jeszcze nigdy tak dobrze i starannie nikomu nie obciągałam. Jego biodra drżały, a oddech przyspieszał. Nie interesowało mnie, czy ktoś nas widzi, byłam nakręcona i bardzo pragnęłam go zaspokoić. Po chwili usłyszałam, jak wyrzuca z siebie *ciao* i wciska czerwoną słuchawkę na wyświetlaczu. Samochód gwałtownie skręcił i zatrzymał się na poboczu. Rozpiął pas, a jego dłonie złapały mnie mocno za włosy. Wpychał mi go do gardła, głośno jęcząc i wypychając biodra do góry.

– Zachowujesz się jak dziwka – wycedził przez zęby. – Moja dziwka.

Podniecało mnie, kiedy był wulgarny, uwielbiałam jego mroczną stronę, która w łóżku była zaletą. Zaczęłam jęczeć, zachłannie zaciskając wargi wokół jego penisa i pozwalając, by traktował moją twarz jak zabawkę. Kiedy poczuł silniejszy nacisk, zaczął głośniej pojękiwać i w tej samej chwili fala spermy zalała mi gardło. Płynęła, a ja łykałam ze smakiem każdą płynącą z niego kropelkę. Kiedy skończył, wylizałam go do czysta, po czym wsadziłam z powrotem do spodni i zapięłam rozporek. Oparłam się o siedzenie, wytarłam usta palcami i oblizałam się, jakbym właśnie zjadła coś pysznego.

– Jedziemy? – zapytałam zupełnie poważna, obracając głowę w jego stronę.

Massimo siedział z zamkniętymi oczami, z głową wspartą na zagłówku. Po chwili obrócił się do mnie, przeszywając pożądliwym wzrokiem.

– To kara czy nagroda? – zapytał.

– Zachcianka. Nudziłam się i miałam ochotę zrobić ci laskę.

Uśmiechnął się i uniósł brwi jakby z lekkim niedowierzaniem, po czym dynamicznie włączył się do ruchu.

– Jesteś moim ideałem – powiedział, pędząc slalomem między samochodami. – Czasem doprowadzasz mnie do pasji, ale nie wyobrażam sobie już bycia z kimś innym.

– I słusznie, bo czeka nas jeszcze jakieś pół wieku razem.

ROZDZIAŁ 2

W momencie, kiedy dojechaliśmy do posiadłości, auto z Domenikiem i Olgą w środku zaparkowało obok nas. Moja przyjaciółka wyskoczyła ze środka podejrzanie zadowolona i wyraźnie czymś podniecona. Massimo otworzył mi drzwi i wszyscy czworo stanęliśmy na podjeździe.

– Ubrudziłeś się czymś – powiedziała Olo, wskazując na krocze Czarnego.

Kiedy spojrzałam na miejsce, na które patrzyła, zauważyłam niewielką jasną plamkę.

– Jedliśmy lody – wyjaśniłam z głupkowatym wyrazem twarzy.

Olo zaśmiała się i przechodząc obok, rzuciła rozbawiona:

– Mhm, chyba ty.

Uniosłam brwi, w geście triumfu kiwając głową, i poszłam za nią. Dotarłyśmy po chwili do sypialni i opadłyśmy na wielkie łóżko.

– Chce mi się bzykać – zaczęła Olo z rozbrajającą szczerością. – A jak tak patrzę na tego Domenica, to już nie mogę wytrzymać. Jest taki szarmancki i... – urwała, szukając odpowiedniego słowa. – ...włoski. Myślę, że lubi lizać cipkę, poza tym ta jego mała dupka... Lubię takie...

Przez chwilę zastanawiałam się nad tym, co mówi, i pomyślałam, że jakoś nigdy nie postrzegałam Domenica w ten sposób.

– Bo ja wiem... Nie wygląda mi na takiego, co lubi... Ale jeśli jest w nich jakiekolwiek braterskie podobieństwo, to byłabyś zadowolona.

Z przekonaniem pokiwałam głową, a ona wierciła się, nie mogąc znaleźć miejsca.

– Nie pomagasz mi, wiesz! – krzyknęła, zrywając się z miejsca, i jak mała dziewczynka zaczęła skakać po materacu. – To nie jest śmieszne patrzeć na ciebie taką zaspokojoną i wydymaną. Ja też potrzebuję odrobiny, że tak powiem, atencji.

– Pamiętaj, wibrator najlepszym przyjacielem kobiety.

Przestała kicać i usiadła na kolanach.

– Myślisz, że wpadłam na to, żeby go spakować? Kurwa! Myślałam, że głowę ci tu ucinają toporem, i nie zastanawiałam się, czy będzie mi potrzebny gumowy kutas do walki o twoje życie.

– No i popatrz, jaka strata, ani mordu, ani sylikonowego penisa – odparłam z przekorą.

Olo siedziała w skupieniu, wyraźnie szukając rozwiązania sytuacji. Po chwili doznała olśnienia, a jej twarz rozpromieniła się myślą, która na nią zstąpiła. Ciekawa jej kolejnych sprośnych pomysłów, aż uniosłam się i oparłam o zagłówek łóżka.

– Wiesz co, Lari?

– No, słucham, geniuszu.

– Mamy dziś wieczór panieński, więc może byśmy gdzieś poszły... No wiesz... Pobawimy się, potańczymy. Co ty na to?

– Aha, a jutro będę trzeźwą, niewyspaną, napuchniętą, ciężarną panną młodą. Dziękuję za takie balety.

Zrezygnowana opadła obok mnie.

– Ech, a już myślałam, że coś podymam na mieście.

W tym momencie drzwi do pokoju otworzyły się i stanął w nich Massimo.

– Zmieniłeś spodnie? – zapytała Olga z ironicznym uśmiechem. – Złe wspomnienia, znam to. Lody potrafią namieszać w życiu.

Szturchnęłam ją i wstałam, podchodząc do Czarnego, a ona leżała, patrząc na niego prowokująco. Czekała tylko, aż ponownie wda się z nią w utarczkę słowną, ale Massimo wiedział już, że to nie ma sensu, i odpuścił. Pocałowałam go w policzek bezdźwięcznie, dziękując za mądrość i opanowanie. Nie odrywając od niej wzroku, powiedział:

– Lubię cię, Olga, masz osobliwe poczucie humoru. – Zamilkł, a jego wzrok napotkał mój. – Zbierajcie się, za godzinę wypływamy. – Po czym pocałował mnie w czoło i zniknął w korytarzu.

– Wypływamy? – zdziwiła się Olo.

– Nie patrz tak na mnie, jestem tak samo zdziwiona jak ty.

– No dobra, ale że co? Wiosłujemy czy wpław? W co ja mam się ubrać, w piankę i płetwy?

Wyciągnęłam telefon i wybrałam numer Domenica, ale nic mi się nie udało dowiedzieć prócz tego, że nie będziemy jedli kolacji w domu. Zbył mnie tekstem o jakimś spotkaniu i odłożył słuchawkę.

Bezczelny, pomyślałam i wróciłam do Oli. Wspólnie postanowiłyśmy, że z okazji niewiedzy i wieczoru panieńskiego wystroimy się, czyli standard na piątkowy wieczór.

Po dwudziestu minutach w mojej garderobie byłyśmy już niemal pewne, co chcemy włożyć. Wiedziałam, że Massimo lubi, kiedy jestem elegancka, wybrałam więc pewniaka, czyli Chanel. Szara sukienka przypominała raczej krótką plątaninę materiału niż kreację. Delikatnie i zmysłowo opływała moje ciało, tu i ówdzie zasłaniając je i odsłaniając jednocześnie. Zdawałam sobie, co prawda, sprawę, że płyniemy łodzią, ale to mi zupełnie nie przeszkadzało w tym, żeby włożyć czarne lakierowane szpilki z czubkiem. Dorzuciłam do tego szeroką bransoletkę od Hermesa w kolorze butów i uznałam się za oszałamiającą, wciąż jeszcze szczupłą przyszłą mamę.

Olga natomiast postawiła na swój standardowy look wyrafinowanej prostytutki, zakładając kolorową tunikę z jedwabiu od Dolce & Gabbana, która ledwo zasłaniała jej tyłek. Właściwie powinno się pod nią wkładać szorty, ale kto by o tym myślał. Z uwagi na ten sam rozmiar stopy miała w mojej szafie raj. Po dziesięciu minutach wybrała wreszcie niebotycznie wysokie szpilki i pasującą do nich torebkę.

– O kurwa! – rzuciła, patrząc na zegarek. – Mamy piętnaście minut. – Po chwili paniki przyszła pora na refleksję. – A właściwie, dlaczego on będzie mi mówił, ile mamy mieć czasu. Jak będziemy gotowe, to zejdziemy.

Zaczęłam się śmiać i pociągnęłam ją do łazienki. Makijaż i fryzura faktycznie zajęły nam trochę więcej czasu, niż myślałyśmy, ale i tak wyjątkowo szybko dałyśmy sobie radę. Czarne, mocno obrysowane oczy i czerwona pomadka idealnie pasowały do mojego dzisiejszego wizerunku grzecznej, eleganckiej przyszłej żony.

Wychodząc z łazienki, z przerażaniem odkryłam Domenica stojącego w pokoju. Był elegancki i wytworny, jeszcze bardziej niż zwykle. Ubrany w czarny garnitur i ciemną koszulę, nagle niesamowicie zaczął przypominać mi swojego brata. Zaczesane starannie do tyłu włosy odsłaniały jego chłopięcą twarz i uwydatniały duże wargi.

W pewnym momencie poczułam, że ktoś dyszy za moimi plecami. Olo zbliżyła usta do mojego ucha i wyszeptała w naszym ojczystym języku:

– Czy ty to, kurwa, widzisz? Przecież ja zaraz nie wytrzymam i uklęknę przed nim.

Młody Włoch przyglądał się nam z nieukrywanym rozbawieniem, a gdy mijała kolejna sekunda naszego bezruchu, powiedział, szczerząc zęby:

– Chciałem sprawdzić, jak wam idzie i czy jest szansa, że przed ślubem wypłyniemy.

Chwyciłam za rękę Olo, która z nerwów już ledwo stała, i udając niewzruszoną, poszłam w stronę schodów. W ogrodzie zdjęłyśmy buty i biorąc je w rękę, ruszyłyśmy w kierunku pomostu.

Gdy dostrzegłam na horyzoncie szary kadłub Tytana, aż zrobiło mi się gorąco na wspomnienie mojej pierwszej nocy z Massimem. Zatrzymałam się, a Olga, nie zauważając tego, w roztargnieniu wpadła mi na plecy.

– Co jest, Lari? – zapytała przejęta, spoglądając na moją twarz.

– To tam – powiedziałam, wskazując na jacht.

– Tam się wszystko zaczęło.

Ogarnęło mnie wzruszenie. Serce waliło mi jak oszalałe i myślałam tylko o tym, by jak najszybciej znaleźć się przy Czarnym.

– Panie przodem. – Domenico wskazał niewielkie schodki na motorówkę i podał mi dłoń.

Rozsiadłyśmy się wygodnie w białych fotelach i po chwili pędziliśmy już przez morze w stronę monumentalnej łodzi. Młody Włoch i Olo obcinali się wzajemnie, udając niezainteresowanych, a ja myślałam o tamtej nocy. Nie zdając sobie z tego sprawy, wsadziłam palec do ust, a po chwili poczułam falę gorąca rozchodzącą się po moim ciele. Pragnęłam go, nie widziałam, nie czułam jego zapachu i dotyku, a mimo to na samo wspomnienie byłam już tak napalona, że miałam wrażenie, iż eksploduję.

– Przestań, Lari – odezwała się Olo. – Widzę, co wyprawiasz z tym palcem. Nawet nie muszę pytać, o czym myślisz.

Uśmiechnęłam się, wzruszając ramionami, i oparłam dłonie o białą skórę fotela. Motorówka powoli dobijała do burty jachtu, a ja zastanawiałam się, po co mi były te głupie szpilki. Gdyby nie one, mogłabym już wskoczyć na pokład i pobiec do Czarnego.

Domenico wysiadł pierwszy i pomógł nam opuścić łódź. Podniosłam oczy w górę i zobaczyłam Massima stojącego u szczytu schodów. Wyglądał zniewalająco, ubrany w szary jednorzędowy garnitur i białą rozpiętą koszulę. Tak bardzo go pragnęłam, że nawet gdyby stał tam w stroju klauna, wywarłby na mnie takie samo wrażenie. Postanowiłam jednak zagrać elegancką i niewzruszoną i powolnym krokiem ruszyłam w jego stronę, nie odrywając wzroku od mojego zachwycającego mężczyzny. Kiedy się do niego zbliżyłam, wyciągnął dłoń i bez słowa poprowadził mnie do stolika. Po chwili usiedli przy nas także Olga i Domenico.

Kelner podał wino i po kilku minutach wszyscy zatopili się w rozmowie o jutrzejszej ceremonii. Mnie natomiast zajmowały sprawy bardziej prozaiczne: myślałam tylko o seksie. Usiłowałam wprawdzie okiełznać własny umysł, ale bez skutku. Co się ze mną dzieje?, powtarzałam w myślach, próbując wejść w klimat sytuacji. Po kilkunastu minutach byłam już mocno zirytowana i rozdrażniona. Wpatrywałam się w każdą osobę, która mówiła coś, starając się robić przy tym najmądrzejszą minę na świecie, ale udawanie nie szło mi najlepiej. Przez głowę przelatywały mi pomysły, jak by tu odciągnąć Czarnego od stołu. Pomyślałam, że mogłabym na przykład symulować złe samopoczucie, ale wtedy wpadłby w panikę i nici z seksu. Pomyślałam też o ostentacyjnym wyjściu, ale wtedy pewno wyprzedziłaby go Olga, rzucając się za mną, tak że nic by nie wyszło z mojego planu. Cóż, jest ryzyko, jest zabawa, pomyślałam.

– Massimo, czy możemy zamienić słowo? – zapytałam, wstając od stołu i kierując się w stronę schodów na dolny pokład.

Czarny powoli podniósł się z fotela i ruszył za mną. Pomyliłam kierunki i jak zawsze zgubiłam się w plątaninie drzwi, rozglądając się na boki.

– Chyba wiem, czego szukasz – powiedział, rzucając mi lodowate spojrzenie.

Wyprzedził mnie i po przejściu kilku kroków otworzył jakieś drzwi. Kiedy przez nie przeszłam, zamknął je i przekręcił zamek. Wzięłam głęboki wdech, przypominając sobie analogiczną sytuację sprzed kilku tygodni.

– Czego sobie życzysz, Lauro? Bo nie sądzę, żebyś faktycznie chciała rozmawiać.

Weszłam do salonu i oparłam o stół obiema rękami, lekko podciągnęłam krótką sukienkę i rzuciłam mu pożądliwe spojrzenie. Massimo powoli podszedł do mnie i bardzo poważny patrzył, co robię.

– Chcę, żebyś mnie zerżnął, teraz! Szybko i mocno, bardzo potrzebuję poczuć cię w sobie.

Czarny podszedł do mnie od tyłu i łapiąc za kark, położył brzuchem na stole. Przesuwał dłoń po mojej szyi, mocno ją zaciskając.

– Otwórz usta – powiedział rozkazująco i wsadził mi do buzi dwa palce.

Kiedy zrobiły się mokre, włożył je pod koronkę moich majtek i kilka razy potarł wejście do cipki. Co za ulga!, pomyślałam. Potrzebowałam jego dotyku, odkąd tylko zobaczyłam Tytana. Wygięłam się w łuk, wypinając mocno pośladki, i czekałam, aż we mnie wejdzie.

– Daj mi rękę – powiedział, bawiąc się palcami wewnątrz mnie.

Podałam mu dłoń i usłyszałam, jak rozpina rozporek. Po chwili poczułam pod palcami to, czego pragnęłam najbardziej. Jego kutas pęczniał, jakby domagając się pieszczot, a Czarny czekał tylko, kiedy będzie gotów.

– Wystarczy – rzucił, odchylając mi majtki.

Poczułam, jak wsuwa się we mnie, i całe moje ciało wyprężyło się. Złapał mnie mocno za biodra i zaczął rżnąć w szaleńczym tempie. Robił to jak automat, głośno dysząc i szepcząc coś po włosku.

Po dwóch minutach, może trzech, przyszedł pierwszy orgazm, po nim doszłam jeszcze dwa razy. Kiedy uznał, że mam już dość, a moje ciało bezwładnie opadło, wyszedł ze mnie.

– Klęknij – syknął, biorąc kutasa w rękę.

Zbierając się powoli ze stołu, opadłam przed nim na kolana. Bez żadnych oporów wsadził go do moich wysuszonych ust i kolejny raz nadał ciału pęd, taranując mój język. Doszedł intensywnie, nie wydając z siebie żadnego dźwięku, po czym wycieńczony oparł dłonie o kant stołu.

– Zadowolona? – zapytał, gdy wycierając usta, opadłam na podłogę.

Z nieukrywaną radością pokiwałam głową i zamknęłam oczy. Zastanawiałam się, czy tak będzie zawsze, czy do końca życia będzie mnie tak kręcił, a ja zawsze będę miała na niego taką ochotę.

Kiedy doszedł do siebie, zapiął rozporek i usiadł w fotelu naprzeciw mnie. Obróciłam głowę i z uśmiechem powiedziałam:

– Wiesz, że to tu zaszłam w ciążę?

Milczał przez chwilę, wbijając we mnie poważny wzrok.

– Tak sądzę, a przynajmniej tego właśnie chciałem.

Przekręciłam się, patrząc w sufit. No tak, właściwie wszystko jest zawsze tak, jak on sobie tego życzy, nie powinno mnie więc dziwić, że to także stało się, bo tak chciał.

Po chwili podniosłam się i wygładziłam sukienkę. Czarny siedział, nie spuszczając ze mnie wzroku.

– Idziemy? – zapytałam, na co uniósł się i bez słowa poszedł w stronę wyjścia.

Słońce chyliło się już ku zachodowi, a Domenico i Olga świetnie sobie bez nas radzili.

– Ja pierdolę – usłyszałam głos Oli. – Lari, patrz, delfiny!

Jacht niespiesznie płynął, a obok niego wyskakiwały z wody te niesamowite ssaki. Zdjęłam buty i podeszłam do barierki. Było ich kilkanaście, bawiły się i skakały jeden przez drugiego. Massimo objął mnie ramionami, całując w kark. Poczułam się jak mała dziewczynka, której ktoś właśnie pokazał magiczną sztuczkę.

– Wiem, że wieczór panieński to striptiz i pijaństwo z koleżankami w klubie, ale mam nadzieję, że to chociaż w małym stopniu zrekompensuje ci te braki.

Obróciłam się i zdziwiona spojrzałam w jego oczy.

– Braki? Pływanie prawie stumetrowym jachtem z obsługą, doskonałe jedzenie i ty obok. To nazywasz brakiem?

Patrzyłam na niego z niedowierzaniem, a gdy moje słowa zdawały się nie wywierać na nim wrażenia, złożyłam na jego ustach długi, głęboki pocałunek.

– Poza tym nikt nigdy nie zrobiłby mi tak dobrze jak ty dziesięć minut temu. Ani alkohol, ani koleżanki, ani tym bardziej striptizer.

Pytającym rozbawionym wzrokiem popatrzył na mnie, jakby czekał na dalszą część peanu na jego cześć. Ja natomiast postanowiłam na tym poprzestać, wiedząc, że ego Massima i tak jest wystarczająco przerośnięte. Obróciłam twarz w stronę wody i z zachwytem przyglądałam się tym niesamowitym wyścigom delfinów z Tytanem. Po chwili moją uwagę przykuło coś innego.

Domenico i Olga wyraźnie się sobą interesowali. Zaniepokojona tym nieco, zwróciłam się do Czarnego:

— Kochanie, wyjaśnij mi relację Emi z Domenikiem. Oni są parą, prawda?

Don oparł się o barierkę, a na jego twarzy pojawił się szelmowski uśmiech.

— Parą? — Skonsternowany przejechał dłonią po włosach. — Ja bym tego tak nie ujął... Nie, to nie jest związek... Ale jeśli w twoim kraju tak to się nazywa... — urwał i zaśmiał się lekko, po czym dodał: — Ale szanuję twoją kulturę i konserwatywne zwyczaje.

Skrzywiłam się i skonfundowana analizowałam to, co miał na myśli. W końcu zapytałam wprost:

— No to co ich łączy?

— Jak to co? To dość proste Mała — seks. Łączy ich tylko i wyłącznie dymanie. — Ponownie się zaśmiał i objął mnie ramieniem. — Chyba nie sądziłaś, że to miłość?

Myślałam o tym, co mówi, i nagle ogarnął mnie strach. Miałam nadzieję, że jest to związek i dzięki temu Olga bezpiecznie dotrwa do końca pobytu tutaj. Niestety, na jej i moje nieszczęście Massimo uświadomił mi, że jest inaczej. Obserwowałam taniec godowy mojej przyjaciółki i to, jak pod jego wpływem zachowywał się Domenico. Wiedziałam, że Olo ma to we krwi, dlatego on i całe jego ciało tak intensywnie reagują na to, co robiła. Pragnęła go, a gdy Olga czegoś chciała, przypominała nieco dona. Po prostu musiała to mieć. Wróciłam myślami do naszej ostatniej rozmowy przed wyjazdem i wiedziałam, jak ten wieczór się skończy.

– Massimo – zwróciłam się do Czarnego. – Czy jest szansa, że oni nie pójdą ze sobą do łóżka?

– Jeśli mój brat tego zechce? – Wbił we mnie przenikliwy wzrok. – Raczej nikła. Ale kochanie, oni są dorośli, podejmują świadome decyzje i uważam, że to nie nasza sprawa.

No tak, nie nasza, pomyślałam. Chyba nie wiesz, co to znaczy, gdy Olga chce kogoś zdobyć.

Z natłoku przemyśleń wyrwał mnie głos przyjaciółki:

– Lari, chcę popływać.

– Chyba cię posrało – rzuciłam po polsku. – Poza tym, co ty wyprawiasz, Olo? Chcesz się ładować w to samo, co ja?

Olga zgłupiała i stanęła w miejscu, wbijając we mnie pytające spojrzenie.

56

– Widzę, co robisz. To, że chcesz go przelecieć, to jedno, a to, że traktujesz to jak wyzwanie, to zupełnie co innego.

Na te słowa Olo wybuchła śmiechem i przytuliła mnie.

– Lari, kochanie, i tak go przelecę. A ty przestań zamartwiać się o cały świat.

Pokręciłam głową i spojrzałam jej badawczo w oczy. Widziałam, że wie, co robi, a jej działania są doskonale przemyślane. Cóż, pomyślałam, nie pierwszy raz pozwalam jej na robienie głupstw, które najpierw ją zaspokoją, a potem spowodują płacz. Olga nie cierpiała przez niespełnioną miłość, bardziej przeżywała utratę czegoś, czym jeszcze nie zdążyła się w pełni nacieszyć.

– Deser? – odezwał się Domenico, wskazując ręką w stronę stołu.

– Drętwa ta impreza – rzuciła Olo, idąc w jego stronę.

– Jak to z rodzicami – powiedziałam, pokazując jej język.

Wszyscy czworo ponownie usiedliśmy, a ja niemal rzuciłam się na puszysty deser z malinami, który podano. Po zjedzeniu trzech porcji poczułam się usatysfakcjonowana gastronomicznie i pełna.

Młody Włoch wyciągnął małą torebeczkę ze spodni i rzucił na stół.

– Lauro, tobie nie proponuję, ale to wieczór kawalerski, więc...?

Popatrzyłam na plastikową torebkę z białym proszkiem i obróciłam oczy na Massima. Świetnie wiedziałam, co to, a zwłaszcza pamiętałam, co się wydarzyło ostatnim razem, gdy kokaina pojawiła się w naszym związku. Zdawałam sobie jednak sprawę, że zabranianie mu tego nic nie da, bo i tak zrobi to, na co będzie miał ochotę.

Domenico wstał od stołu i po chwili wrócił z małym lusterkiem, na które rozsypał zawartość woreczka, po czym zacząć ją dzielić na krótkie kreski. Pochyliłam się w stronę Czarnego i przyciągnęłam jego ucho do swoich ust.

– Pamiętaj, Massimo, że jeśli wybierzesz tę rozrywkę, nie będziesz mógł się ze mną kochać. I mówię to nie dlatego, że chcę cię zaszantażować, ale dlatego, że narkotyki razem ze spermą przenikną do mojego organizmu, a w nim dojrzewa twoje dziecko.

Po tych słowach ponownie wyprostowałam się i upiłam łyk bezalkoholowego wina, które nawiasem mówiąc, było doskonałe i smakowało identycznie jak to z procentami.

Czarny zastanawiał się przez chwilę, jak zareagować, a gdy młody Włoch podał mu podzielony proszek, machnął tylko ręką, wzbudzając tym zdziwienie Domenica. Wymienili kilka zdań po włosku, a ja patrzyłam na beznamiętne spojrzenie Massima. Po ostatnim zdaniu obydwaj wybuchnęli śmiechem. Nie miałam pojęcia, co ich tak rozbawiło, ale najważniejsze, że Massimo odmówił. Olga natomiast nie była tak asertywna i zanim pochyliła się nad stołem, powiedziała:

– Ognia!, krzyknął Napoleon. – Po czym zgarnęła dwie kreski.

Oderwała się od lustra i potarłszy czubek nosa, z uznaniem pokiwała głową. Wiedziałam, że ta impreza już nie jest dla mnie i nie chcę oglądać tego, co stanie się później.

– Jestem zmęczona – oznajmiłam, patrząc na Czarnego. – Nocujemy na łodzi, czy wracamy do domu?

Pogładził mnie po policzku i pocałował w czoło.

– Chodź, położę cię spać.

Olga skrzywiła się i wychyliła rękę, kiwając na kelnera, by dolał jej szampana.

– Jesteś nudna, Lari – powiedziała z grymasem niezadowolenia.

Obróciłam się w jej stronę i pokazując środkowy palec, odwarknęłam:

– Jestem w ciąży, Olo.

Massimo zaprowadził mnie do kajuty i zamknął drzwi. Mimo że nie miałam ochoty na seks, na widok tego pokoju, a zwłaszcza dźwięku zamka, przeszywał mnie dreszcz. Odwiesił marynarkę i podszedł do mnie, rozpinając mi sukienkę. Pozwolił, by powoli się zsunęła, po czym klęknął i troskliwie zdjął mi buty. Sięgnął ręką do wieszaka w łazience i po chwili okrył mnie miękkim ciemnym szlafrokiem. Wiedziałam, że nie chce się kochać, wiedziałam też, że w ten sposób postanowił okazać mi miłość i szacunek.

Obydwoje wzięliśmy prysznic i pół godziny później leżeliśmy przytuleni w łóżku.

– Nie nudzisz się ze mną? – zapytałam, gładząc jego klatkę. – Pewnie zanim się pojawiłam, twoje życie było o wiele ciekawsze.

Massimo milczał. Uniosłam głowę, by popatrzeć na niego. Mimo że w pokoju było już zupełnie ciemno, czułam, że się uśmiecha.

– Cóż... Nie nazwałbym tego znudzeniem, poza tym pamiętaj, że zrobiłem to absolutnie świadomie, Lauro. Zapomniałaś już, że jesteś porwana? – Pocałował mnie w czubek głowy i wplótł palce we włosy, mocno tuląc mnie do siebie. – Jeśli pytasz, czy chciałbym wrócić do życia, które miałem przed tobą, to odpowiedź brzmi: nie.

– Jedna kobieta na całe życie... Jesteś tego pewien?

Czarny przekręcił się na bok i jeszcze mocniej przycisnął mnie do siebie.

– Myślisz, że lepsze jest posuwanie kilku różnych lasek w nocy i budzenie się rano samemu w łóżku? Zarabianie pieniędzy już dawno przestało mnie bawić, zostało więc już tylko umacnianie rodziny. – Westchnął. – Tylko widzisz, robiłem to wszystko i żyłem tak, jakbym co dnia zaczynał od nowa, nie miałem dla kogo tego ciągnąć. Co noc inne dupy, czasem imprezy, narkotyki, później kac. To może się wydawać fajne, ale jak długo? A kiedy cię dopadają myśli, czy skończyć z tym, nasuwa się pytanie: po co to zmieniać, skoro nie wiesz, czy warto, albo nie masz dla kogo? – Ponownie westchnął. – Po postrzale zmieniłem się. Jakbym dostał cel inny niż sama egzystencja.

– Nie do końca rozumiem twój świat – wyszeptałam, całując go w ucho.

– Zdziwiłbym się, gdyby było inaczej, Mała – odparł. – Niestety, czy tego chcesz, czy nie, wszystko się z czasem zmieni. Będziesz coraz więcej wiedzieć o tym, co robię i jak działamy, ale na tyle mało, by ta wiedza ci nie zagrażała. – Jego palce gładziły moje plecy. – Poza tym nie będziesz mogła z nikim rozmawiać o niektórych sytuacjach, ale dla pewności powiem ci, o których. Istnieje coś takiego jak omerta, nieformalne prawo sycylijskiej mafii zabraniające informowania o działalności i ludziach, którzy wykonują zlecenia. Póki będziemy się tego trzymać, rodzina będzie silna i nie do ruszenia.

– A kim jest Domenico?

Massimo zaśmiał się i przekręcił na plecy.

– Serio chcesz rozmawiać o tym w noc przed ślubem?

– A widzisz lepszy czas niż teraz? – burknęłam lekko zirytowana.

– No dobrze, kochanie. – Zadowolony wepchnął mnie sobie pod pachę. – Młody jest *capo*, czyli... Jak by to ująć...? – Urwał, zastanawiając się nad odpowiedzią. – Dowodzi grupą ludzi, którzy mają, powiedzmy, różne zadania...

– Na przykład ratowanie mnie...!?

– Na przykład. Mają także mniej rycerskie obowiązki, ale o tym nie będziesz wiedziała, jeśli nie będzie takiej potrzeby. Najogólniej można powiedzieć, że zarabia pieniądze i pilnuje klubów czy restauracji.

Leżałam, myśląc nad tym, jak bardzo Domenico odbiega od opisu, który nakreślił mi Czarny. Dla mnie był kumplem, nieomal przyjacielem, który wspierał mnie i wybierał mi ubrania. Prędzej sądziłabym, że jest gejem niż niebezpiecznym przywódcą grupy.

– Czyli zasadniczo Domenico jest niedobry?

Massimo parsknął śmiechem i przez dłuższą chwilę nie mógł się uspokoić.

– Co jest? Niedobry? – wykrztusił wreszcie. – Kochanie, my jesteśmy sycylijską mafią i wszyscy jesteśmy niedobrzy. – Zaśmiał się. – Jeśli chodzi ci o to, czy jest niebezpieczny, to owszem, mój brat jest bardzo niebezpiecznym i nieobliczalnym człowiekiem. Potrafi być bezwzględny i stanowczy i dlatego właśnie sprawuje taką, a nie inną funkcję. W wielu sytuacjach powierzałem mu swoje życie, a teraz powierzam także twoje. Wiem, że zawsze wykonuje swoje zadania z najwyższym poświęceniem i absolutną starannością.

– A ja myślałam, że on jest gejem.

Czarny ponownie wybuchnął dzikim śmiechem i zapalił światło.

– Kochanie, przechodzisz dziś samą siebie. Uwielbiam cię, ale jeśli nie przestanę się śmiać, nigdy nie usnę. – Opadł na poduszkę i wsadził głowę w dłonie. – Boże, Domenico gejem, chyba za dobrze udawał przed tobą grzecznego. Owszem, kocha modę i zna się na niej, ale większość Włochów ją uwielbia. Co też ci przyszło do głowy?

Skrzywiłam się i wydęłam dolną wargę.

– W Polsce niewielu facetów zna się na ciuchach. To znaczy mało heterofacetów. – Przekręciłam się i położyłam na jego klatce, wpatrując w czarne oczy. – Massimo, ale on nic nie zrobi Oldze?

Czarny przełknął ślinę i wbił we mnie spokojne, poważne spojrzenie, lekko marszcząc brwi.

– Mała, on jest niebezpieczny dla ludzi, którzy zagrażają rodzinie. Jeśli chodzi o kobiety, jak zdążyłaś zauważyć przez ostatnie tygodnie, raczej traktuje was jak skarb, który trzeba chronić, niż wrogów, których trzeba zniszczyć. – Wpatrywał się we mnie, szukając zrozumienia. – W najgorszym wypadku wydyma ją tak, że jutro się nie ruszy, to wszystko. A teraz zamknij oczy i śpij. – Pocałował mnie w czoło i zgasił światło.

Nie wiem, jak długo spałam, ale obudziłam się pełna obaw. Sięgnęłam ręką i pomacałam miejsce obok, orientując się, że Massimo spokojnie oddycha. W pokoju nadal panowała ciemność, wyślizgnęłam się więc z łóżka i włożyłam leżący na ziemi szlafrok; Czarny nawet nie drgnął. Wypełniały mnie strach i ekscytacja, radość mieszała się z przerażeniem. Po chwili uświadomiłam sobie, że zwyczajnie denerwuję się dzisiejszą uroczystością, a to, co czuję, to trema. Chwyciłam za klamkę i wyszłam z sypialni. Wiedziałam, że nie zasnę, dlatego chciałam wyjść i popatrzeć na morze, zamiast wiercić się w łóżku. Boso i w szlafroku ruszyłam w stronę schodków, a kiedy zaczęłam po nich stąpać, usłyszałam jęki dobiegające z górnego pokładu. Czyżby impreza jeszcze trwała?, pomyślałam i poszłam w stronę głosów. W pewnym momencie zamarłam i cofnęłam się za róg, opierając plecami o ścianę.

– Ja pierdolę, nie wierzę – wymamrotałam, kręcąc głową.

Wychyliłam się zza ściany, by się upewnić, że widziałam to, co mi się wydawało, że widzę. Na blacie stołu, na którym wieczorem jedliśmy kolację, leżała na plecach Olga, którą posuwał stojący naprzeciw niej Domenico. Oboje byli nadzy, naćpani i do bólu napaleni. Mimo że widok wydał mi się obrzydliwy, zszokowana nie byłam w stanie oderwać od nich oczu. Trzeba przyznać, że Młody miał doskonałą kondycję i mimo zniesmaczenia, jakie czułam, wiedziałam, że jutro Olga będzie najszczęśliwsza na świecie.

W pewnym momencie ktoś zakrył mi usta ręką.

– Cicho – wyszeptał Massimo, stając za mną i opuszczając dłoń. – Podoba ci się to, co widzisz, Lauro?

W pierwszym momencie przeraziłam się, ale słysząc jego szept, momentalnie uspokoiłam i zawstydziłam. Chowając się za ścianę, zwróciłam ku niemu twarz.

– Ja... – wyjąkałam – ...chciałam tylko popatrzeć na morze... Nie mogłam spać... A tu taka sytuacja. – Rozłożyłam ręce.

– I stoisz sobie teraz, patrząc, jak się pieprzą? Kręci cię to, Lauro?

Otworzyłam szeroko oczy i kiedy usiłowałam złapać oddech, by coś powiedzieć, Massimo przyparł mnie do ściany i mocno pocałował, nie dając dość do słowa. Jego dłonie powędrowały pod mój szlafrok i zaczęły błądzić po nagim ciele. Zza ściany dobiegały coraz głośniejsze krzyki i jęki, a ja nie wiedziałam, czy cała sytuacja bardziej mnie kręci, czy stresuje. W pewnym momencie odepchnęłam go.

– Don, kurwa! – syknęłam, idąc w stronę schodów.

Massimo ze śmiechem ruszył za mną i po chwili kolejny raz leżałam w łóżku.

– Zamówiłem ci gorące mleko – powiedział, stawiając kubek obok mnie. – Mała, co się dzieje? Dobrze się czujesz, coś cię boli?

– Denerwuję się ślubem – odparłam, upijając łyk. – A teraz jeszcze to. – Uniosłam palec, wskazując na wyższy pokład. – To nie dość powodów do niepokoju?

Czarny popatrzył na mnie i skrzywił się, jakby chciał coś powiedzieć, ale wciąż milczał.

– Massimo...? – zapytałam z wahaniem. – Co jest?

Nadal nic nie mówił, przegarnął tylko włosy palcami i ruszył w moją stronę, a po chwili wśliznął się pod kołdrę i wsadził głowę między moje nogi, odchylając koronkę majtek. Przywarł językiem do mojej cipki i zaczął ją pieścić, ale byłam tak zdezorientowana, że nie zwracałam uwagi na to, co robił.

– Nic z tego! – zawołałam. – Najpierw gadaj, co się dzieje!

Zrzuciłam z siebie kołdrę i szarpnęłam się nieco, po czym splatając ręce na piersiach, rzuciłam mu gniewne spojrzenie. Nie przerywał tego, co zaczął, tylko patrzył mi w oczy. W pewnym momencie ściągnął ze mnie figi i szeroko rozłożył mi nogi. Chwycił moje kostki i energicznie pociągnął za nie tak, że zsunęłam się na środek materaca. Poddałam się, nie byłam w stanie dłużej być obojętna na przyjemność, jaką mi sprawia. Delektowałam się każdym ruchem jego języka.

– Będziemy mieli wesele – wymamrotał, odrywając nieco usta ode mnie.

Z początku zupełnie nie zrozumiałam znaczenia jego słów, jednak po kilku sekundach dotarło do mnie, o czym mówił. Wściekła tym bardziej próbowałam się podnieść, ale złapał mnie mocno za uda i pchnął z powrotem na materac, jeszcze mocniej i szybciej pieszcząc językiem. Kiedy dołożył palce, wsuwając je w obie moje dziurki, niemal oszalałam i poddałam bez reszty temu, co robił. Po tym, jak doszłam, przesunął się w górę i wszedł we mnie, przytrzymując mnie mocno za nadgarstki.

– Na dwieście osób – szepnął, kiedy jego biodra zaczęły powoli falować. – Olga miała ci powiedzieć jutro, żebyś się tym nie denerwowała. To będzie bardziej biznesowe spotkanie niż wesele, ale musi się odbyć.

Niezbyt się przejmowałam tym, co mówił, bo wciąż to do mnie nie docierało. Jego przesuwający się we mnie penis zdecydowanie nie pomagał mi w skupieniu.

– Będzie pięknie – ciągnął Czarny. – Olga wybrała większość rzeczy z Domenikiem. Twierdzi, że będziesz zadowolona.

Kiedy skończył zdanie, zastygł w bezruchu, przyglądając mi się badawczo. Nie chciało mi się z nim rozmawiać, a już na pewno nie teraz, dlatego mocno go złapałam za pośladki i przyciągnęłam ku sobie.

– Dobrze, że się zgadzasz. – Uśmiechnął się, gryząc delikatnie moją dolną wargę. – A teraz pozwól, że zerżnę cię, zamiast gadać.

ROZDZIAŁ 3

Gdy się obudziłam, przez niezasłonięte rolety do pokoju wpadało słońce. Sięgnęłam po telefon i zobaczywszy, która jest godzina, jęknęłam. Była dziesiąta. Ślub miał się odbyć o szesnastej; pomyślałam, że mam jeszcze sporo czasu. Massimo jak zwykle przepadł bez śladu, ubrałam się więc w leżący na fotelu szlafrok i poszłam na górny pokład.

Przy uginającym się od jedzenia stole siedziała Olga i szukała czegoś w telefonie. Zajęłam krzesło obok niej i sięgnęłam po herbatę.

– Chyba się wyrzygam – oznajmiłam, upijając łyk.

– Znowu cię mdli, bidulko?

– Trochę tak, zwłaszcza na myśl o tym, że jem przy stole, na którym pieprzyłaś się ostatniej nocy.

Olo wybuchnęła śmiechem i odłożyła telefon na blat.

– To nie kąp się też w jacuzzi, nie pływaj skuterem ani nie siadaj na kanapie w głównym salonie.

– Jesteś niemożliwa – powiedziałam, kręcąc głową.

– Owszem – odparła z triumfem. – I miałaś rację, oni mają to w genach. Jeszcze nigdy nie byłam tak dobrze wydymana. To chyba to powietrze tutaj daje im takie pierdolnięcie. No i ten wielki kutas. Szok!

– Dobra, Olo, bo naprawdę zwymiotuję.

Nagle przy stole pojawił się Domenico. Ubrany był zdecydowanie mniej oficjalnie niż zwykle, miał na sobie spodnie od dresu i czarną koszulkę. Włosy niedbale opadały mu na twarz, wyglądał, jakby wstał z łóżka trzy minuty temu. Nalał sobie kawy i włożył na nos okulary przeciwsłoneczne.

– O dwunastej macie fryzjera, później makijaż, a o piętnastej zabieram cię z posiadłości. Suknia wisi gotowa w twoim pokoju, Emi będzie o czternastej trzydzieści, żeby cię ubrać. A mnie zaraz kac rozerwie głowę, więc pozwólcie, że się reanimuję.

Po tych słowach wyciągnął plastikową toreczkę i wysypał biały proszek na talerz, uformował dwie kreski i wciągnął. Odchylił się na krześle i splatając ręce za głową, powiedział:

– Lepiej mi.

Siedziałam, patrząc na nich, i zastanawiałam się, jak to możliwe, że są wobec siebie tacy obojętni, zupełnie jakby wczorajsza noc nie miała miejsca. Ona ponownie zajęta była telefonem, a on usiłował dojść do siebie.

– No dobrze, a kiedy chcieliście mi powiedzieć o weselu?

Olga przewróciła oczami i rozłożyła szeroko ręce, wypatrując ratunku od młodego Włocha, gdy tymczasem on wskazywał na nią palcem, jakby się przed nią broniąc.

– Olga miała ci powiedzieć. A to, że zwlekała, to już nie moja wina.

– A ty od kiedy wiedziałeś? – zaatakowałam go, obracając ku niemu twarz.

– Od dnia, kiedy się zgodziłaś wyjść za dona, ale...

Podniosłam rękę, dając znak, by zamilkł, i schowałam twarz w dłonie.

– Kochanie, będziesz zadowolona, zobaczysz – odezwała się Olo, głaszcząc mnie pieszczotliwie po głowie. – Wesele jak z bajki, kwiaty, gołębie, lampiony. Będzie tak, jak chciałaś.

– Mhm, i gangsterzy, broń, mafia i koks. Nie ma co, idealna ceremonia.

W tym momencie Domenico wzniósł talerz w geście toastu i wciągnął kolejną kreskę.

– Nic się nie martw – powiedział, pocierając nos. – Nie będzie wszystkich w kościele, zjawią się tam tylko głowy rodzin i najbliżsi współpracownicy. Poza tym w kościele Madonna Della Rocca jest niewiele miejsca, tak że i tak mało kto się zmieści, nie masz się czym stresować. A teraz zjedz coś.

Popatrzyłam na stół i skrzywiłam się na widok jedzenia. Byłam tak zdenerwowana, że mój żołądek przypominał raczej supeł niż wiadro bez dna.

– Gdzie Massimo? – zapytałam.

– Zobaczycie się w kościele, miał trochę rzeczy do załatwienia. A tak między nami mówiąc, myślę, że umiera ze strachu. – Domenico wesoło uniósł brwi, a na jego twarzy pojawił się ironiczny uśmiech. – Od szóstej nie spał, wiem, bo sam jeszcze nie spałem, więc pogadaliśmy i wrócił na ląd.

Po godzinie stałam w swoim pokoju, wpatrując się w futerał z suknią. Dziś wychodzę za mąż, pomyślałam. Wzięłam telefon i wykręciłam numer mamy. Chciało mi się płakać, bo wiedziałam, że wszystko jest nie tak. Po kilku sygnałach w słuchawce usłyszałam jej głos. Zapytała, co u mnie słychać i jak mi idzie w pracy, a ja zamiast powiedzieć jej prawdę, kłamałam jak z nut. Zgodnie z rzeczywistością odpowiedziałam dopiero wtedy, gdy mnie spytała, jak nam się układa z Czarnym. Świetnie, mamo!, powiedziałam. A potem opowiadała, co słychać w domu i jak się miewa mój tata pracoholik. Właściwie ta rozmowa niczego nowego nie wniosła, ale i tak jej bardzo potrzebowałam. Dochodziła dwunasta, kiedy skończyłyśmy. Ledwo się rozłączyłam, do sypialni wkroczyła Olga.

– Nie żartuj, że nawet nie wzięłaś prysznica! – zawołała, wytrzeszczając oczy.

Trzymałam w rękach telefon i wybuchnęłam płaczem, opadając na kolana.

– Olo, ja nie chcę...! – rozszlochałam się na dobre. – Moja mama powinna tu być, tata miał mnie poprowadzić do ołtarza, a brat być świadkiem. Kurwa, to wszystko jest nie tak! – wrzasnęłam i złapałam ją za nogi. – Ucieknijmy, Olo!

Weźmy auto i przynajmniej na trochę im znikniemy.

Olo stała jednak niewzruszona i unosząc ze zdziwieniem brwi, patrzyła z dezaprobatą, jak się wiję po podłodze.

– Weź nie pierdol i wstań – powiedziała twardo. – Masz napad paniki, oddychaj. I chodź, weźmiesz prysznic, bo zaraz tu będzie ta cała ekipa od przygotowań.

Nie reagowałam na jej polecenia i nadal w dzikiej histerii siedziałam uczepiona jej nogi.

– Lari – powiedziała łagodnie, siadając obok.
– Kochasz go, a on ciebie, prawda? Ten ślub jest nieunikniony. Poza tym to tylko papier, trzeba to odhaczyć. Jak jutro się obudzisz, nie będzie żadnej różnicy. Przeżyjemy to razem. Normalnie pocieszyłabym cię meganajebką, ale w twoim stanie jest to niewskazane. Pociesz się tym, że napiję się za ciebie.

Mimo jej czułych słów, nadal leżałam, rycząc i w kółko powtarzając, że zaraz stąd ucieknę i nikt mi do tego nie jest potrzebny.

– Wkurwiasz mnie już, Laura! – zawołała, łapiąc mnie za nogę. Po czym chwyciła moją kostkę i zaczęła ciągnąć po podłodze do łazienki. Próbowałam się wyszarpnąć, ale była ode mnie silniejsza. Dociągnęła mnie do prysznica i nie zważając na moje ubranie, puściła zimną wodę. Zerwałam się na równe nogi, pałając żądzą mordu.

– Skoro już stoisz, to weź się umyj, a ja tymczasem ci to bezalkoholowe gówno załatwię, może twój rozumek da się oszukać. – Machnęła ręką i wyszła z łazienki.

Kiedy skończyłam brać prysznic, wytarłam się, owinęłam głowę ręcznikiem i włożyłam szlafrok. Poczułam się już lepiej, wszystkie lęki nagle znikneły. Gdy weszłam do sypialni, aż mnie zamurowało. Mój pokój przeistoczył się w prawdziwy salon fryzjersko-kosmetyczny. Dwa stanowiska obok siebie, a przed nimi lustra, światła, kilogramy kosmetyków, setki szczotek, kilka suszarek, lokówek, a do tego jakieś dziesięć osób, które aż stanęły na baczność, kiedy weszłam.

– Chodź, siadaj i napij się – powiedziała Olo, wskazując miejsce obok siebie.

Było dobrze po czternastej, gdy wstałam z fotela. Nigdy jeszcze tak bardzo nie zmęczyłam się siedzeniem. Moja dość krótka fryzura zmieniła się w imponujący kok, misternie upięty z kilograma sztucznych włosów. Żeby różnica nie była taka dramatyczna, spoczywał u dołu głowy, przypominając zgrabną kulę, a reszta włosów, gładko zaczesana do tyłu, odsłaniała twarz. Fryzura była elegancka, skromna i stylowa. Idealna na tę okazję. Domenico sprowadził mi świetnych wizażystów, pomyślałam. Odwalili kawał dobrej roboty. Oczy miałam mocno podkreślone, z przewagą brązu, i delikatnie zaznaczone usta w kolorze pudrowego różu. Wyglądałam świeżo i promiennie, całości dopełniały gęste sztuczne rzęsy. Moja twarz była idealnie wyprofilowana centymetrową warstwą podkładów, kamuflaży i różu, sprawiając, że kompletnie siebie nie przypominałam, a w każdym razie wyglądałam inaczej niż na co dzień.

Byłam jednak zachwycona i nie mogłam napatrzeć się na siebie. Nigdy jeszcze nie wyglądałam tak niesamowicie jak w tej chwili. Nawet stylizacja na weneckim festiwalu filmowym nie mogła się z tym równać.

Podczas gdy napawałam się sobą w lustrze, nagle do pokoju wparowała Emi, a Olga zastygła w bezruchu, udając, że szuka czegoś w telefonie.

Przywitała się z nami, całując w policzek, i odpakowała sukienkę.

– No dobra, dziewczyny, zaczynamy – powiedziała, łapiąc wieszak.

W trakcie walki z suwakiem odkryłam, że albo sukienka się skurczyła, albo ja utyłam. Wspólnymi siłami jednak zapięłyśmy, co miałyśmy zapiąć, a Emi mogła zająć się welonem.

Kilka minut przed piętnastą stałyśmy gotowe, a ja czułam jak moje serce pędzi, wyprzedzając oddech.

Olga stała obok i ściskała moją dłoń. Widziałam, że chce jej się płakać, ale świadomość pięknego makijażu nie pozwalała jej na fanaberie typu łzy.

– Spakowałam ci rzeczy na noc poślubną. Torba stoi koło drzwi do łazienki. Masz w niej kosmetyki i bieliznę.

– Wrzuć mi tam jeszcze, proszę, tę różową saszetkę z szuflady koło łóżka.

Olo podeszła i wyciągnęła, o co prosiłam.

– Na chuj ci wibrator w noc poślubną? – palnęła rozbawiona. – Macie jakieś kłopoty?

Odwróciłam się do niej, unosząc brwi.

– Właśnie żadnych. Planuję małe atrakcje z okazji ślubu.

– Jesteś popieprzona i zboczona. I właśnie dlatego przyjaźnimy się od lat. Zapomniałam wziąć ze swojego pokoju pomadki. Zaraz wrócę.

Po kilku sekundach od jej zniknięcia usłyszałam wrzask z dołu.

– Nie możesz, kurwa, to przynosi pecha!

Obróciłam się i zobaczyłam stojącego kilka metrów ode mnie mojego zachwycającego narzeczonego. Kiedy na mnie spojrzał, zamarł, a ja próbowałam zachować spokój. Staliśmy oszołomieni, spoglądając na siebie nawzajem. Po chwili Massimo ruszył z miejsca i podszedł do mnie.

– W dupie mam, kurwa, tradycje i zabobony! – powiedział, odsłaniając mój welon. – Nie mogłem już wytrzymać, musiałem cię zobaczyć.

Massimo sporadycznie przeklinał i raczej tylko w łóżku albo kiedy się naprawdę na coś wściekł.

– Boję się – szepnęłam, patrząc mu w oczy.

Chwycił moją twarz w dłonie i delikatnie pocałował w usta, po czym odsunął się ode mnie i popatrzył spokojnym wzrokiem.

– Jestem przy tobie, maleńka – powiedział miękko. – Jesteś taka piękna... Wyglądasz jak anioł... – Zamknął oczy i oparł czoło o moje. – Chcę cię jak najszybciej mieć tylko dla siebie. Kocham cię, Lauro.

Uwielbiałam, jak to mówił. Ogarnęła mnie radość nie do opisania. Ten twardy, nieludzki, bezwzględny człowiek okazywał mi czułość. Pragnęłam, by ten moment trwał wiecznie, byśmy nie musieli nigdzie iść, z nikim się widzieć, byśmy byli tylko my.

Z dołu dobiegały głosy Domenica i Olgi, ale żadne z nich nie miało odwagi wejść i nam przerwać. Czarny otworzył oczy i ponownie delikatnie pocałował mnie w usta.

– Już czas, Mała, będę na ciebie czekał, pospiesz się.

Ruszył w stronę schodów i po chwili zniknął. Kiedy odchodził, patrzyłam na niego jak zaczarowana. Miał na sobie cudowny granatowy smoking, białą koszulę i muszkę w identycznym kolorze jak marynarka. W jej klapę były wpięte delikatne kwiaty w kolorze mojej sukni. Wyglądał jak model żywcem wyjęty z pokazu Armaniego.

Usłyszałam kroki wspinającej się po schodach Olgi, która po chwili stanęła obok, poprawiając mi welon.

– Tę twoją sukienkę to jakiś, kurwa, szatan wymyślił. – Śmiesznie przekrzywiając się na boki, usiłowała ją poprawić. – Za nic nie da się w niej chodzić, a po schodach to już całkiem niewykonalne. Jesteś gotowa?

Kiwnęłam głową i złapałam ją mocno za rękę.

Kościół Madonna Della Rocca położony był w niemal najwyższym miejscu Taorminy. Była to imponująca budowla z XII wieku, odrestaurowana w 1640 roku, która malowniczo wznosiła się nad miastem. Kilkadziesiąt metrów niżej znajdował się zabytkowy zamek. W dole połyskiwało szafirowe morze.

Wysiadłam z samochodu i zobaczyłam biały dywan prowadzący do wejścia, a obok niego misterne dekoracje z kwiatów; całość zakłócali tylko rośli mężczyźni w czarnych garniturach strzegący wejścia.

Kościół był jedną z atrakcji miasta, którą tłumnie odwiedzali turyści na tyle wytrwali, by wdrapać się po setkach schodów wiodących na szczyt.

– Muszę iść do środka, tam będę na ciebie czekać. Kocham cię – wyszeptała Olo i mocno mnie przytuliła.

Stałam zdezorientowana na początku mojej dywanowej drogi i nie mogłam złapać tchu. Domenico podszedł do mnie i wsadził moją dłoń pod swoje ramię.

– Wiem, że nie ja powinienem tu stać, ale to dla mnie wielki zaszczyt, Lauro.

Przebierałam nerwowo nogami i kiwałam się, jakbym miała chorobę sierocą.

– Na co czekamy? – rzuciłam zniecierpliwiona.

Nagle wokół nas rozbrzmiała muzyka i jakiś niezwykle piękny kobiecy głos zaczął śpiewać *Ave Maria*.

– Na to. – Uniósł brwi i uśmiechnął się lekko. – Chodź.

Pociągnął mnie nieznacznie w stronę wejścia i zaczęliśmy iść, a mój niebotycznie długi tren ciągnął się za mną. Na schodach obstawionych przez ochronę stały dziesiątki przypadkowych gapiów, którzy oklaskami zareagowali na mój widok. Byłam zdenerwowana i spokojna zarazem, szczęśliwa i spanikowana. Im bliżej było do wejścia, tym mocniej waliło mi serce. W końcu przekroczyliśmy próg, a pieśń rozbrzmiała jeszcze głośniej, wdzierając się w każdą cząstkę mojego ciała. Stojący w kościele ludzie aż zamarli, ale ja patrzyłam tylko w jedną stronę. Obok ołtarza, zwrócony do mnie z promiennym uśmiechem stał mój olśniewający przyszły mąż. Domenico podprowadził mnie do niego i zajął miejsce obok Olgi.

Gdy podeszłam, Massimo chwycił moją dłoń, delikatnie ją pocałował i mocno przycisnął, kiedy wzięłam go za ramię. Ksiądz zaczął, a ja próbowałam skupić się na czymkolwiek innym niż don. Był mój, a za parę minut mieliśmy przypieczętować to na zawsze.

Ceremonia odbyła się bardzo szybko, a dla ułatwienia prowadzona była po angielsku. Właściwie dobrze nie pamiętam wszystkiego, bo byłam tak zdenerwowana, że najgorliwiej modliłam się o jej zakończenie.

Po wszystkim poszliśmy do kaplicy podpisać dokumenty i dopiero idąc, rozejrzałam się po wnętrzu. Goście ledwo się mieścili w ławkach, a dominująca czerń sugerowała raczej pogrzeb niż ślub. Jeśli kiedykolwiek ktoś kazałby mi wyobrazić sobie mafijną ceremonię ślubną, miałabym dokładnie taki obraz w głowie. Mężczyźni z twarzami ewidentnie zdradzającymi ich charakter beznamiętnie spoglądali na nas, szepcząc coś do siebie, a ich znudzone, odpicowane partnerki przewracały niecierpliwie oczami, co sekundę zerkając na komórki.

Wszystkie formalności zajęły nam więcej czasu, niż się spodziewałam, tak że gdy wyszliśmy, ze zdziwieniem odkryłam, że nikogo już nie ma.

Stanęłam przed wejściem, patrząc w dal na morze i miasto, a turyści stłoczeni na schodach usiłowali robić mi zdjęcia. Ochrona skutecznie im to uniemożliwiała. Nic mnie to jednak nie obchodziło.

Obracałam w palcach platynowe kółeczko, które idealnie pasowało do pierścionka zaręczynowego.

– Niewygodnie, pani Torricelli? – zapytał Massimo, obejmując mnie w pasie.

Uśmiechnęłam się i spojrzałam na niego.

– Nie mogę w to uwierzyć.

Czarny pochylił się i pocałował mnie długo, głęboko i bardzo namiętnie. Ten widok wzbudził w gapiach entuzjazm; po chwili zaczęli gwizdać i klaskać, ale zajęci sobą zupełnie to zignorowaliśmy. Gdy skończyliśmy, wziął mnie pod rękę i poprowadził wzdłuż dywanu do zaparkowanego samochodu. Pomachałam do gapiów i zniknęliśmy, umożliwiając im zwiedzanie kościoła.

Z niemałym trudem wsunęłam się do środka, zajmując miejsce. Ze względu na bardzo wąskie uliczki nie mieliśmy limuzyny, tylko białego, dwuosobowego mercedesa SLS AMG, którego sylwetka była bardziej ostentacyjna niż wszystkie limuzyny świata razem wzięte.

Massimo usiadł za kierownicą i odpalił silnik.

– To teraz czeka nas najtrudniejsze – powiedział, ruszając. – Lauro, chciałbym, żebyś ten jeden raz była grzeczna i nie podważała żadnej z moich decyzji ani tego, co zrobię lub powiem. Możesz tego jednego wieczoru zrobić to dla mnie?

Patrzyłam na niego zdziwiona, nie mając pojęcia, o co mu chodzi.

– Sugerujesz, że nie umiem się zachować? – zapytałam zirytowana.

– Sugeruję, że nie umiesz się zachować w takim towarzystwie, a ja nie miałem czasu, by cię nauczyć. Kochanie, tu chodzi o interesy i postrzeganie rodziny, a nie o nas. Wielu z donów to ortodoksyjni mafiosi, żyją w trochę innych re-aliach, jeśli chodzi o rolę kobiety. Możesz zupeł-nie nieświadomie ich urazić albo okazać mi brak szacunku i w ten sposób poderwać mój autorytet – powiedział uspokajająco, łapiąc mnie za kola-no. – Plus jest taki, że większość z nich nie zna angielskiego, ale są piekielnie spostrzegawczy, więc uważaj na to, co robisz.

– Jesteśmy małżeństwem od dwudziestu minut, a ty już mnie tresujesz! – warknęłam oburzona.

Massimo westchnął i uderzył ze złością rękami o kierownicę.

– Właśnie o tym mówię! – krzyknął. – Ja sło-wo, a ty dziesięć.

Siedziałam obrażona, wbijając wzrok w szybę i zastanawiając nad tym, co mówi. Już miałam dość imprezy, która się jeszcze nie zaczęła.

– Zgodzę się na rolę bransoletki, ale pod jed-nym warunkiem.

– Bransoletki? – Skrzywił się zdziwiony.

– Tak, Massimo, bransoletki. To taki, wiesz, nieistotny dodatek, który nosisz bez celu. Zasad-niczo nie spełnia żadnej funkcji prócz tej, że do-brze wygląda i zdobi nadgarstek. Będę taką bły-skotką, jeśli później na jeden dzień ty oddasz mi władzę.

Czarny oparł się o zagłówek fotela i bezna-miętnie patrzył przed siebie.

– Gdybyś nie była w ciąży, zatrzymałbym się i kilka razy mocno uderzył cię w pośladki.

A później zrobiłbym to, co już kiedyś raz zrobiłem z twoją małą dupką. – Obrócił się i rzucił mi gniewne spojrzenie. – Ale z uwagi na twój obecny stan, muszę ograniczyć się do negocjacji słownych, dam ci więc godzinę władzy.

– Dzień. – Nie odpuszczałam.

– Nie przeginaj, Mała. Godzina, i to nocą. Boję się tego, co wymyślisz w dzień.

Zastanawiałam się przez chwilę, knując w głowie szatański plan.

– Dobrze, Massimo, godzinę nocą, ale nie masz prawa sprzeciwu.

Wiedział, że wykorzystam te sześćdziesiąt minut do maksimum, i widać było, że po namyśle nie chce mi dać nawet tego, ale było już za późno.

– A więc, bransoletko – warknął – bądź dziś grzeczna i słuchaj się męża.

Po kilku minutach jazdy zatrzymaliśmy się pod zabytkowym hotelem, do którego wjazd blokowały dwa SUV-y oraz kilkunastu zwalistych mężczyzn ubranych w czarne garnitury.

– Co tu się dzieje? – zapytałam, rozglądając się na boki.

Massimo zaśmiał się i zmarszczył brwi.

– Nasze wesele.

Oszołomiona widokiem poczułam, jak żołądek podchodzi mi do gardła: kilkudziesięciu uzbrojonych ludzi, samochody wyglądające jak małe czołgi i w tym wszystkim ja. Oparłam głowę o siedzenie i zamknęłam oczy, usiłując wyrównać oddech.

– Spokojnie – powiedział Massimo, chwytając mnie za nadgarstek, by zmierzyć mi tętno, i zerkając na zegarek. – Twoje serce szaleje, Mała, co się dzieje? Chcesz leki?

Pokręciłam głową i zwróciłam twarz w jego stronę.

– Don, po co to wszystko?

Czarny, wciąż z poważną miną, wpatrywał się w zegarek, licząc uderzenia mojego serca.

– Są tu głowy praktycznie wszystkich sycylijskich rodzin, a dodatkowo moi kontrahenci z kontynentu i Ameryki. Zapewniam cię, że niejeden człowiek chciałby tu wejść i zrobić zdjęcia, nie mówiąc już o policji. Myślałem, że przywykłaś do ochrony?

Próbowałam uspokoić się po tym, co powiedział, ale taka liczba ludzi z bronią przeraziła mnie i nieomal sparaliżowała. W głowie miałam gonitwę czarnych myśli związanych z ewentualnym zamachem na moje lub Massima życie.

– Przywykłam, ale po co ich aż tylu?

– Wyobraź sobie, że każdy przyjeżdża z taką ochroną, jaka nam towarzyszy co dzień. I siłą rzeczy robi się ich kilkudziesięciu. – Poklepał mnie po dłoni. – Nic ci nie grozi, jeśli się tego obawiasz. Na pewno nie tu i nie kiedy jestem obok.

Przycisnął moją rękę do ust, badawczo obserwując moje oczy.

– Gotowa?

Nie byłam gotowa ani nie miałam ochoty wysiadać z samochodu, bałam się i chciało mi się płakać. Wiedziałam jednak, że to mnie nie minie i nie mogę przed tym uciec, więc po chwili pokiwałam przytakująco głową.

Czarny wyszedł i otworzył drzwi, po czym pomógł mi wysiąść z auta. Ruszyliśmy w stronę wejścia, a ja miałam ochotę zapaść się pod ziemię, a przynajmniej opuścić welon, by się za nim skryć i stać się niewidoczna.

Kiedy weszliśmy na salę, rozległy się gromkie brawa i okrzyki. Massimo zatrzymał się i z kamienną twarzą pozdrowił gestem dłoni zgromadzonych gości. Stał pewnie, na lekko rozstawionych nogach, jedną ręką obejmując mnie w pasie, a drugą trzymając w kieszeni spodni. Mężczyzna z obsługi podał mu mikrofon i już po chwili Massimo rozpoczął cudowną włoską przemowę. Zupełnie mi nie przeszkadzało, że nie rozumiem ani słowa, bo Czarny, pełen niewymuszonej nonszalancji, powodował, że miękły mi kolana. Po kilku minutach skończył i oddając mikrofon, poprowadził mnie na koniec sali w stronę stołu, gdzie z ulgą dostrzegłam Olgę.

Jak tylko usiadłam na swoim miejscu, podszedł do mnie Domenico i nachylając się wyszeptał:

– Twoje wino bezalkoholowe jest po prawej stronie, kelner wie, że tylko takie pijesz, więc możesz być spokojna.

– Będę spokojna, Domenico, jak położę się do łóżka, a ta szopka się skończy.

Olga przysunęła się do mnie i z nieukrywanym rozbawieniem zaczęła po polsku:

– Czy ty, kurwa, widzisz to co ja, Lari? Przecież to jakiś zlot mafiosów i prostytutek. Nie namierzyłam nawet jednego normalnego gościa. Koleś z prawej ma chyba dwieście lat, a dupa, którą smyra po kolanie, jest chyba młodsza od nas. – Olo skrzywiła się zabawnie. – Nawet jak dla mnie to obleśne. A ten czarny dwa stoliki dalej...

Uwielbiałam Olo, to, jaka była, i to, z jaką łatwością potrafiła mnie uspokoić i rozbawić. Nie zwracając na nikogo uwagi, parsknęłam śmiechem. A na to Massimo powoli obrócił głowę w moją stronę i obrzucił mnie nieruchomym spojrzeniem pełnym reprymendy. Uśmiechnęłam się do niego najsztuczniej, jak to było możliwe, po czym ponownie zwróciłam się w stronę Olgi.

– Ale siedzi tam taka dupa na końcu – trajkotała – która wygląda jak aniołek od Victoria's Secret. I wiesz, podoba mi się.

Z dziwnym niepokojem zerknęłam w stronę stolika, o którym mówiła. Na końcu sali, w cudownej czarnej sukni z koronki siedziała kobieta, która próbowała odebrać mi Massima, Anna.

– Co tu robi ta suka? – warknęłam, zaciskając pięści. – Pamiętasz, Olo, opowiadałam ci o tym,

jak Massimo zniknął, kiedy byliśmy na Lido?
– Olga pokiwała głową. – No, to jest właśnie ta
kurwa, przez którą omal go nie zabili.

Kiedy to z siebie wyrzuciłam, poczułam, jak
w moim ciele narasta fala wściekłości. Podniosłam się z krzesła i unosząc misterną konstrukcję
sukni, ruszyłam w jej stronę. Nie życzyłam sobie,
by ta dziwka tu była, ani nie interesowało mnie,
skąd się wzięła. Gdybym miała teraz broń, zwyczajnie bym ją zastrzeliła. Wszystkie dni cierpienia, każda łza i zwątpienie w uczucia Czarnego
były jej zasługą.

Czułam na sobie wzrok wszystkich gości, ale
nie obchodziło mnie to, bo był to mój dzień i moje
wesele. Kiedy zbliżałam się już do stolika, pałając
żądzą zemsty, poczułam, jak ktoś mocno łapie
mnie za rękę i ciągnie dalej, wymijając ją. Odwróciłam głowę i zobaczyłam mojego męża, który
prowadził mnie na parkiet.

– Walc – wyszeptał i skinął do orkiestry, nim
rozbrzmiały brawa.

Nie chciałam teraz tańczyć, bo roznosiła mnie
chęć mordu, ale Massimo chwycił mnie tak mocno, że nie miałam szans ucieczki. Gdy rozbrzmiały pierwsze takty muzyki, moje stopy po prostu
zaczęły tańczyć.

– Co ty wyprawiasz? – syknął Czarny, z gracją
płynąc ze mną w ramionach.

Kolejny raz przykleiłam uśmiech do twarzy
i poprawiłam pozycję.

– Co ja wyprawiam? – warknęłam. – Lepiej mi powiedz, co ta dziwka tu robi?

Atmosfera między nami tak zgęstniała i była tak pełna agresji, że można ją było nieomal kroić nożem. Zamiast walca powinniśmy byli tańczyć pasodoble albo tango.

– Lauro, to interesy. Rozejm między naszymi rodzinami jest niezbędny, byś była bezpieczna, a rodzina funkcjonowała bez przeszkód. Mnie także nie cieszy jej widok, ale przypominam ci, że coś mi obiecałaś w samochodzie. – Skończył zdanie i wygiął mnie tak, że głową nieomal stuknęłam w ziemię. Zerwała się burza oklasków, a Massimo tymczasem, na nic nie zważając, delikatnie musnął mnie ustami w szyję i okręciwszy w obrocie, przyciągnął ku sobie.

– Jestem w ciąży i jestem wkurwiona – wycedziłam. – Nie oczekuj ode mnie, że będę w stanie trzymać na wodzy emocje.

– Jeśli potrzebujesz rozluźnienia, chętnie ci je dam.

– Potrzebuję broni, żeby zabić to ścierwo.

Twarz Massima rozpromieniła się w uśmiechu. Zakończył taniec cudownie długim, głębokim pocałunkiem.

– Wiedziałem, że masz w sobie sycylijski temperament – powiedział z dumą. – Nasz syn będzie wspaniałym donem.

– To będzie dziewczynka! – obruszyłam się po raz nie wiadomo który.

Po kilku ukłonach ruszyliśmy w stronę naszego miejsca, zupełnie ignorując wzrok Anny. Usiadłam obok Olgi i wychyliłam naraz kieliszek wina, jakby miał mi pomóc mimo braku alkoholu.

– Jak chcesz, mogę wybić jej jedynki – powiedziała, bawiąc się widelcem. – Albo chociaż wydłubać oko.

Zaśmiałam się i wbiłam nóż w mięso, które podał mi kelner.

– Spoko, Olo, sama sobie z nią poradzę, ale nie dziś. Obiecałam coś Czarnemu.

Wsadziłam kawałek jedzenia do ust i poczułam, jak robi mi się niedobrze. Przełknęłam go, usiłując opanować narastające mdłości.

– Co jest, Lari? – zaniepokoiła się Olo, łapiąc mnie za rękę.

– Będę rzygać – poinformowałam rzeczowo i wstałam z miejsca.

Massimo zerwał się, kiedy odeszłam, ale Olga usadziła go na krześle i ruszyła za mną.

Nienawidzę być w ciąży, pomyślałam, wycierając usta i spuszczając wodę. Dość mam wymiotów i mdłości, poza tym myślałam, że to się zdarza tylko rano. Złapałam za klamkę i wyszłam z kabiny.

Olga stała oparta o ścianę i przyglądała mi się rozbawiona.

– Dobre mięsko było? – drwiła, kiedy myłam ręce.

– Bujaj się, to nie jest śmieszne. – Podniosłam wzrok i popatrzyłam na swoje odbicie; byłam blada i lekko rozmazana. – Masz jakieś kosmetyki?

– W torebce. Poczekaj, zaraz przyniosę – powiedziała i wyszła.

W rogu pięknej marmurowej łazienki stał wielki biały fotel. Usiadłam na nim, czekając na Olo. Po chwili drzwi się otworzyły i gdy podniosłam wzrok, zobaczyłam Annę.

– Ale masz tupet – warknęłam, patrząc na nią. Stanęła przed lustrem, zupełnie mnie ignorując. – Najpierw mnie straszysz, potem próbujesz zabić mojego męża, a teraz wymuszasz zaproszenie na nasz ślub. Przestań się poniżać.

Podniosłam się z miejsca i ruszyłam w jej stronę. Stała w bezruchu, wbijając beznamiętnie wzrok w moje odbicie.

Byłam spokojna i opanowana, tak jak sobie tego życzył Massimo. Zachowywałam resztki klasy, choć w głębi duszy miałam ochotę walnąć jej głową o umywalkę.

– Myślisz, że wygrałaś? – zapytała.

Zaśmiałam się i w tym samym momencie w drzwiach stanęła Olga.

– Nie wygrałam, bo nie było z kim ani w czym. A ty, mam nadzieję, najadłaś się już, więc żegnam.

Olo otworzyła drzwi i szerokim gestem wskazała jej kierunek.

– Jeszcze się zobaczymy – powiedziała, zamykając torebkę i idąc w kierunku holu.

– Mam nadzieję, że najwcześniej na twoim pogrzebie, szmato! – zawołałam, unosząc brodę.

Obróciła się i rzuciła mi lodowate spojrzenie, po czym zniknęła na korytarzu.

Kiedy wyszła, opadłam na krzesło i schowałam twarz w dłoniach. Olo podeszła do mnie i poklepując mnie po plecach, powiedziała:

– Oho, widzę, że nabierasz ich gangsterskich nawyków. To „najwcześniej na twoim pogrzebie" dobre było.

– Jej się trzeba bać, Olo. Ja wiem, że ona jeszcze coś odpierdoli, zobaczysz – westchnęłam.

– Wspomnisz moje słowa.

W tym samym momencie drzwi do łazienki otworzyły się z impetem i do środka wpadł Domenico z ochroniarzem. Z nieukrywanym zdziwieniem popatrzyłyśmy w ich stronę.

– A tobie, Sycylijczyku, drzwi się pojebały? – zapytała Ola, unosząc brew.

Po minach obu mężczyzn widać było, że są przejęci, i najwyraźniej biegli, na co wskazywały ich przyspieszone oddechy. Rozejrzeli się nerwowo po wnętrzu, a nie znalazłszy nic ciekawego, skinęli przepraszająco głowami i wyszli.

Objęłam się dłońmi i pochyliłam głowę.

– A może ja prócz nadajników mam też wmontowaną gdzieś kamerę?

Pokręciłam głową, nie mogąc uwierzyć w parasol kontroli, jaki rozciągnął nade mną Massimo. Zastanawiałam się, czy wpadli tu ratować mnie, czy ją, i skąd, do cholery, wiedzieli, że sytuacja może wymagać interwencji. Po chwili, nie mogąc znaleźć logicznego wytłumaczenia, stanęłam koło przyjaciółki i zaczęłam poprawiać makijaż. Chciałam znów wyglądać promiennie i świeżo.

Wróciłam na salę i usiadłam obok męża.

– Wszystko dobrze, Mała?

– Dziecku chyba nie smakuje wino bez alkoholu – odparłam bez związku.

– Jeśli czujesz się lepiej, chciałbym cię przedstawić kilku osobom. Chodź.

Lawirowaliśmy między stolikami, witając kolejnych smutnych panów. Tak nazwałyśmy z Olgą facetów, po których gębach widać było, że są z mafii. Zdradzały ich szramy, blizny, a czasem po prostu puste, zimne spojrzenie. Poza tym nietrudno było ich rozpoznać, bo niemal koło każdego za plecami stał jeden lub dwóch ludzi. Wdzięczyłam się i byłam słodka ponad miarę, dokładnie tak, jak życzył sobie tego Czarny. Oni natomiast ostentacyjnie pokazywali, jak bardzo mają mnie w dupie.

Nie lubiłam tego rodzaju ignorancji, wiedziałam, że jestem inteligentniejsza od siedemdziesięciu procent z nich. Mogłam spokojnie pokonać ich wiedzą i obyciem. Z coraz większym podziwem patrzyłam za to na Massima, który odstawał od nich wyraźnie i mimo że był sporo młodszy od większości z nich, górował nad nimi siłą i intelektem. Widać było, że go szanują, słuchają i oczekują jego atencji.

W pewnym momencie poczułam, jak ktoś łapie mnie w pasie i obraca, mocno całując w usta. Odepchnęłam człowieka, który ośmielił się mnie tknąć, i zamachnęłam się, by wymierzyć mu policzek. Kiedy się odsunął, moja ręka zawisła w górze, a serce na chwilę stanęło.

– Cześć, szwagierko! O, faktycznie jesteś śliczna. – Przede mną stał człowiek do złudzenia przypominający Massima. Cofnęłam się i oparłam o klatkę Czarnego.

– Co się tu, kurwa, dzieje? – jęknęłam przerażona.

Klon mojego męża jednak nie znikał. Ku mojej rozpaczy miał niemal identyczną twarz, budowę ciała, ba, nawet włosy mieli podobnie obcięte. Kompletnie zdezorientowana, nie byłam w stanie wydusić z siebie słowa.

– Lauro, poznajcie się, to mój brat Adriano – powiedział Massimo.

Mężczyzna wyciągnął ku mnie dłoń, na co cofnęłam się, jeszcze mocniej wciskając plecy w męża.

– Bliźniak. O kurwa... – wyszeptałam.

Adriano wybuchnął śmiechem i ujął moją dłoń, delikatnie całując.

– Nie da się ukryć.

Obróciłam się w stronę Czarnego i w przerażeniu przyglądałam się jego twarzy, porównując ją z twarzą Adriana. Byli niemal nie do rozróżnienia. A kiedy tamten się odezwał, nawet dźwięk ich głosów brzmiał identycznie.

– Słabo mi – oznajmiłam, chwiejąc się lekko.

Don powiedział po włosku dwa zdania do brata i poprowadził mnie w stronę drzwi znajdujących się na końcu sali. Przeszliśmy przez nie do pomieszczenia z balkonem, które przypominało nieco biuro. Były tam półki z książkami, dębowe stare biurko i wielka kanapa. Opadłam na miękkie poduszki, a on klęknął przede mną.

– To przerażające – warknęłam. – To jest kurewsko przerażające, Massimo. Kiedy zamierzałeś mi powiedzieć, że masz brata bliźniaka?

Czarny skrzywił się i przegarnął włosy ręką.

– Nie sądziłem, że się zjawi. Dawno nie było go na Sycylii, mieszka w Anglii.

– Nie odpowiedziałeś mi na pytanie. Wyszłam za ciebie za mąż i jestem twoją żoną, do cholery! – krzyknęłam, podnosząc się z miejsca. – Urodzę ci dziecko, a ciebie nawet w takiej sprawie nie stać na szczerość?

W pokoju rozległ się dźwięk zamykanych drzwi.

– Dziecko? – usłyszałam znajomy głos. – Mój brat zostanie ojcem. Brawo!

Uśmiechając się spokojnie, od drzwi szedł ku nam Adriano. Znów zrobiło mi się słabo na jego widok – wyglądał jak Czarny i poruszał się jak Czarny, zdecydowanie i władczo sunąc w naszą stronę. Podszedł do brata, który zdążył podnieść się z kolan, i ucałował go w głowę.

– A więc, Massimo, stało się wszystko to, czego chciałeś – powiedział, nalewając sobie bursztynowego płynu stojącego na stoliku przy kanapie. – Zdobyłeś ją i spłodziłeś potomka. Ojciec przewraca się w grobie.

Czarny odwrócił się w jego stronę i z wściekłością wyrzucał z siebie słowa, których nie rozumiałam.

– Braciszku z tego, co wiem, Laura nie zna włoskiego – powiedział Adriano. – Więc zapewnijmy jej komfort i mówmy po angielsku.

Massimo aż kipiał ze złości, a jego szczęki rytmicznie się zaciskały.

– Widzisz, droga szwagierko, w naszej kulturze nie jest dobrze widziane małżeństwo z kimś spoza Sycylii. Ojciec miał inne plany wobec swojego ulubieńca.

– Dość! – wrzasnął Czarny, stając naprzeciw brata. – Uszanuj moją żonę i ten dzień.

Adriano podniósł ręce w geście kapitulacji i cofając się w stronę drzwi, obdarował mnie anielskim uśmiechem.

– Przepraszam, donie – odpowiedział z ironią, pochylając ostentacyjnie głowę. – Do zobaczenia Lauro. – Pożegnał się i wyszedł.

Kiedy zniknął, wyszłam na taras i oparłam dłonie o barierkę. Po chwili obok mnie wyrósł rozwścieczony Massimo.

– Kiedy byliśmy mali, Adriano ubzdurał sobie, że ojciec mnie faworyzuje. Zaczął ze mną rywalizować, zabiegając o jego względy. Różnica między nami była taka, że ja nie chciałem być głową rodziny, a on owszem. Dla niego była to priorytetowa sprawa. Po śmierci ojca to jednak ja zostałem wybrany na dona, a on nie może mi tego darować. Mario, mój *consigliere*, był także prawą ręką ojca i to on uznał, że powinienem stanąć na czele rodziny. To wtedy Adriano opuścił wyspę, zapowiadając, że już nigdy tu nie wróci. Nie było go wiele lat, dlatego uznałem za bezcelowe opowiadanie ci o nim.

– A więc co tu robi? – zdziwiłam się.

– Tego właśnie chcę się dowiedzieć.

Uznałam, że nie ma sensu wyżywać się dziś na nim ani dłużej ciągnąć tej rozmowy.

– Chodźmy do gości – powiedziałam, łapiąc go za rękę.

Czarny uniósł moją dłoń i delikatnie pocałował, prowadząc w stronę wyjścia.

Kiedy usiadłam przy stole, Massimo nachylił się, muskając wargami moje ucho.

– Muszę teraz spotkać się z kilkoma osobami. Zostawiam cię z Olgą, gdyby coś się działo, daj znać Domenicowi.

Po tych słowach oddalił się, a kilku mężczyzn, wstając od stolików, ruszyło za nim.

Znów targnął mną niepokój. Myślałam o Adrianie, Massimie, dziecku, Annie brylującej wśród gości. Z bezsensownej gonitwy myśli wyrwał mnie głos przyjaciółki.

– Chciało mi się bzykać, więc zabrałam na górę Domenica – oznajmiła Olo, siadając obok. – No i zgarnęliśmy dwie, może trzy kreski koksu, ale Włosi chyba go z czymś mieszają, bo jak wracałam, miałam zwidę stulecia. Wydawało mi się, że widzę Massima, a za chwilę wpadłam na niego. Nie byłoby w tym nic dziwnego, ale miał na sobie garnitur, a kilka sekund wcześniej – granatowy smoking. – Rozłożyła się na oparciu krzesła i upiła łyk wina. – Nie chcę już chyba więcej ćpać.

– To nie była zwida – mruknęłam ponuro. – Ich jest dwóch.

Olo skrzywiła się i nachyliła ku mnie, jakby nie dosłyszała.

– Co jest?

– To bliźniacy – wyjaśniłam, wbijając wzrok w Adriana zbliżającego się w naszą stronę. – Ten, który idzie, to nie Massimo, tylko jego brat.

Olga nie kryła szoku i z otwartą buzią wpatrywała się w przystojnego Włocha.

– Ale jazda... – powiedziała.

– Lauro, a kim jest twoja urocza towarzyszka z głupią miną? – zapytał, przysiadając się do nas i wyciągając dłoń w stronę Olgi. – Jeśli wszystkie Polki są takie piękne jak wy, to chyba wybrałem sobie zły kraj na emigrację.

– Ty sobie, kurwa, jaja robisz ze mnie – wymamrotała Olo po polsku, podając mu rękę.

Wykończona całą sytuacją, oparłam się o krzesło, patrząc, jak Adriano głaszcze jej dłoń z wyraźną satysfakcją.

– Niestety, nie. I mam nadzieję, że nie myślisz o tym, o czym myślę, że myślisz.

– Ale jazda – powtórzyła Olo, gładząc go po twarzy. – Są, kurwa, identyczni.

Adriano rozbawiła jej reakcja i mimo że nie rozumiał ani słowa, doskonale wiedział, o czym rozmawiamy.

– Lauro, to jest poważniejsza sprawa... On jest prawdziwy...

– Kurwa, no jasne, że jest. Przecież ci mówię, że to bliźniacy.

Skonfundowana Olga oderwała się od niego i wyprostowała, badawczo go obserwując.

– Mogę go bzyknąć? – zapytała z rozbrajającą szczerością, wciąż się uśmiechając.

Nie wierzyłam w to, co usłyszałam, aczkolwiek wcale jej się nie dziwiłam, że chciała go przelecieć. Podniosłam się z miejsca i chwyciłam brzeg sukienki, unosząc ją w górę. Miałam dość.

– Oszaleję za chwilę, przysięgam. Muszę się zresetować – rzuciłam, odchodząc w stronę wyjścia.

Przeszłam przez drzwi i skręciłam w prawo, po czym rozejrzałam się i spostrzegłam małą bramę. Skręciwszy w jej stronę, minęłam ją i weszłam do ogrodu z zachwycającym widokiem na morze. Był wieczór, a słońce oświetlało Sycylię ledwo widocznym już blaskiem. Usiadłam na ławce, łaknąc samotności, i zastanawiałam się, jak wielu rzeczy jeszcze nie wiem i jak bardzo zdziwią mnie lub zranią, kiedy zostaną ujawnione. Chciałam zadzwonić do mamy, a nade wszystko marzyłam o tym, by tu ze mną była. Obroniłaby mnie przed tymi wszystkimi ludźmi i całym światem. Do oczu napłynęły mi łzy, myśl o tym, jak rodzice przeżyją informację o moim wyjściu za mąż, dobijała mnie. Siedziałam, spoglądając przed siebie niewidzącymi oczyma, aż zrobiło się zupełnie ciemno, a w ogrodzie rozbłysły małe latarnie. Przypomniał mi się wieczór, w który zostałam porwana. Boże, pomyślałam, to przecież było nie tak dawno, a tyle się przez ten czas zmieniło.

– Przeziębisz się – powiedział Domenico, okrywając mnie marynarką i siadając obok. – Co się dzieje?

Westchnęłam, obracając ku niemu głowę.

– Czemu mi nie powiedziałeś, że on ma brata? I to bliźniaka w dodatku.

Ale Domenico wzruszył tylko ramionami i wyciągnął białą paczuszkę z kieszeni. Wysypał odrobinę jej zawartości na dłoń i wciągnął najpierw jedną, a później drugą dziurką.

– Mówiłem ci już kiedyś – są rzeczy, o których to wy musicie sobie mówić, a ja... Pozwól, że nie będę się wtrącać. – Wstał i oblizał wierzch dłoni z resztek narkotyku. – Massimo kazał mi cię poszukać i przyprowadzić do siebie.

Z obrzydzeniem patrzyłam na to, co robił, nie ukrywając swoich uczuć względem tego, co widzę.

– Posuwasz moją przyjaciółkę – powiedziałam, wstając. – I ja też nie będę się wtrącać, ale nie pozwolę na to, by zabrnęła w zaułek, z którego nie ma wyjścia.

Domenico stał ze spuszczoną głową i grzebał butem w ziemi.

– Nie planowałem tego, co się stało – wymamrotał. – Ale nic na to nie poradzę, że ona mi się podoba.

Parsknęłam śmiechem i poklepałam go po plecach.

– Nie tylko tobie, ale ja nie mówię o seksie, tylko o kokainie. Uważaj z tym, bo ona łatwo ulega pokusom.

Domenico poprowadził mnie przez korytarze, aż na samą górę, tam, gdzie nie odbywało się przyjęcie. Stanął przed dwustronnie otwieranymi drzwiami i pchnął obydwie strony. Ciężkie drewniane wrota otworzyły się i moim oczom ukazał się wielki, niemal okrągły stół i siedzący u jego szczytu Massimo. Zabawa w środku nie ustała, kiedy przeszłam przez próg, jedynie Czarny podniósł wzrok i wbił we mnie zimne, martwe spojrzenie. Rozejrzałam się dokoła. Kilku mężczyzn obłapiało parę półnagich młodych kobiet, a reszta wciągała ze stołu biały proszek. Powoli mijałam wszystkich, dumnie i z klasą krocząc w stronę męża. Ciągnął się za mną tren, czyniąc mnie jeszcze bardziej wyniosłą, niż byłam w rzeczywistości. Obeszłam wszystkich i stanęłam za plecami Massima, kładąc mu ręce na ramionach. Mój mężczyzna wyprostował się i chwycił mój palec, na którym spoczywała obrączka.

– Signora Torricelli – zwrócił się do mnie jeden z gości. – Przyłączy się pani?

Wskazał na stół podzielony niemal jak pasy na jezdni. Przez chwilę zastanawiałam się nad odpowiedzią, wybierając jedyną właściwą.

– Don Massimo zabrania mi tego rodzaju rozrywek, a ja szanuję zdanie męża.

Ręka, którą Czarny trzymał moją dłoń, zacisnęła się. Wiedziałam, że odpowiedź, której udzieliłam, była prawidłowa.

– Ale mam nadzieję, że panowie dobrze się bawicie. – Skinęłam głową i uśmiechnęłam się czarująco.

Człowiek z ochrony podstawił mi krzesło i usiadłam obok dona, beznamiętnie obserwując otoczenie. To jednak były pozory, bo w środku aż trzęsło mną na widok wszystkiego, co działo się w pokoju. Obleśni starcy obmacujący kobiety, ćpający i rozprawiający o rzeczach, o których nie miałam pojęcia. Po co, do cholery, chciał, bym tu była? Ta myśl uparcie mnie dręczyła. Może chciał w ten sposób im pokazać moją lojalność wobec niego albo zaznajamiał mnie z tym światem? Nijak nie miało się to do tego, co widziałam w *Ojcu*

Chrzestnym; tam obowiązywały zasady, jakiś kodeks albo zwyczajnie klasa. A tu nie było żadnej z tych rzeczy.

Po kilku minutach kelner przyniósł mi wino, Massimo wezwał go gestem i zapytał o coś tak, że nie usłyszałam, po czym skinął głową, pozwalając mi się napić. W tej chwili naprawdę czułam się jak bransoletka, niepotrzebna i wyłącznie po to, by zdobić.

– Chciałabym wyjść – szepnęłam Massimowi wprost do ucha. – Jestem zmęczona, a ten widok powoduje, że chce mi się wymiotować.

Oderwałam usta od jego głowy i przywołałam na twarz kolejny wymuszony uśmiech. Czarny przełknął ślinę i dał znak siedzącemu za nim *consigliere*. Ten wyciągnął telefon i po chwili do sali wrócił Domenico. Kiedy wstawałam z zamiarem pożegnania się, usłyszałam znajomy głos:

– Spóźnione, ale szczere życzenia. Wszystkiego najlepszego, kochani.

Obróciłam się i zobaczyłam Monikę i Karola, którzy witając się z pozostałymi, szli w moją stronę. Ucałowałam oboje, szczerze ciesząc się z ich przyjazdu.

– Don nie mówił mi, że będziecie.

Monika obejrzała mnie i jeszcze raz serdecznie przytuliła.

– Wyglądasz kwitnąco, Lauro, ciąża ci służy – powiedziała w ojczystym języku, puszczając mi oczko.

Nie miałam pojęcia, skąd wie, ale cieszył mnie fakt, że Massimo nie przed wszystkimi trzymał to w tajemnicy. Złapała mnie za rękę i pociągnęła w stronę wyjścia.

– To nie jest miejsce dla ciebie – oznajmiła, wyprowadzając mnie z pomieszczenia.

Kiedy stałyśmy na korytarzu, podszedł do nas Domenico i wręczył mi klucz do pokoju.

– Twój apartament jest na końcu. – Wskazał palcem na drzwi w oddali. – Torba z rzeczami jest w salonie obok stolika, gdzie kazałem wstawić twoje wino, a jeśli chcesz zjeść coś konkretnego, powiedz, a zamówię to.

Poklepałam go po plecach i z wdzięcznością ucałowałam w policzek, po czym chwytając dłoń Moniki, ruszyłam w stronę pokoju.

– Powiedz, proszę, Oldze, gdzie jestem! – krzyknęłam na odchodne, kiedy znikał.

Gdy weszłyśmy do pokoju, ściągnęłam buty i kopnęłam je pod ścianę. Monika wzięła do ręki butelkę wina, otworzyła ją i rozlała w kieliszki.

– Jest bezalkoholowe – powiedziałam, wzruszając ramionami.

Popatrzyła na mnie zdziwiona i upiła łyk.

– Niezłe, ale wolę chyba procenty. Zadzwonię, żeby przynieśli coś dla mnie.

Po dwudziestu minutach dołączyła do nas lekko już wstawiona Olo i zaczęłyśmy we trzy rozprawiać o marnościach tego świata. Żona Karola opowiadała nam o tym, jak to jest przez tyle lat żyć w tym świecie, co wolno, a czego absolutnie nie należy robić. Jakie są zwyczaje w trakcie takich imprez jak ta i jak bardzo musi się zmienić moje myślenie co do znaczenia kobiety w rodzinie. Olga oczywiście kłóciła się z tym wszystkim bardziej, niż powinna, ale i ona w końcu dała za wygraną, akceptując sytuację. Minęły ponad dwie godziny, a my nadal siedziałyśmy na dywanie pogrążone w rozmowie.

W pewnym momencie drzwi pokoju otworzyły się i stanął w nich Massimo. Był bez marynarki i miał rozpiętą przy szyi koszulę. Oświetlony jedynie bladym blaskiem świec, które ustawiłyśmy w pokoju, wyglądał magicznie.

– Czy mogę panie na chwilę przeprosić? – zapytał, wskazując korytarz.

Obie lekko zdezorientowane podniosły się i krzywiąc się już za jego plecami, opuściły pokój.

Czarny zamknął za nimi, kiedy wyszły, i powoli podszedł do mnie, po czym usiadł naprzeciwko. Wyciągnął dłoń i dotknął palcami moich ust, a następnie przesunął je na policzek i zsunął, aż dotknęły koronki mojej sukni. Obserwowałam jego twarz, kiedy dłonią błądził po moim ciele.

– Adriano, co ty wyprawiasz, do cholery? – rzuciłam z wściekłością, odsuwając się od niego, aż moje plecy dotknęły ściany.

– Skąd wiedziałaś, że to ja?

– Twój brat ma inny wyraz twarzy, kiedy mnie dotyka.

– A tak, zapomniałem, że kręci go niewinność koronek. Ale na początku i tak nieźle mi szło.

Usłyszałam dźwięk zamykanych drzwi i gdy spojrzałam w stronę wejścia, wiedziałam, że do pokoju wszedł mój mąż. Włączył światło, a widząc całą sytuację, skamieniał. Po chwili jego oczy zapłonęły gniewem. Spoglądał na przemian to na mnie, to na Adriana, zaciskając pięści. Podniosłam się i stanęłam, splatając ręce na piersiach.

– Panowie, mam do was prośbę – wydusiłam najspokojniej, jak umiałam. – Przestańcie grać ze mną w grę pod tytułem, czy rozpoznam bliźniaka, bo widzę wyraźną różnicę między wami dopiero, kiedy stoicie obok siebie. Nic na to nie poradzę, że nie jestem tak bystra, jak powinnam.

Wściekła ruszyłam w stronę drzwi i już miałam złapać za klamkę, kiedy dłonie Massima chwyciły mnie w pasie i przytrzymały w miejscu.

– Zostań – powiedział, puszczając mnie po chwili. – Adriano, chcę z tobą porozmawiać rano, a teraz pozwól, że zajmę się żoną.

Przystojny klon ruszył w stronę wyjścia, ale zanim opuścił pokój, ucałował mnie w czoło. Wbiłam gniewny wzrok w Massima, zastanawiając się nad tym, po czym ich rozróżniać.

Czarny podszedł do stolika i nalał do szklanki płyn z karafki stojącej na stole, upił łyk i zdjął marynarkę.

– Myślę, że z czasem zaczniesz widzieć różnicę nie tylko, gdy będziemy razem.

– Kurwa, Massimo, a jeśli się pomylę? Twój brat ewidentnie na to liczy i sprawdza, na ile cię znam.

Pociągnął kolejny łyk i wpatrywał się we mnie.

– To bardzo w jego stylu – pokiwał głową – ale nie sądzę, by posunął się dalej, niż mu wolno. Pocieszę cię, że nie tylko ty masz z tym problem. Jedyną osobą, która bez problemu nas rozróżniała, była matka. Owszem, kiedy stoimy obok siebie, jest to prostsze, ale z czasem zauważysz, że jesteśmy inni.

– Obawiam się, że dopiero nago byłabym w stu procentach pewna. Znam każdą bliznę na twoim ciele.

Mówiąc to, podeszłam do niego. Pogładziłam go po piersi i zsunęłam ręce aż do rozporka, czekając na reakcję, ale przeliczyłam się. Zirytowana mocniej złapałam go za krocze, ale przygryzł tylko wargi i nadal stał z kamienną twarzą, wbijając we mnie martwy wzrok. Z jednej strony jego reakcja była niezwykle denerwująca, z drugiej jednak wiedziałam, że to pozory, a on prowokuje mnie do podjęcia wyzwania.

No dobrze, skoro tak, pomyślałam. Wyjęłam szklankę z jego dłoni i odstawiłam na stolik. Opierając rękę o jego tors, delikatnie popchnęłam go do tyłu, aż plecami oparł się o ścianę. Uklękłam przed nim i nie odrywając wzroku od jego oczu, zaczęłam rozpinać rozporek.

– Czy byłam dziś grzeczna, don Massimo?

– Owszem – odparł, a jego wyraz twarzy zaczął zmieniać się z lodowatego w rozpalony pożądaniem.

– A więc należy mi się moja nagroda?

Z lekkim rozbawieniem pokiwał głową, gładząc moje policzki.

Podciągnęłam mankiet jego koszuli i popatrzyłam na zegarek. Było wpół do drugiej.

– A więc czas start, o wpół do trzeciej będziesz wolny – wyszeptałam, jednym ruchem ściągając rozpięte wcześniej spodnie.

Uśmiech zniknął z jego twarzy, a zastąpiła go ciekawość i coś w rodzaju przerażenia, które próbował zamaskować.

– Jutro musimy wcześnie wstać, wyjeżdżamy. Jesteś pewna, że teraz chcesz egzekwować umowę?

Zaśmiałam się złowrogo i ściągnęłam bokserki, a jego piękny kutas zawisł wprost przed moimi ustami. Oblizałam się i trąciłam go nosem.

– Nigdy w życiu nie byłam niczego bardziej pewna. Chciałabym ustalić tylko pewne zasady, nim zaczniemy... – urwałam, całując jego rosnącą męskość. – Przez godzinę mogę zrobić wszystko, co chcę? Jeśli nie zagraża to mojemu ani twojemu życiu, tak?

Stał lekko otumaniony tym, co robiłam, i obserwował mnie zza półprzymkniętych oczu.

– Mam się zacząć bać, Lauro?

– Możesz, jeśli chcesz. A więc tak czy nie?

– Rób wszystko, na co masz ochotę, ale pamiętaj, że ta godzina skończy się po sześćdziesięciu minutach, a konsekwencje czynu pozostaną.

Uśmiechnęłam się, słysząc te słowa, i zaczęłam mocno, brutalnie ssać jego twardego kutasa. Nie miałam zamiaru robić mu laski, toteż kiedy po kilku minutach poczułam, że jest za dobrze, przestałam mu obciągać.

Podniosłam się z kolan i stanęłam naprzeciwko. Złapałam jego twarz w obydwie dłonie i wcisnęłam mu język do samego gardła, co chwilę gryząc jego wargi. Ręce Czarnego powędrowały na moje pośladki, ale jednym uderzeniem zrzuciłam je tak, że znowu bezwładnie zwisły.

– Nie dotykaj mnie – warknęłam, wracając do pocałunku. – Chyba że ci każę.

Wiedziałam, że dla niego największą karą będzie bezsilność i dostosowanie się do sytuacji, w której nie ma na nic wpływu. Powoli rozwiązałam mu muszkę i rozpięłam koszulę, po czym zsunęłam ją z ramion tak, że opadła na podłogę. Stał przede mną nagi z opuszczonymi rękami i wzrokiem płonącym od żądzy. Złapałam go za rękę i poprowadziłam w stronę zabytkowego fotela.

– Przesuń go i postaw naprzeciw stołu – powiedziałam, wskazując palcem miejsce, w którym miał się znaleźć. – A później usiądź.

Kiedy on ustawiał swoje trybuny, ja podeszłam do torby, która zapakowała mi Olo, i wyciągnęłam z niej różową saszetkę. Wróciłam do Massima i postawiłam na stole mojego gumowego przyjaciela.

– Rozepnij mi sukienkę – rozkazałam, stając do niego tyłem. – Jak bardzo mnie pragniesz, donie? – zapytałam, kiedy zsuwał ze mnie materiał, odsłaniając koronkową bieliznę.

– Bardzo – wyszeptał.

Gdy moja kreacja leżała już na podłodze, odwróciłam się przodem i niespiesznie zdjęłam najpierw jedną, a później drugą pończochę. Uklękłam przed nim i ponownie zaczęłam ssać jego członek. Czułam, jak z każdym ruchem coraz bardziej nabrzmiewa, a jego smak staje się intensywny i wyraźny. Wyjęłam go z ust i sięgnęłam po cienki materiał, który zdjęłam ze swojej nogi. Owinęłam nim jego jeden nadgarstek, a później drugi, zawiązując na końcu mocny supeł. Po czym podniosłam się i usiadłam na stole, patrząc na niego. Był pozornie spokojny, ale wiedziałam, że w środku cały się gotował.

– Pilnuj czasu – nakazałam, wskazując na zegarek i rzucając na stół poduszkę z kanapy, która stała obok.

Zdjęłam majtki i szeroko rozłożyłam przed nim nogi. Wzięłam do ręki Różowego i wcisnęłam guzik, a gumowy przyjaciel zaczął wibrować i obracać się. Oparłam stopy o blat i położyłam plecy na drewnianej powierzchni, opierając głowę o poduszkę. Dzięki temu doskonale widziałam wyraz jego twarzy. Massimo płonął, a jego szczęki rytmicznie się zaciskały.

– Kiedy mnie rozwiążesz, zemszczę się – wysyczał.

Zupełnie zignorowałam jego groźbę i wsadziłam w siebie trójząb, nie pomijając żadnej z dziurek. Znałam swoje ciało i wiedziałam, że nie zajmie mi zbyt wiele czasu zaspokojenie się. Włożyłam go w siebie mocno i brutalnie, jęcząc i wijąc się pod jego dotykiem. Czarny nie odrywał ode mnie wzroku, niemal bezdźwięcznie wyrzucając co jakiś czas kilka słów po włosku.

Pierwszy orgazm przyszedł po kilkunastu sekundach, a po nim kolejny i następny. Głośno krzyczałam, odpychając się stopami od blatu, aż poczułam, jak napięcie opuszcza moje ciało. Leżałam przez chwilę bez ruchu, po czym wyjęłam go z siebie i usiadłam, zwieszając nogi.

Patrząc w oczy Massimowi, wulgarnie oblizałam resztki swoich soków pozostałych na wibratorze i odstawiłam go na stół.

– Rozwiąż mnie.

Zeszłam i pochylając się nieco, spojrzałam na godzinę.

– Za trzydzieści dwie minuty, kochanie.

– W tej chwili, Lauro!

Popatrzyłam na niego z kpiącym uśmiechem i parsknęłam, ignorując jego złość.

Massimo szarpnął ręką, aż jedna z poręczy fotela, do której był przywiązany, głośno zatrzeszczała, sugerując, że za chwilę się złamie.

Przestraszyła mnie jego gwałtowna reakcja, więc zrobiłam, co kazał. Kiedy obie jego dłonie były wolne, energicznie podniósł się z miejsca i złapał mnie za szyję, kładąc znów na blacie.

– Nie drażnij się ze mną nigdy więcej – powiedział i mocno wszedł w mój mokry środek. Przesunął mnie aż na krawędź i szeroko rozłożył nogi na boki, po czym chwycił moje biodra i zaczął rżnąć. Widziałam, jaki jest wściekły, i podniecało mnie to. Podniosłam rękę i uderzyłam go w twarz, a wtedy kolejny orgazm zalał moje ciało. Wygięłam się w łuk, wbijając dłonie w drewno.

– Mocniej! – krzyknęłam, dochodząc.

Po kilku sekundach poczułam, jak jego ciało zalewa pot, a on szczytuje razem ze mną, głośno krzycząc. Opadł między moje piersi; jego wargi delikatnie trącały sutki, a twardy penis wciąż pulsował w środku.

Starałam się spokojnie łapać powietrze, aby uspokoić oddech.

– Jeśli sądzisz, że to koniec, mylisz się – wyszeptał i mocno ugryzł moją brodawkę.

Jęknęłam z bólu i odepchnęłam jego głowę. Złapał moje nadgarstki i docisnął je do stołu. Wisiał nade mną, przeszywając wzrokiem pełnym obłędu. Nie bałam się, lubiłam go prowokować, bo wiedziałam, że nie zrobi mi krzywdy.

– Ja już skończyłam, więc nie licz na to, że dojdę kolejny raz. – Uśmiechnęłam się ironicznie. Ale kiedy wypowiedziałam to zdanie i zobaczyłam reakcję jego oczu, wiedziałam, że popełniłam błąd.

Jednym ruchem ściągnął mnie ze stołu, przekręcił i oparł brzuchem o mokre od potu drewno. Złapał obydwa moje nadgarstki i przytrzymał jedną ręką na plecach tak, że nie mogłam się ruszyć.

Po moich udach powoli spływała lepka biała ciecz, którą leniwie wcierał mi w łechtaczkę. Była nabrzmiała i bardzo wrażliwa; każdy jego dotyk był tak intensywny, że już po chwili miałam ochotę na więcej. Rozluźniłam ciało i przestałam się wyrywać, ale nie zwolnił uścisku. Schylił się i podniósł pończochę, którą wcześniej był związany. Oplótł ją wokół moich rąk, a gdy skończył, ukląkł za mną i rozchylając mi pośladki, zaczął lizać drugą dziurkę.

– Nie chcę – wyszeptałam z twarzą na stole, usiłując się oswobodzić, choć oczywiście była to jedynie gra zachęcająca go do tego, by wziął mnie analnie.

– Zaufaj mi, Malutka – rzucił, nie przerywając.

Kiedy podniósł się, wziął do ręki Różowego i wcisnął guzik, a ja usłyszałam znajomy dźwięk wibracji. Wsadził go niespiesznie w moją mokrą cipkę, bawiąc się nim co jakiś czas, i jednocześnie głaskał palcem moją pupę, przygotowując ją na swojego grubego kutasa. Z każdą chwilą miałam coraz większą ochotę na to, by w końcu wsadził go we mnie.

Gdy jego kciuk wreszcie wszedł w moje tylne wejście, jęknęłam i szerzej rozstawiłam nogi, dając mu nieme przyzwolenie na to, co chciał zrobić. Massimo doskonale znał moje ciało i jego reakcje, wiedział, na ile może sobie ze mną pozwolić i kiedy mam na coś ochotę, a kiedy nie. Wyjął palec i delikatnym, lecz stanowczym ruchem nabił mnie na siebie.

Głośno przeklinałam zaskoczona intensywnością doznania, które mi serwował. Nigdy jeszcze nie robiłam czegoś podobnego. Nie było to bolesne, tylko niesamowicie i głęboko podniecające, mentalnie i fizycznie. Po kilku chwilach czułych ruchów biodra Massima nabrały tempa, a ja żałowałam, że nie widzę jego twarzy.

– Uwielbiam twoją małą ciasną dupkę – wydyszał. – I kocham, kiedy zachowujesz się przy mnie jak kurwa.

Kręciło mnie, kiedy był wulgarny. Robił to tylko w łóżku, tylko wtedy pozwalał sobie na spuszczenie emocji ze smyczy. Kiedy poczułam, że dochodzę, całe moje ciało zaczęło spinać się, a zgrzyt zębów tylko potwierdzał stan, do jakiego zmierzałam. Czarny szybkim ruchem wyciągnął ze mnie wibrator, a jego dłoń zaczęła energicznie zataczać koła na łechtaczce. Szczytowałam tak mocno, że po chwili zrobiło mi się słabo i przestraszyłam się, że stracę przytomność.

– Dokąd jedziemy? – zapytałam półżywa, wtulona pod jego ramieniem w ogromnym łóżku pełnym poduszek.

Czarny bawił się moimi włosami, co jakiś czas całując mnie w głowę.

– Jak to jest, że raz masz krótkie włosy, a raz długie? Nie rozumiem, po co kobiety sobie to robią.

Złapałam jego dłoń i podniosłam oczy tak, by go widzieć.

– Nie zmieniaj tematu, Massimo.

Roześmiał się i całując mój nos, przekręcił się tak, że teraz okrywał mnie całym ciałem.

– Mogę pieprzyć się z tobą nieustannie, tak strasznie mnie kręcisz, Mała.

Zirytowana brakiem odpowiedzi próbowałam zrzucić go z siebie, ale był zbyt ciężki. Zrezygnowana zaprzestałam szarpania i głośno westchnęłam, wydymając dolną wargę.

– Na razie czuję się absolutnie zaspokojona – powiedziałam. – Po tym, co zrobiłeś mi na stole, a później w łazience i na tarasie, mam chyba dość aż do końca ciąży.

Śmiejąc się, uwolnił mnie, ponownie kładąc na plecach. Uwielbiałam, kiedy był radosny, rzadko widziałam, by tak się zachowywał, a przy osobach trzecich nigdy sobie na to nie pozwalał.

Z drugiej strony kochałam jego powściągliwość i nonszalancję, imponował mi jego wewnętrzny spokój i to, jak potrafił się kontrolować. Mieszkały w nim dwie dusze, jedna, którą znałam ja – ciepłego anioła, opiekuna i obrońcy. I druga, której bali się ludzie – zimnego, bezwzględnego mafiosa, dla którego ludzka śmierć nie była niczym przerażającym. Leżąc wtulona w niego, przypominałam sobie, co działo się przez te trzy miesiące. Teraz z perspektywy czasu cała ta historia wydawała mi się niewiarygodnie ekscytującą przygodą, której kolejne wątki będę odkrywać, kto wie, czy nie przez następne pięćdziesiąt lat. Już zapomniałam, jak się czułam więziona przez niego i jakim lękiem napawał mnie ten niezwykle pociągający mężczyzna. Typowy syndrom sztokholmski, pomyślałam.

Niemal nieprzytomna i w półśnie poczułam, jak ktoś unosi moje ciało i okrywa je kocem. Byłam tak zaspana, że nie mogłam otworzyć oczu. Cicho jęknęłam, a ciepłe usta pocałowały mnie w czoło.

– Śpij, kochanie, to ja – usłyszałam znajomy akcent i zapadłam w sen.

Gdy otworzyłam oczy, Czarny nadal leżał obok, a jego nogi i ręce oplatały mnie, blokując ruchy. Wokół nas wibrował dziwny niski dźwięk, jakby silnika albo suszarki. Rozbudzałam się powoli i kiedy całkowicie oprzytomniałam, z przerażeniem zerwałam się z łóżka. Moja reakcja obudziła Massima, który wyskoczył z pościeli równie gwałtownie jak ja.

– Lecimy! – krzyknęłam, czując, jak moje serce zrywa się do galopu.

Czarny podszedł do mnie i objął ramionami. Gładził plecy, włosy i przyciskał do siebie.

– Maleńka, jestem tu, ale jeśli chcesz, dam ci leki i prześpisz całą podróż.

Rozważałam w głowie jego słowa i po chwili uznałam, że tak będzie najlogiczniej.

ROZDZIAŁ 4

Kolejne dwa tygodnie były najcudowniejszym czasem, jaki w życiu przeżyłam. Karaiby wydawały mi się najpiękniejszym miejscem na ziemi – pływaliśmy z delfinami, jedliśmy cudowne jedzenie, zwiedzaliśmy cały archipelag na katamaranie, a przede wszystkim byliśmy nierozłączni. Z początku bałam się ciągłego przebywania z nim, bo nie zdarzyło się wcześniej, byśmy tak długo poświęcali uwagę wyłącznie sobie. Zwykle w związkach uciekałam od tego, żeby być z partnerem non stop dwadzieścia cztery godziny na dobę, bo drażniła mnie w pewnym momencie jego obecność i czułam się osaczona, tym razem jednak było inaczej. Łaknęłam każdej sekundy z Massimem, a każda minuta powodowała, że chciałam kolejnych.

Kiedy nasza podróż poślubna dobiegła końca, zrobiło mi się smutno, ale na wieść o tym, że Olga ciągle, od dnia naszego ślubu, jest na Sycylii, ucieszyłam się i uspokoiłam. Informacja ta była dla mnie także dość zaskakująca, bo zaczęłam się zastanawiać, co ona tak długo tam robiła beze mnie.

Paulo odebrał nas z lotniska i zawiózł do rezydencji. Wjeżdżając na podjazd, ze zdziwieniem odkryłam, że tęskniłam za tym miejscem bardziej, niż się spodziewałam. Wysiedliśmy z auta, a Massimo zapytał o coś ochroniarza i poprowadził mnie w stronę ogrodu. Przeszliśmy przez próg i zamarliśmy. Na jednym z foteli siedział Domenico, a na jego kolanach czule go całująca Olga. Nawet nie zauważyli naszej obecności, tak byli zaaferowani sobą – on głaskał ją po plecach i trącał nosem o jej nos, a ona udawała zawstydzoną. Niezbyt rozumiałam, co widzę, postanowiłam więc zwrócić na siebie ich uwagę, by jak najszybciej się dowiedzieć, o co chodzi. Chwyciłam mocniej dłoń Czarnego i ruszyliśmy w ich stronę. Stukot moich obcasów otrzeźwił ich i po kilku krokach zauważyli naszą obecność.

– Lari! – krzyknęła Olga, zrywając się z fotela.

Chwyciła mnie w ramiona i mocno przytuliła. Gdy się od niej oderwałam, złapałam w dłonie jej twarz i zaczęłam się z zaciekawieniem przyglądać.

– Co się dzieje, Olka? – zapytałam niemal szeptem w ojczystym języku. – Co ty robisz?

Wzruszyła ramionami i wydęła wargi, nadal milcząc. Massimo podszedł do niej, ucałował ją w policzek na powitanie i ruszył w stronę brata. Ja nadal patrzyłam na nią, szukając odpowiedzi na moje pytania.

– Zakochałam się jak chuj, Lari – powiedziała moja przyjaciółka, siadając na trawie. – Nic na to nie poradzę, że Domenico tak mnie kręci.

Położyłam torebkę na kamiennej podłodze i opadłam obok niej. Na Sycylii skończyło się lato i mimo że wciąż było ciepło, o upale mogliśmy zapomnieć. Trawa wciąż jeszcze była wilgotna, a ziemia ciepła, ale nie było już gorąco. Głaskałam zielony dywan, zastanawiając się nad tym, co jej powiedzieć, kiedy cień Czarnego zasłonił nade mną niebo.

– Nie siedź na trawie – powiedział, wciskając poduszkę pode mnie i rzucając drugą Oldze.

– Muszę popracować teraz kilka godzin i zabieram Domenica.

Patrzyłam na niego zza ciemnych okularów i nie mogłam uwierzyć, jak szybko potrafił się zmieniać. Teraz stał przede mną mój cudowny wyniosły mąż, mafioso, zimny i władczy. A gdybym tylko miała z nim szansę pobyć sam na sam, stałby się ciepły i czuły. Górował jeszcze przez chwilę nade mną, jakby mi dawał szansę napatrzyć się na siebie, po czym ucałował mnie w czoło i zniknął, zabierając z sobą młodego Włocha, który tylko machnął nam ręką i poszedł za nim.

– Dlaczego właściwie siedzimy na trawie?

– Skrzywiłam się ze zdziwieniem.

– Teraz to już nie wiem. Chodź do stołu, zjesz coś, a ja ci opowiem, co się działo – umrzesz.

Kończyłam trzeciego rogalika, gdy moja przyjaciółka przyglądała mi się z uznaniem.

– Widzę, że czas rzygania masz już za sobą – zauważyła.

– Dobra, nie pierdol, tylko zaczynaj. – Nie spuszczając z niej wzroku, upiłam gorące mleko z filiżanki.

Olga oparła głowę o ręce i spojrzała na mnie spomiędzy palców. Ten wzrok nie wróżył niczego dobrego.

– Jak wyszłyśmy od ciebie z pokoju, wpadłam na Massima. Chyba wkurwił się, jak mu powiedziałam, że przecież dopiero co wyprosił nas z waszego apartamentu. Domyślił się, że to kolejna zagrywka jego brata. Mało czaszka mu nie eksplodowała, więc pędem pobiegł do was. Ja już nie chciałam się w to mieszać i poszłam szukać Domenica, zanim go jednak znalazłam, utknęłam w jednym z apartamentów, gdzie mieli najlepszą kokainę na świecie.

– W tym momencie uderzyła czołem o blat stołu i zastygła w bezruchu. – Lari, przepraszam. – Podniosła na mnie wzrok skruszonego winowajcy i nic nie mówiąc, zajrzała mi w oczy wzrokiem tak żałosnym, że niemal stanęło mi serce.

Zastygłam w oczekiwaniu, że zacznie kontynuować, ale wciąż tylko patrzyła. Oparłam się o siedzenie i pociągnęłam kolejny łyk mleka.

– Pamiętaj, Olo, że niewiele rzeczy jest w stanie zaskoczyć mnie w twoim wykonaniu, tak że do rzeczy. Mów.

Moja przyjaciółka ponownie oparła czoło o stół i ciężko westchnęła.

– Zabijesz mnie za to, co zrobiłam, ale i tak się dowiesz, więc ci powiem. Siedziałam sobie i ćpałam z dwoma bez wątpienia mafijnymi typami, którzy zgarnęli mnie z korytarza. Byli chyba z Holandii. Wtedy do pokoju wszedł Adriano.

Wiedziałam, że to on, bo mieli z Massimem różne garnitury i tylko po tym byłam w stanie ich rozpoznać. Rzucił coś do ludzi siedzących ze mną i tamci wyszli, zamykając za sobą drzwi. Wtedy on wstał, podszedł do mnie i chwycił za barki, sadzając na stole. Laura, on był silny jak koń! – krzyknęła Olga, kolejny raz waląc czołem o drewno. – Jak mnie posadził na tym blacie, to już mi się gorąco zrobiło, wiedziałam, że jak tylko będzie coś ode mnie chciał, to mu się nie oprę.

– Olo, czy ty na pewno chcesz mi o tym dalej opowiadać? – zapytałam, pocierając oczy.

Znieruchomiała, przez chwilę się zastanawiała nad tym, co usłyszała, po czym zaczęła rytmicznie walić głową w stół.

– Wydymał mnie, Lari, ale byłam naćpana i nawalona. Nie patrz tak na mnie – jęknęła, kiedy ją obrzuciłam spojrzeniem pełnym dezaprobaty. – Wyszłaś za mąż za jego klona po trzech miesiącach znajomości i zrobiłaś to na trzeźwo.

Pokręciłam głową i odstawiłam kubek.

– A jaki to ma związek z nagłym wybuchem miłości z Domenikiem?

– Następnego dnia, kiedy wyjechałaś, ocknęłam się, a przede wszystkim wytrzeźwiałam. Chciałam opuścić tamten pokój, ale nie mogłam się z niego wydostać. Ten skurwysyn Adriano najpierw nafaszerował mnie jakimś gównem, a potem wydymał jak szmatę. Bo panowie, z którymi się wtedy bawiłam, jak się okazało, byli jego ludźmi, narkotyki też były jego, a to, że się tam znalazłam, nie było przypadkiem. No i kiedy wściekałam się, do pokoju wszedł Adriano i zapragnął powtórki z nocy. Byłam tak wkurwiona, że wyjebałam mu taką bombę w twarz, że o mało zębów nie stracił. I to był mój błąd, bo on nie jest jak twój Massimo i oddaje.

W tym momencie podniosłam się z krzesła, bo czułam, że jeśli się nie ruszę, to eksploduję.

– Olga, kurwa, co się stało? – warknęłam, łapiąc ją za barki i potrząsając.

Wtedy rozsunęła sweter i zobaczyłam ogromne sińce na barkach. Zaczęłam nerwowo rozbierać ją i oglądać.

– Ja pierdolę! Co to ma być, Olo?

– Przestań. – Wciągnęła znów sweter. – To już nie boli, normalnie bym ci o tym nie mówiła, ale i tak się dowiesz, więc nie ma sensu ściemniać. Trochę mnie skatowało to bydlę, ale nie pozostałam mu dłużna i dostał w czaszkę ze dwa razy, raz lampą, a raz butelką. No i teraz odpowiedź na twoje pytanie: Domenico, który usiłował mnie znaleźć całą noc, zakończył mój koszmar, wpadając do apartamentu. Wywiązała się między nimi bójka, którą klon przegrał. Zaskakujące co? – Uśmiechnęła się z satysfakcją. – Domenico trenuje sztuki walki od dziewiątego roku życia, Adriano powinien cieszyć się, że żyje. Jak skończył go tłuc, rycersko chwycił mnie na ręce, wyniósł i zabrał do lekarza. Zaopiekował się mną.

No i nagle okazało się, że nie jest tylko kutasem na dwóch nogach. – Wzruszyła ramionami i przeniosła wzrok na palce, którymi się bawiła.

Nie mogłam uwierzyć w tę opowieść ani w to, do czego zdolny jest brat mojego męża. Przez głowę przebiegła mi natychmiast jedna myśl: czy Massimo wiedział, co się działo na Sycylii, a jeśli tak, to czemu mnie o tym nie poinformował. Wstałam od stołu i poszłam w stronę domu, trawiąc gorycz nienawiści do Adriana. Miałam ochotę go zabić i zastanawiałam się, czy Czarny mi na to pozwoli. Czułam, jak tętni mi w skroniach, i mimo że wiedziałam, iż nie wolno mi popaść w szał ze względu na dziecko, nie umiałam pohamować złości.

– Zaczekaj tu na mnie – powiedziałam, przechodząc obok Olgi.

Weszłam do holu i ruszyłam korytarzem przed siebie, wiedząc, że Czarny jest w bibliotece. Zawsze ilekroć pracował albo spotykał się z kimś ważnym, robił to właśnie tam. Było to najlepiej zabezpieczone i wygłuszone pomieszczenie w domu. Weszłam do środka, z hukiem otwierając drzwi. Już miałam wziąć oddech, żeby zacząć wrzeszczeć, gdy stanęłam jak wryta. Przy wielkim kominku stali Massimo i Adriano. Zaślepiona złością nie miałam pojęcia, który jest który, ale wiedziałam, że jeden z nich zaraz będzie miał problem. Ruszyłam w ich stronę, mijając ciężkie półki z książkami.

– Massimo! – krzyknęłam, obserwując pilnie obu.

– Tak, Mała? – zapytał mężczyzna stojący bliżej ściany.

Te słowa mi wystarczyły, wiedziałam już, który z nich jest obiektem mojej nienawiści. Niewiele myśląc, podeszłam do Adriana i z całej siły walnęłam go pięścią w twarz, po czym zamachnęłam się, by zrobić to ponownie.

– Zasłużyłem sobie, wal – powiedział, wycierając wargi.

Tak mnie zaskoczyła jego reakcja, że opuściłam ręce w geście kapitulacji. Nie rozumiałam całej sytuacji ani tego, co się działo w tej chwili.

– Jesteś zwykłym, pierdolonym śmieciem! – wrzasnęłam.

Poczułam, jak dłonie Massima obejmują mnie, a ja przytulam się do jego potężnego ciała. Chciałam krzyczeć dalej, ale obrócił mnie i zatamował krzyk pocałunkiem. Kiedy poczułam jego ciepło, poddałam się, a z uspokajającego rytmu jego języka wyrwał mnie dopiero dźwięk zamykanych drzwi.

– Nie denerwuj się, Mała, panuję nad sytuacją.

Te słowa znów wyprowadziły mnie z równowagi.

– A jak to bydlę katowało mi przyjaciółkę, to też panowałeś? Co on w ogóle robi w tym domu? – Wściekłam się na dobre. – Ona tu jest, ja tu jestem, twoje dziecko tu jest – we mnie. Gdzie on, kurwa, wyszedł?

– Posłuchaj, Lauro, mój brat ma problem z panowaniem nad sobą – powiedział spokojnie Massimo, siadając na kanapie. – A po narkotykach bywa nieobliczalny, dlatego na naszym weselu kazałem go pilnować. Ale moi ludzie nie ingerują w życie seksualne rodziny, więc w pewnym momencie się wycofali. Nikt nie mógł wiedzieć, że tak się to skończy.

– No, jakoś Domenico mógł – obruszyłam się, stojąc przed nim z rękami splecionymi na piersiach.

– Adriano jest niegroźny, póki jest czysty. Rozmawiałem z Olgą po całej tej sytuacji, prosiłem ją o wybaczenie i choć wiem, że to nic nie zmieni, nadal będę prosił. Wiem, że gdy patrzy na mnie, widzi jego. Adriano nie mieszka w posiadłości, wezwałem go, zamieszkał w apartamencie w Palermo. Nie chcę, byś się czuła zagrożona, kochanie. Jeszcze dziś wyjedzie z wyspy, samolot ma zarezerwowany na siedemnastą.

Podniósł się i objął mnie mocno ramionami, całując w czoło. Uniosłam wzrok i posłałam mu spojrzenie pełne cierpienia i smutku.

– Jak mogłeś mi nie powiedzieć, co się dzieje z moją przyjaciółką?

Czarny głęboko westchnął i przycisnął moją głowę do piersi.

– To by nic nie zmieniło, a zepsułoby tylko nasze wakacje – odparł. – Wiedziałem, że się zdenerwujesz, a będąc tak daleko od niej, bałem się twojej paniki. Zdecydowałem, że tak będzie lepiej. Poza tym ona była tego samego zdania, co ja.

Po cichu przyznałam mu rację, uświadamiając sobie, że niemoc, która by mną owładnęła, byłaby zbyt wielkim ciężarem.

Wróciłam do Olgi.

– Olo – powiedziałam, siadając obok niej na białej leżance. – Jak ty się czujesz?

Moja przyjaciółka obróciła ku mnie głowę i pytająco popatrzyła.

– Dobrze, a czemu miałabym się źle czuć?

– Kurwa, no nie wiem, jak się czuje ktoś po gwałcie.

Olo wybuchła śmiechem i przekręciła się na brzuch.

– Że po czym? Po jakim gwałcie, Lari? Przecież on mnie nie zgwałcił, tylko... że tak powiem... zwiotczył narkotykami. To nie była tabletka gwałtu, tylko MDMA, więc ja wszystko pamiętam. Ale też przyznaję, miałam na niego zwyczajnie ochotę. No, może większą, zdecydowanie większą niż w rzeczywistości, ale dobrego, porządnego dymania nie nazwałabym gwałtem.

Byłam już tak skołowana, że nie nadążałam za całą sytuacją i to chyba było po mnie widać.

– Lauro, zobacz. Massimo wygląda niemal identycznie, czy wyobrażasz sobie, że nie chcesz iść z nim do łóżka? Zakładamy aspekt czysto fizyczny. Jest gorącym towarem, przyznaj, ma boskie ciało i cudownego kutasa. Z jego bratem jest tak samo i pewnie, gdyby nie był pojebanym skurwysynem, a ty byś nie była z jego bratem bliźniakiem, wzięłabym się za niego. Rozumiesz?

Siedziałam, patrząc na drzewa przede mną; były takie ładne i równe, doskonałe. Wszystko dokoła mnie zdawało się pozornie tak idealne i harmonijne. Dom, samochody, ogród, moje życie u boku pięknego faceta. A ja ciągle miałam jakiś problem – już sama nie wiedziałam, o co mi chodzi.

– A Domenico?

Jęknęła i położyła się na plecach, wierzgając nogami jak mała dziewczynka.

– Och, on jest moim księciem na białym koniu, a gdy z niego zsiada, pierdoli mnie jak prawdziwy barbarzyńca. A tak serio, zakochałam się. – Wzruszyła ramionami. – Nie sądziłam, że kiedyś to powiem, ale to jak się mną zajmował, jaki był wobec mnie szarmancki, ach... No i imponuje mi jego wiedza. Wiesz, że on skończył historię sztuki? Widziałaś kiedyś jego obrazy? Maluje tak, że się zastanawiam, czy to aby nie wydrukowane. Coś cudownego. I teraz wyobraź sobie: przez ostatnie dwa tygodnie zasypiałam i budziłam się obok niego, wieczorami pływaliśmy łódką albo spacerowaliśmy po plaży, później wracaliśmy, a ja patrzyłam, jak maluje. Laura! – Uklękła i wtuliła we mnie. – Zafundowałaś sobie przygodę życia, przez przypadek fundując ją także mnie.

Wiem, że to, co mówię, jest irracjonalne i nie trzyma się kupy, ale ja go chyba kocham.

Patrzyłam na nią, nie mogąc uwierzyć w to, co słyszę. Znałam Olgę bardzo dobrze i wiedziałam, że czasem zdarza się jej nie myśleć. Jednak to, co mówiła, było tak bardzo nie w jej stylu, że aż zdawało się zakrawać na bzdurę, zwłaszcza po dwóch tygodniach.

– Kochanie, tak bardzo się cieszę – powiedziałam, nie całkiem przekonana. – Ale bardzo cię proszę, nie ekscytuj się tak tym wszystkim. Nigdy nie kochałaś i wierz mi, nie ma nic gorszego niż rozczarowanie. A lepiej się nie nastawić i pozytywnie zaskoczyć, niż później cierpieć, bo nie będzie tak, jak chcesz.

Oderwała się ode mnie, a na jej twarzy pojawił się grymas niezadowolenia.

– A zresztą, pierdol to – skwitowałam, wzruszając ramionami. – Będzie, co ma być, a teraz chodź, bo jakoś się chłodno zrobiło.

Mijając korytarze, dostrzegłam przemykającego między pokojami Domenica. Na mój widok zamarł i cofnął się tak, że na powrót stanął w korytarzu. Olga ucałowała go w policzek i poszła dalej, ja natomiast zatrzymałam się i przez chwilę wpatrywałam w jego kasztanowe oczy.

– Dziękuję, Domenico – wyszeptałam, wtulając się w niego.

Przytulił mnie mocno do siebie i poklepał po plecach.

– To nic, Lauro. Massimo chce się z tobą widzieć, chodź.

Zanim Domenico wciągnął mnie do środka, krzyknęłam jeszcze do Oli, że zaraz do niej przyjdę.

Czarny siedział przy wielkim drewnianym biurku, pochylony nad komputerem. Kiedy drzwi się za mną zamknęły, uniósł zimny wzrok i oparł się o zagłówek fotela.

– Mam mały kłopot, kochanie – zaczął beznamiętnie. – Jak się okazało, za długo mnie nie było i sprawy się spiętrzyły. Czeka mnie trudne spotkanie, w którym nie chcę, żebyś uczestniczyła. Wiem też, że tęskniłaś za Olgą i pomyślałem, że powinnyście wyjechać gdzieś razem i pobyć ze sobą dwa, trzy dni. Kilkadziesiąt kilometrów stąd jest hotel, którego jestem współwłaścicielem, zarezerwowałem wam tam apartament. Mają spa, nowoczesną klinikę, doskonałą kuchnię, a przede wszystkim ciszę i spokój. Pojedziecie jeszcze dziś, a ja dołączę najszybciej, jak to jest możliwe. Potem wyjedziemy do Paryża. Myślę, że za trzy dni powinniśmy się zobaczyć.

Stałam, wpatrując się w niego, i myślałam, gdzie się podział mój kochający mąż, którego miałam przez ostatnie dwa tygodnie.

– A mam coś do powiedzenia? – zapytałam, opierając dłonie o blat biurka.

Massimo obracał w dłoniach długopis, przyglądając mi się z beznamiętną miną.

– Oczywiście. Możesz wybrać ochroniarzy, którzy pojadą z wami.

– W dupie mam taki wybór – burknęłam i ruszyłam w stronę drzwi.

Zanim zdążyłam do nich dojść, poczułam na szyi ciepły oddech i silne dłonie na biodrach. Czarny odwrócił mnie ku sobie i tak mocno oparł o drewniane skrzydło, że aż klamka wbiła mi się w kręgosłup. Jego ręka powoli musnęła przez spodnie moją najwrażliwszą część, a usta niespiesznie błądziły po moich.

– Zanim wyjdziesz, Lauro – wyszeptał, na chwilę się odrywając – wezmę cię na tym biurku, zrobię to szybko i brutalnie, tak jak najbardziej lubisz. – W tym momencie uniósł mnie i posadził na blacie. – Po naszej nocy poślubnej jakoś wyjątkowo ciągnie mnie do drewna.

Faktycznie zrobił to mocno, za to niezbyt szybko i nie raz.

Massimo uwielbiał seks, każda jego część ciała także. Był nienasyconym i doskonałym kochankiem. Najbardziej lubiłam w nim to, że nie tylko brał, ale i dawał. Całym sobą ofiarowywał kobiecie poczucie, że jest w łóżku najlepsza na świecie, że doprowadza go do szaleństwa, a każdy jej ruch jest doskonały, tak jak cała ona. Nie wiem, na ile było to prawdą, a na ile wydawało mi się, że tak jest, ale przy nim czułam się jak porno superstar. Nie miałam zahamowań ani granic, mógł zrobić ze mną dokładnie wszystko, co tylko chciał, a ja i tak pragnęłam więcej. To zadziwiające, jak różni bywają mężczyźni i jak różnie działają na kobiety. Nigdy nie byłam szczególnie łatwa i chętna, mama wychowała mnie tak, że nie wklejałam się w epokę ani aktualne obyczaje. Z moim facetem mogłam robić wszystko, jednak nigdy z nikim nie byłam aż tak otwarta. Jego nonszalancja, a zarazem to, że umiał trzymać mnie na dystans, doprowadzały każdą moją część do szaleństwa, a władczy ton nieznoszący sprzeciwu powodował, że nawet najdziwniejsze polecenie wykonywałam z ochotą. Uwielbiałam go, poza tym, że kochałam do szaleństwa, uwielbiałam go jako człowieka.

– Pakuj się, Olo – rzuciłam, wchodząc do jej pokoju, niestety bez pukania.

Wmurowało mnie to, co zobaczyłam, choć nie powiem, żebym już tego nie widziała. Naga Olga stała oparta o ścianę, a Domenico ze spuszczonymi spodniami posuwał ją na stojąco. Kiedy weszłam, on jak sądzę ze wstydem, schował głowę w jej włosach i spokojnie czekał, aż wyjdę. Ola natomiast odwróciła powoli twarz w moją stronę i ze śmiechem palnęła:

– Jak tylko Domenico skończy mnie pakować, wezmę się za to, a teraz przestań się gapić i spierdalaj.

Pomachałam jej lekko z dziwnym wyrazem twarzy i ruszyłam w stronę drzwi, ale zanim zamknęłam je za sobą, krzyknęłam, będąc już na korytarzu:

– Ładną masz dupkę, Domenico!

Usiadłam na środku swojej garderoby i ciężko wzdychając, popatrzyłam na nierozpakowane walizki, które dopiero co przywieźliśmy z Karaibów. Jeszcze na dobre nie wróciłam, a on znów każe mi gdzieś jechać. Położyłam się na miękkim dywanie, splatając dłonie za głową. Pomyślałam o tym, jak tęsknię za bzdurami, które utraciłam. Leżeniem w łóżku w weekendy z włączoną telewizją śniadaniową. Nudzeniem się w dresie, pod kocem z książką w ręku i słuchawkami na uszach. Ba, potrafiłam dwa dni nie czesać włosów, być trollem i zwyczajnie sobie mieszkać. Przy Massimie było to niemożliwe z kilku względów. Przede wszystkim nie chciałam, aby mnie oglądał w formie niemytego ogra z gniazdem na głowie. Poza tym ciągle mnie gdzieś porywał, więc nie mogłam mieć pewności, gdzie się jutro obudzę ani kto mnie będzie oglądał. A bycie z takim mężczyzną zobowiązywało, nie chciałam więc zbytnio odstawać od niego wizualnie. Znów głośno westchnęłam i ruszyłam w stronę pierwszej z brzegu walizki.

Po godzinie byłam już gotowa, spakowana, wykąpana i przebrana w seksowne brązowe leginsy. Ciąży nadal nie było widać, a jedynym jej objawem były rosnące w zastraszającym tempie piersi. Ich wzrost idealnie dopełnił całości mojej sylwetki – wciąż miałam smukłe i wysportowane ciało, a do tego nowe cycki, które wprost kochałam. Wcisnęłam nogi w ukochane beżowe kozaki Givenchy, dobrałam do nich torebkę Prady i jasny gruby sweter opadający na ramię.

Kiedy ciągnęłam walizkę w stronę schodów, wyłoniła się zza nich zmiętolona Olga.

– Dopiero przyjechałaś, gdzie znowu, kurwa, jedziesz? – zdziwiła się, opadając na jeden ze stopni. – Boli mnie dupa i jestem cała spocona.

– Urzekło mnie twoje wyznanie. Spakowałaś się, Olo?

– Byłam zbyt zajęta. A gdzie jedziemy, jeśli wolno spytać, bo nie wiem, co zabrać.

– Na kilka dni do hotelu u podnóży Etny, tylko ty i ja. Będziemy chodzić do spa, objadać się i ćwiczyć jogę. Możemy zrobić sobie też wycieczkę do galerii, skoro malarstwo Domenica tak cię uduchowiło, zobaczymy, jak wulkan wybucha. Jakich jeszcze atrakcji oczekujesz?

Olga siedziała na schodach ze skrzywioną, pytającą twarzą.

– Co się, kurwa, gapisz? – zapytałam zirytowana – Czarny kazał mi wyjechać. To co, mam powiedzieć, że nie?

– Domenico też się zrobił jakiś elektryczny, dobra, olać ich, za dziesięć minut jestem u ciebie i jedziemy.

Kiedy wyszłyśmy na podjazd, bentley stał już zaparkowany i gotów do drogi. Zaraz za nim zatrzymał się czarny SUW, z którego wysiadł Paulo i dwóch ochroniarzy. Zamachałam do niego ręką i wsiadłyśmy do auta. Lubiłam Paula; był tu chyba najdyskretniejszym i najbystrzejszym ochroniarzem, czułam się przy nim bezpieczna. Odpaliłam silnik i wcisnęłam na nawigacji guzik programowania, ustawiając adres, a po piętnastu minutach mknęłyśmy już autostradą.

Massimo faktycznie miał rację, mówiąc, że hotel nie jest położony szczególnie daleko. Po niecałej godzinie dotarłyśmy na miejsce. Rozgościłyśmy się i poszłyśmy na kolację, później Olga wypiła butelkę szampana, a ja swoje bezalkoholowe gówno i koło trzeciej, po kilku godzinach gadania, zasnęłyśmy. Następnego dnia zaczęłyśmy od wyprawy na Etnę, która zachwyciła mnie i przypomniała historie z dzieciństwa, które opowiadał mi Czarny. Żałowałam, że nie ma go tu ze mną, ale cieszyłam się obecnością przyjaciółki.

Wróciłyśmy po południu głodne i zmęczone. Usiadłyśmy w restauracji i zamówiłyśmy lunch.

– Marzę o masażu – oznajmiła Olga, przeciągając się na krześle. – Długim, mocnym i zrobionym przez muskularnego nagiego faceta.

Przeżuwałam kawałek chlebowego palucha, patrząc na nią z zaciekawieniem.

– Myślę, że nie będzie kłopotu ze spełnieniem tej zachcianki – odparłam, przełykając kawałek. – Tylko nie wiem, czy uda nam się sprawić, by był nagi.

Mój leżący na stole telefon zawibrował. Wzięłam go do ręki, a widząc wiadomość na ekranie, zrobiło mi się ciepło. Uśmiechnęłam się promiennie.

– Niech zgadnę? – ironizowała Olga. – Massimo napisał, że kocha ciebie, kocha dziecko i rzyga tęczą.

– Prawie. Napisał, że tęskni. A dokładnie: „Tęsknię Mała".

– Bardzo lapidarnie rozpisał się chłopina.

– Ej, napisał esemesa. To chyba trzeci esemes, jaki od niego dostałam, więc wiesz ...

Siedziałam, patrząc na pozbawioną znaków interpunkcyjnych wiadomość, a w moim sercu wzbierało coś na kształt zawału z radości. Myślę, że gdyby normalnej kobiecie facet wywiesił transparent w centrum miasta z wyznaniem miłości, poczułaby coś podobnego do uczucia, które rosło we mnie.

– Wiesz co, Olo, mam pomysł. – Odłożyłam konspiracyjnym ruchem telefon. – Zrobię mu niespodziankę i pojadę wieczorem na chwilę do domu. Wyrwę go podstępem ze spotkania, obciągnę mu i wrócę.

– Eee tam, ochrona pojedzie za tobą i chuj będzie z twojej niespodzianki, geniuszu.

– No właśnie pomożesz mi, zagadasz Paula, a się ja wymknę. Samochód jest w garażu, a oni przecież stoją przed budynkiem. Poza tym, kiedy idziemy spać, oni też idą, bo to nie więzienie. Mają pokój obok, więc ich trochę oszukamy, że się kładę, bo źle się czuję. A ty zostaniesz i jakby co, będziesz mnie kryć.

134

Olga siedziała skrzywiona i patrzyła na mnie jak na debila.

– Reasumując, mam iść do Paula i powiedzieć mu, że zasnęłaś, bo źle się czujesz, i że ja też się kładę, a jutro chcemy rano wyjechać na zakupy, więc radzę im, żeby się też zdrzemnęli?

– No, coś takiego. – Klasnęłam w dłonie.

Uknuty niecny plan podziałał na mnie nadspodziewanie pobudzająco i nawet kojąca na pozór wizyta w spa nie mogła tego zmienić. Wybrałam z oferty najbardziej pachnące zabiegi z możliwych, ciesząc się na myśl, jaki mój mąż będzie zaskoczony i owładnięty żądzą na mój widok, a zwłaszcza zapach. Skończyłyśmy cielesne uciechy dość późno i w końcu przyszedł czas na teatrzyk.

Ubrałam się jedynie w koronkową czerwoną bieliznę, a na wierzch zarzuciłam długi wiązany sweter. Na pozór wyglądałam zwyczajnie, ale wystarczyło, aby pasek wokół moich bioder poluźnił się i widok stawał się mniej zwyczajny.

– Może tak być? – Wychodząc, zasięgnęłam jeszcze rady ekspertki, rozchylając poły swetra jak ekshibicjonista pod szkołą dla dziewcząt.

– Uważam, że to chujowy pomysł, ale wyglądasz jak rasowa dziwka, więc chyba się zgadza – powiedziała Olga, leżąc na kanapie i przełączając kanały w telewizorze. – Zadzwoń, jak będziesz wracać, bo ja i tak nie zasnę, czekając na ciebie.

Cały nasz plan powiódł się nadzwyczaj łatwo i już po dwudziestu minutach pędziłam w stronę

domu. Przed wyjazdem pierwszy raz skorzysta-
łam z zainstalowanej w telefonie aplikacji śledzą-
cej miejsce pobytu Czarnego. Faktycznie był
w domu; choć nie było to urządzenie jak z *Bat-
mana*, które prześwietlając ściany, pokaże mi,
gdzie dokładnie się znajduje, miałam jednak
przeczucie, w którym pokoju go znajdę. Za każdym razem, kiedy miał oficjalne spotkania, przyjmował swoich gości w bibliotece, w której także
ja widziałam go po raz pierwszy po tym, jak mnie
porwał. Uwielbiałam ten pokój, był dla mnie
zwiastunem czegoś nowego, nieznanego i pod-
niecającego.

Wcisnęłam guzik na pilocie i brama wjazdowa
otworzyła się. Nikogo nie dziwiła obecność mojego samochodu, bo nie wszyscy wiedzieli, że wyjeżdżam, bez problemu więc zaparkowałam przed
garażem i cichaczem wkradłam się do środka.

Dom pogrążony był w ciemnościach, z ogrodu
dobiegały dźwięki jakichś rozmów, ale ja wiedziałam, gdzie się udać. Przemykałam korytarzami, czując jak z podniecenia wali mi serce, i układałam w głowie plan. Wiedziałam, że w pokoju
nie będzie sam, więc nie mogłam tak po prostu
wtargnąć, rozchylając sweter, i oddać mu się na
biurku czy na sofie, bo mogłoby to skonfundować
jego rozmówców. Jedyne, czego chciałam, to zerknąć do środka i upewnić się, że jest dokładnie
tam, gdzie myślę. Później postanowiłam wysłać
mu wiadomość albo zadzwonić – tego wciąż nie

mogłam ustalić – żeby wyciągnąć go z biblioteki. A gdy wyjdzie, będę tam na niego czekać ja, półnaga, napalona i bardzo niespodziewana. Już sobie wyobrażałam, jak rzucam się na niego, oplatając udami jego biodra, jak niesie mnie w stronę mojego starego pokoju i rżnie na miękkim dywanie w garderobie.

Chwyciłam za klamkę i najdelikatniej jak zdołałam, nacisnęłam ją, robiąc sobie w drzwiach niewielki prześwit. W pokoju palił się jedynie kominek i nie słychać było żadnych rozmów. Uchyliłam drzwi nieco szerzej i wtedy zalała mnie fala gniewu i rozpaczy. Na moich oczach mój mąż posuwał swoją byłą kochankę Annę, rżnął ją dokładnie jak mnie jeszcze wczoraj na swoim dębowym biurku. Stałam tam, nie mogąc złapać tchu, a serce niemal mi zamarło. Nie wiem, ile czasu minęło, czy minuty, czy sekundy, ale kiedy poczułam ukłucie w brzuchu, oprzytomniałam. W chwili, gdy chciałam odejść od drzwi i uciec na koniec świata, Anna popatrzyła na mnie, uśmiechnęła się ironicznie i przyciągnęła Czarnego do siebie. Uciekłam.

ROZDZIAŁ 5

Biegłam korytarzami, chcąc jak najszybciej znaleźć się z dala od tego domu. Wsiadłam do samochodu i z oczami pełnymi łez odpaliłam silnik, po czym pognałam przed siebie. Gdy poczułam się bezpieczna, zatrzymałam się i wyjęłam z torebki leki na serce; jeszcze nigdy nie potrzebowałam ich tak jak teraz. Oddychałam szybko, czekając aż zaczną działać. Boże, co teraz będzie, co ja mam zrobić?, zastanawiałam się. Będę miała z nim dziecko, a on mnie okłamał i zdradził. Podstępem zmusił do wyjazdu, by móc spokojnie zabawiać się z tą kurwą. Walnęłam rękami w kierownicę. Cholera, powinnam była wrócić, wejść tam i zabić ich oboje. Ale jedyne, czego w tym momencie pragnęłam, to własnej śmierci, i gdyby nie dojrzewające we mnie życie, zrobiłabym to. Myśl o dziecku dodawała mi jednak sił, wiedziałam, że muszę być dzielna dla niego. Odpaliłam bentleya i włączyłam się do ruchu.

Dotarło do mnie, że muszę natychmiast wyjechać, nie wiedziałam tylko jeszcze, jak to zrobić. Byłam totalnie, absolutnie ubezwłasnowolniona, pozwoliłam temu człowiekowi na totalną kontrolę. Wiedział, co robię i gdzie jestem, śledził każdy mój ruch. Wyciągnęłam telefon i wybrałam numer Olgi.

– Co tak szybko? – odezwał się znudzony głos w słuchawce.

– Posłuchaj mnie, tylko o nic nie pytaj. Musimy jeszcze dziś wyjechać z wyspy, weź komputer i poszukaj najbliższego samolotu do Warszawy z przesiadką czy bez, wszystko jedno. Zapakuj tylko tyle rzeczy, żebyś mogła po prostu wyjść, i weź dla mnie dres. Będę po ciebie za niecałą godzinę, wymknij się tak, żeby ochrona nie zauważyła, że nas nie ma. Rozumiesz, Olo?

W słuchawce zapadła cisza, a ja nie wiedziałam, co się dzieje.

– Olga, kurwa, rozumiesz, co do ciebie mówię?

– Rozumiem.

Rozłączyłam się i przycisnęłam gaz. Łzy nadal nie przestawały płynąć mi po policzkach, ale dawały ukojenie, więc cieszyłam się, że są. Nigdy w życiu jeszcze nie nienawidziłam człowieka tak bardzo, jak w tej chwili Massima. Chciałam zadać mu ból, chciałam, by cierpiał tak jak ja, by rozpacz – tak jak teraz mnie – rozdzierała go na pół. Po wszystkich rozmowach o lojalności, po wyznaniach miłości i przysięganiu przed Bogiem, on zwyczajnie postanowił zrzucić z krzyża, kiedy na chwilę wyjechałam. Nie obchodziło mnie, dlaczego to zrobił, nie miało to już żadnego znaczenia. Mój sycylijski sen był zbyt piękny, by mógł trwać wiecznie, ale nie sądziłam, że skończy się tak szybko, przeradzając w koszmar.

Podjechałam pod hotel, nie wjeżdżając na jego front, stanęłam na bocznym parkingu. Wcześniej zadzwoniłam do Olgi, która ukryła się w mroku, dając mi sygnał, gdzie jest, żarzącym się papierosem.

– Laura, co się dzieje? – zapytała z troską, zamykając drzwi.

– O której mamy samolot?

– Za dwie godziny z lotniska w Katanii, lecimy do Rzymu. Do Warszawy mamy następny dopiero o szóstej rano. Powiesz mi, do cholery, co się stało?

– Miałaś rację, ta niespodzianka to nie był dobry pomysł.

Siedziała bokiem, wpatrując się we mnie w ciszy.

– Zdradził mnie – szepnęłam i na nowo wybuchnęłam płaczem.

– Zjedź na pobocze, ja będę prowadzić.

Nie miałam siły się z nią sprzeczać, więc zrobiłam, co kazała.

– Ja pierdolę, co za złamas jebany – wycedziła, zapinając pas. – Co za skurwysyn. Widzisz, mówiłam ci, że lepiej nie jechać. I co teraz? Przecież on znajdzie cię szybciej niż najszybciej.

– Przemyślałam to, jadąc – powiedziałam beznamiętnie, wpatrując się w przednią szybę. – W Polsce wypłacę pieniądze w banku jako jego żona, mam takie samo prawo do kont jak on. Wyjmę tyle, by wystarczyło mi na jakiś czas, wrócimy do Warszawy i wyciągnę ten pierdolony implant. Jak się postaramy, zorientuje się dopiero jutro w dzień, że wyjechałam, zanim zdąży mnie namierzyć, już go wywalę. A później wyjadę, gdzieś, gdzie mnie nie znajdzie. A później to nie pytaj mnie, Olo, bo aż się boję myśleć.

Olga pukała palcem w kierownicę. Widać było, że trawi moje słowa.

– Zrobimy tak: po pierwsze musimy się w Polsce pozbyć telefonów, bo przez nie od razu nas namierzą. Weźmiemy mój samochód, bo jak pokazał ostatni przykład twojego pobytu w Polsce, w twoim jest GPS. Nie możesz jechać do rodziców ani w żadne miejsce, które Massimo może znać, czyli generalnie musisz zniknąć. Mam pewien pomysł, wyjedziemy na Węgry.

– Jak to my? Olga, ja już i tak cię w to wciągnęłam.

– No właśnie, więc już i tak nie cofniesz czasu, a chyba nie sądzisz, że zostawię cię teraz samą. Więc nie pierdol i słuchaj. W Budapeszcie mieszka mój były facet István. Pamiętasz, opowiadałam ci kiedyś o nim?

– To było jakieś pięć lat temu? Czy coś mnie ominęło?

– Oj, kurwa, pięć nie pięć, ale zakochał się chłopina, dzwoni przynajmniej raz w tygodniu, pierdoli mi, żebym przyjechała, no to właśnie jest okazja. Poza tym na biednego nie trafiło, ta jego fabryka samochodów daje mu tyle siana, że nasz pobyt nie zrobi mu różnicy. Przyjaźnimy się, będzie szczęśliwy, że może pomóc, zadzwonię do niego, jak tylko zdobędziemy nowe telefony.

– Kurwa, Węgry to dość blisko – jęknęłam.

– Lećmy na Wyspy Kanaryjskie, mam tam przyjaciółkę, pracuje w hotelu na Lanzarote.

Olga popukała się w głowę.

– Lećmy? Ty ciołku, nie możemy użyć dowodów osobistych, musimy jechać samochodem, tylko tak nie będzie w stanie za nami trafić. I ty chciałaś sama uciekać, debilu. – Pokręciła głową. Miała rację, nie myślałam teraz racjonalnie. Nie mogłam uwierzyć w to, co się stało, i nie wyobrażałam sobie, co będzie dalej.

– Lari, tylko pamiętaj, że jeśli chcesz podjąć z banku dużą gotówkę, chyba powyżej dwudziestu tysięcy euro, musisz to awizować. Czyli, że tak powiem, zapowiedzieć się w banku, że chcesz wypłacić sporą sumę. Oni muszą to przygotować. Dzwoń na infolinię i zapowiedz im, skąd chcesz zabrać kasę i ile.

Wzięłam posłusznie telefon do ręki i zaczęłam w internecie szukać numeru. Czułam się w tej chwili jak małe dziecko. A Olo była dla mnie jak najlepsza matka, myślała za mnie i pamiętała o wszystkim, bo ja nie miałam siły myśleć.

Kiedy dojechałyśmy na lotnisko, przebrałam się w dres, który wzięła mi Ola. Aż zrobiło mi się niedobrze na widok czerwonej koronki. Odstawiłam bentleya na jeden z parkingów i zostawiając w środku kluczyki, ruszyłam w stronę terminala.

Lot upłynął nam na przepisywaniu na kartkę listy kontaktów z telefonów. Wiedziałyśmy, że nie możemy jej skopiować i jeśli nie spiszemy ich tradycyjną metodą, utracimy je bezpowrotnie.

Przed dziewiątą rano wyszłyśmy z lotniska na Okęciu, wsiadłyśmy w taksówkę i pojechałyśmy do mojego mieszkania na Mokotowie. Jeden z kluczy do niego znajdował się u ochrony, bo po naszym wyjeździe Domenico zatrudnił kobietę do sprzątania w apartamencie.

W taksówce stwierdziłam, że muszę się przebrać z tego różowego dresu. Zamierzałam wypłacić ogromną sumę pieniędzy i nie chciałam wyglądać jak zmęczona, zdradzona, ciężarna idiotka. Wtedy sobie przypomniałam, że właściwie nie mam nic odpowiedniego na tę okazję. – Jedźmy do lekarza – powiedziałam do Olgi. – Jak będziemy wracać, zajedziemy do galerii i kupię sobie jakieś odpowiednie ciuchy, a później pojedziemy do banku... – urwałam w pół słowa, patrząc na Olgę. – Albo wiesz co, nie, najpierw wejdziemy jednak do domu. Spakujesz się i wrócę po ciebie, jak wszystko załatwię.

Kiwnęła głową, zgadzając się, i po chwili jechałyśmy już windą z moimi walizkami. Odstawiłam ją na miejsce, a sama ruszyłam w stronę szpitala na Wilanowie.

Wypadałoby zadzwonić i sprawdzić, czy doktor Ome jest w klinice, pomyślałam. Wyjęłam telefon i wybrałam numer.

– Witaj, Lauro, jak się masz – usłyszałam po dwóch sygnałach.

– Cześć Pawle, prawie wyśmienicie, ale mam pytanie, jesteś w szpitalu?

– Tak, jeszcze przez godzinę, a co się stało?

– Chciałabym się z tobą zobaczyć, mogę być za piętnaście minut?

– Czekam zatem, do zobaczenia.

Tym razem w rejestracji nie miałam większych kłopotów, bo nic nie rozpraszało młodych pań za kontuarem recepcji. Pokierowały mnie na oddział i po chwili weszłam do gabinetu.

– Co się dzieje? – zapytał Paweł, siadając za biurkiem.

– Jestem w ciąży.

– Serdecznie gratuluję, ale to nie jest moja specjalizacja.

– Wiem, ale to, o co cię poproszę, jest. A nie wiem, na ile ciąża ma wpływ na twoje działania. – Podwinęłam rękaw w dresie. – Mam tu wszczepiony implant i muszę jak najszybciej się go pozbyć. Proszę cię jako lekarza i znajomego, nie pytaj.

Paweł popatrzył na małą rurkę, dotknął miejsca, w którym tkwiła, i siadając na biurku, powiedział:

– Ty nie pytałaś, kiedy balowałem w twoich hotelach, więc i ja nie zamierzam. Przesiądź się na fotel zabiegowy, implant jest płytko położony, nawet nie poczujesz, jak go wyciągnę.

Kilkanaście minut później jechałam już w stronę galerii, czując się dziwnie wolna. Mimo że straciłam wszystko, to dzięki temu, że pozbyłam się tej transcendentnej smyczy, czułam wewnątrz spokój i nadzieję. Kiedy wjechałam do wielopoziomowego garażu, zadzwonił mój telefon, a na wyświetlaczu w samochodzie pojawił się napis „Massimo". Serce mi zamarło, a żołądek skręcił w supeł. Nie wiedziałam, co zrobić; było już późno, więc ochrona zapewne zauważyła nasz brak. Z jednej strony marzyłam o tym, by usłyszeć jego głos, a z drugiej miałam ochotę go zabić. Wcisnęłam czerwoną słuchawkę i wysiadłam z auta.

Po wejściu do środka najpierw poszłam do salonu operatora komórkowego, kupiłam dwa telefony i startery. Zapłaciłam gotówką, bo wiedziałam, że po transakcjach z karty może z łatwością namierzyć urządzenia, które kupiłam. A później pojechałam na piętro do salonu Versace.

Ekspedientki popatrzyły na mnie z pobłażaniem, kiedy weszłam ubrana w bladoróżowy dres Victoria's Secret. Przekopałam wieszaki, czując, jak w mojej torbie nieustannie wibruje telefon, i znalazłam śliczny komplet, spódnicę z kremową koszulą. Do tego wybrałam czarną kurtkę ze skóry i czarne czółenka. Przymierzyłam całość i uznałam, że będę wyglądać dostatecznie bogato. Podeszłam do kasy i położyłam ubrania na blacie. Pani popatrzyła zdziwiona, kiedy wyciągnęłam kartę kredytową i podałam jej. Za ciuchy spokojnie mogłam zapłacić z konta, Massimo już i tak na pewno wiedział, że jestem w Polsce, choć w tej chwili nic nie mógł zrobić z tą wiedzą. Spora suma, która wyświetliła się na kasie, nie zrobiła na mnie wrażenia – traktowałam te zakupy jako jego pokutę, należne mi zadośćuczynienie, mimo że zdawałam sobie sprawę, że on i tak jej nie odczuje. Kobieta, która przyjmowała płatność, zrobiła minę, którą chciałabym mieć w telefonie na poprawę humoru. Coś jak połączenie srającego kota i zdumienia białego ojca, kiedy rodzi mu się czarne dziecko.

– Dzięki – rzuciłam nonszalancko, biorąc paragon, i wyszłam.

Udałam się do łazienki i przebrałam. Z jasnej torebki Prady wyciągnęłam błyszczyk i po kilku minutach byłam gotowa. Popatrzyłam w lustro – w niczym nie przypominałam zapłakanej jeszcze kilka godzin temu zranionej kobiety. Wsiadłam do BMW. Czarny nadal nie dawał za wygraną, na wyświetlaczu było trzydzieści siedem nieodebranych połączeń. Kiedy wrzuciłam bieg, zadzwonił ponownie. W końcu odebrałam.

– Ja pierdolę, Lauro! – wrzasnął rozjuszony. – Gdzie ty jesteś, co ty wyprawiasz?

Nigdy w stosunku do mnie nie używał takich słów, a tym bardziej nie krzyczał. Milczałam. Nie

146

miałam mu nic do powiedzenia, a tak naprawdę nie miałam pojęcia, co mam właściwie mu powiedzieć.

– Żegnaj, Massimo – wykrztusiłam wreszcie, kiedy poczułam, jak fala łez zalewa moje oczy.

– Mój samolot startuje za dwadzieścia minut, wiem, że jesteś w Polsce, znajdę cię.

Chciałam się rozłączyć, ale nie miałam na to sił.

– Nie rób mi tego, Mała.

W jego głosie słyszałam rezygnację, ból i rozpacz. Musiałam odepchnąć od siebie współczucie i miłość. Pomógł mi w tym ciągle obecny obraz wczorajszego wieczoru i Anny rozłożonej przed nim na biurku. Nabrałam głęboko powietrza i ścisnęłam mocniej kierownicę.

– Jak chciałeś ją rżnąć, to trzeba było mnie nie ściągać do swojego życia. Zdradziłeś mnie, a ja, tak jak ty, zdrady nie wybaczam. Nie zobaczysz mnie już nigdy, ani mnie, ani swojego dziecka. I nie szukaj nas, nie jesteś tego wart, by być w naszym życiu. Żegnaj, donie.

To powiedziawszy, wcisnęłam czerwoną słuchawkę i wyłączyłam telefon, po czym wyszłam z auta i wyrzuciłam go do kosza obok jednego z wejść.

– Koniec – szepnęłam do siebie, wycierając oczy.

Wchodząc do banku, poczułam się jak złodziejka. Nagle przypomniały mi się wszystkie sceny z gangsterskich filmów, jakie oglądałam.

147

Brakowało mi tylko broni, kominiarki i tekstu: „Ręce do góry. To napad". Mimo że miałam pełne prawo do pieniędzy, które chciałam wyjąć, rosło we mnie przekonanie, że okradam Czarnego. Jednak nie miałam absolutnie żadnego wyjścia – gdyby nie fakt, że oczekiwałam dziecka, nie posunęłabym się do tak desperackiego kroku. Podeszłam do jednego z okienek i oświadczyłam pani, jakiego rzędu kwotę chcę podjąć, i że awizowałam tę wypłatę w nocy na infolinii. Kobieta siedząca naprzeciwko zrobiła przedziwną minę, po czym poprosiła mnie o chwilę cierpliwości i zniknęła za drzwiami.

Usiadłam na kanapie, która stała nieopodal, i czekałam na dalszy ciąg wypadków.

– Dzień dobry – przywitał się grzecznie jakiś mężczyzna, stając przede mną. – Nazywam się Łukasz Taba i jestem dyrektorem banku, zapraszam.

Spokojnym i eleganckim krokiem poszłam za nim i usiadłam na fotelu w jego biurze.

– Chce pani podjąć sporą gotówkę, poproszę o numer konta i dokumenty.

Po kilkudziesięciu minutach leżała przede mną cała kwota. Zapakowałam ją do kupionej wcześniej torby, pożegnałam się z uprzejmym panem i ruszyłam w stronę wyjścia. Rzuciłam torbę na siedzenie pasażera i zablokowałam drzwi. Nie mogłam uwierzyć w to, ile pieniędzy leży obok mnie. Cholera, pomyślałam, czy aż tyle potrzebuję? Czy nie przesadziłam? Przez moją głowę przelatywały dziesiątki myśli, łącznie z tą, czyby nie wrócić i nie oddać tego wszystkiego grzecznemu panu. Spojrzałam na zegarek i przeszedł mnie dreszcz – wyobraziłam sobie, że Massimo zbliża się do miejsca, w którym jestem, a zatem muszę opuścić je jak najszybciej, by nie mógł mnie znaleźć.

– Domenico do mnie napisał – oznajmiła Olga, otwierając mi drzwi. – Wysłał mi wiadomość na Facebooku.

– Nie mam ochoty tego słuchać, rozmawiałam z Massimem, powiedziałam mu wszystko, co zamierzałam powiedzieć. Proszę, to twój nowy telefon. – Wręczyłam jej pudełko. – I bardzo cię proszę, skończmy temat Sycylijczyków, okej? Mam ich dość. I przez najbliższy czas pamiętaj, że niestety nie możesz logować się na portale, pocztę ani nic, po czym mogliby nas znaleźć. Aha, lecą tu, są w połowie drogi, więc musimy spadać, chodź.

– Laura, kurwa, ale on napisał, że Czarny cię nie zdradził.

– A co miał napisać, do cholery?! – wrzasnęłam, zirytowana tą rozmową. – Przecież on nam teraz powie wszystko, co zechcemy usłyszeć, żeby tylko mnie zatrzymać. Jeśli chcesz, zostań, gwarantuję ci, że za trzy godziny będą w tym domu. Tylko że ja nie mam zamiaru słuchać tych bzdur, bo wiem, co widziałam.

Olga zacisnęła zęby i wzięła do ręki walizki.

– Auto jest zatankowane i gotowe do drogi, chodź.

Przebrałam się na powrót w dres, po czym załadowałyśmy rzeczy do jej touarega i ruszyłyśmy w drogę.

– Lari, ktoś za nami jedzie – powiedziała Olga, zerkając w lusterko.

Dyskretnie zerknęłam w tył i zobaczyłam czarnego passata z ciemnymi szybami.

– Długo już tak jedzie?

– Od domu. Myślałam, że to przypadek. Ale jedzie dokładnie tam, gdzie my.

– Musimy się przesiąść – powiedziałam, rozglądając się za dogodnym miejscem. – Wiem, jedź tu w prawo, zaraz będzie centrum handlowe, wjedź na parking wielopoziomowy.

– Kurwa, Lari, ale mówiłaś, że oni dopiero wylecieli.

– Myślę, że to ludzie Karola – pamiętasz, poznałaś jego żonę Monikę? Samochód jest na polskich blachach, więc to nie może być nikt inny, mam nadzieję.

Wjechałyśmy na pierwszy poziom parkingu i stając na najbliższym wolnym miejscu, zamieniłyśmy się, nie wysiadając z samochodu. Przez ostatnie kilka miesięcy umiejętność sportowej jazdy samochodem przydawała mi się już tyle razy, że zaczęłam doceniać przymus taty do doskonalenia sposobu jazdy. W tym momencie

150

byłam mu bardzo wdzięczna za wszystkie kursy, na jakie wysłał mnie i brata.

– Dobra, Olo, zapinaj pas i trzymaj się, jeśli masz rację, to może być ostro.

Ruszyłam z miejsca i gwałtownie skręciłam w stronę wyjazdu z parkingu. Passat z piskiem wyrwał za mną, ale przyblokował go jeden z wyjeżdżających z galerii samochodów. Płynnie włączyłam się do ruchu i popędziłam w stronę głównej ulicy. Kolejny raz, łamiąc absolutnie wszystkie zasady ruchu drogowego, pędziłam przez Mokotów. Wiedziałam, że nie mam tyle mocy, by im uciec szybkością, ale dobrze znałam miejsce, po którym się poruszałam – i to był mój atut. Widziałam w lusterku, że czarne auto depcze nam po piętach, na szczęście ruch był spory, więc miałam się gdzie chować.

– Nie boisz się? – zapytała Olga, kurczowo uczepiona drzwi.

– Nie myślę teraz o tym. Poza tym nawet jak nas złapią, nic nam nie zrobią. Więc traktuję to bardziej jak wyścig niż ucieczkę.

Jadąc, szukałam jednej z ulic. Nie pamiętałam jej nazwy, ale wiedziałam, że jest tam miejsce, w którym uda nam się skryć.

– Jest! – krzyknęłam, skręcając niemal w miejscu w prawo.

Touareg omal nie złamał się w pół przy takim manewrze, ale dał radę i po chwili wjeżdżałyśmy już w bramę starej kamienicy, gdzie swego czasu mieszkał mój fryzjer gej. Brama prowadziła do studni, w której idealnie mogłyśmy zaparkować i przeczekać pogoń. Zatrzymałam się i wyłączyłam silnik.

– Musimy poczekać chwilę – stwierdziłam, wzruszając ramionami. – Oni przejadą, ale później wrócą i będą szukać po mniejszych uliczkach, tak że zapal sobie.

Wysiadłyśmy, a Olga odpaliła papierosa.

– Dzwoniłaś do Istvána? – zapytałam.

– Dzwoniłam, kiedy się przebierałaś, oszalał z radości. Już szykuje nam sypialnię w swoim apartamencie z widokiem na Dunaj. Musisz wiedzieć, że on nie jest najmłodszy – dodała, zerkając na mnie. – Właściwie to jest w wieku mojego ojca, ale nie wygląda.

Pokręciłam głową z niedowierzaniem.

– Jesteś zboczona, wiesz o tym?

– Oj tam, nic na to nie poradzę, że lubię starszych facetów. Poza tym, jak go zobaczysz, zrozumiesz. Jest piękny, Węgrzy generalnie są fajni. Ma czarne długie włosy, szerokie brwi, ogromne ramiona i idealnie wyrysowane usta. Umie gotować, zna się na samochodach i jeździ motocyklem. Taki sexy tatusiek. No i całe plecy ma pokryte tatuażami, a kutas... – gwizdnęła z uznaniem.

Popukałam się w czoło, patrząc na nią z dezaprobatą.

– Co ty masz, Olo, w tym łbie? – warknęłam, wsiadając do auta. – Pal sobie, a ja zadzwonię do mamy. Muszę wcisnąć jej jakiś nowy kit, dlaczego mam nowy numer.

Nie byłam gotowa, by kolejny raz oszukiwać moją rodzicielkę, postanowiłam więc zająć się czymś innym, odwlekając w czasie egzekucję. Przepisanie książki numerów z kartki do nowego telefonu zajęło mi ponad godzinę. W tym czasie Olga zabawiała mnie recitalem popowych hitów, które leciały w radiu. Była wesoła i wyluzowana jak nigdy, całkiem odwrotnie niż ja. Zdawała się zachowywać tak, jakby nic się nie działo, a fakt, że uciekamy z kraju przed sycylijską mafią, kompletnie jej nie obchodził.

– Dobra, minęło już tyle czasu, że na bank zwątpili. Ja poprowadzę do wyjazdu z miasta, a później się zamienimy.

Tym razem nikt za nami nie jechał, więc gdy tylko wyjechałyśmy z Warszawy, usiadłam na siedzeniu pasażera. Po upływie kolejnych kilkudziesięciu minut jazdy poczułam się gotowa, by zadzwonić do mamy. Gdy odebrała, usłyszałam w słuchawce jej oficjalny ton.

– Cześć, mamo – rzuciłam najradośniej, jak się dało.

– Kochanie, co to za numer?

– Skończyła mi się umowa i zmieniłam telefon razem z numerem. Wciąż wydzwaniali do mnie jacyś ludzie, którzy Bóg wie skąd mieli stary numer, więc zmieniłam. Wiesz, jacy potrafią być namolni, a to chcą wciskać kartę

kredytową, a to nową ofertę albo nie wiadomo co.

– Co u ciebie? Jak na Sycylii? W Polsce mamy
paskudną jesień, zimno i pada.

Wiem, widzę, stwierdziłam bezdźwięcznie.

Nasza rozmowa generalnie była o niczym, ale
musiałam ją uprzedzić, że Czarny może próbo-
wać mnie odszukać.

– Wiesz co, mamo, zostawiłam go – powiedziałam nagle, zmieniając temat. – Zdradził mnie
i generalnie to chyba nie był facet dla mnie. Przeniosłam się do pracy w innym hotelu, żeby nie
mieć z nim styczności. Jest mi teraz o wiele lepiej, mam więcej wolnego i czuję się świetnie.

W słuchawce zapanowała cisza, a ja wiedziałam, że muszę zagadać temat.

– To wiesz, jest ta sama sieć, tylko hotel jest
po drugiej stronie wyspy, zarząd tak zadecydował
i uważam, że to było optymalne rozwiązanie
– paplałam jak najęta. – Większy hotel i lepsze
pieniądze. Uczę się włoskiego, myślę, żeby ściągnąć Olgę do mnie. – Mrugnęłam porozumie-
wawczo do mojej przyjaciółki, a ona bezdźwięcznie parsknęła śmiechem. – W ogóle wszystko jest
wspaniale, dostałam nowy apartament, jest ład-
niejszy od poprzedniego, tylko za duży dla mnie...

– Cóż, kochanie... – zaczęła, lekko nie dowie-
rzając. – Jeśli jesteś szczęśliwa i wiesz, co robisz,
poprę każdą twoją decyzję. Nigdy za długo nie
umiałaś nigdzie zagrzać miejsca, więc mnie nie

dziwi twoja tułaczka. Pamiętaj, że jeśli coś ci się stanie, zawsze masz gdzie wrócić.

– Wiem, mamusiu, dziękuję. Nie dawaj tylko nikomu mojego nowego numeru, choćby nie wiem co. Nie chcę, żeby znowu ktoś mnie nękał.

– Na pewno chodzi tylko o akwizytorów?

– O akwizytorów, byłych facetów i wszystkich, z którymi nie chcę gadać. Mamuś, mam spotkanie, muszę uciekać, kocham cię.

– A ja ciebie, dzwoń do mnie częściej.

Odłożyłam telefon i zaplotłam nogi na siedzeniu. Za oknem padał deszcz i było dziesięć stopni. Na Sycylii pewnie jest słońce i dwadzieścia, pomyślałam, patrząc w dal.

– Myślisz, że Klara łyknęła kit? Twoja mama nie jest taka głupia, jak ci się wydaje, wiesz o tym?

– Olka, kurwa, a co ja mam jej powiedzieć? Cześć, mamo, wiesz co, będę z tobą szczera, porwali mnie parę miesięcy temu, bo jednemu gościowi się przyśniłam, a później zakochałam się w swoim porywaczu, ale luz, bo nie jestem jedynym na świecie przypadkiem syndromu sztokholmskiego. On jest szefem mafii i zabija ludzi, ale to nic, wiesz, bo zrobiłam sobie z nim dziecko i wyszłam za niego za mąż w tajemnicy przed wszystkimi, i tak żyliśmy sobie szczęśliwie, wydając jego fortunę zarobioną na narkotykach i handlu bronią, póki mnie nie zdradził, a teraz uciekam przed nim na Węgry.

Na dźwięk tych słów Olo wybuchnęła takim śmiechem, że aż musiała zwolnić, bo nie mogła prowadzić. Po dłuższej chwili uspokoiła chichot i wycierając zapłakane oczy, powiedziała:

– Ta historia jest tak nieprawdopodobna, że aż głupia. Już widzę twoją matkę, która puka się w głowę, kiedy ją słyszy. Powinnaś powiedzieć jej prawdę, ubawiłaby się tak pysznie jak ja.

Irytowała mnie, a jednocześnie uspokajała i pozwalała zapomnieć o tym, jak bardzo jestem nieszczęśliwa.

– Muszę zatankować – oznajmiła Olga, zjeżdżając z trasy.

– Dam ci kasę – odrzekłam, sięgając do torby z pieniędzmi.

Byłyśmy już poza granicami Polski, dlatego euro, które miałam z sobą, stały się bardzo przydatne.

Olga zajrzała do czarnej torby i skrzywiła usta.

– Tak wygląda milion? Myślałam, że będzie tego więcej.

Zamknęłam suwak i popatrzyłam na nią z dezaprobatą.

– A ile miałam wziąć? Uważasz, że to mało? Ja chcę iść do pracy po urodzeniu dziecka, a to ma być nasza polisa – jego i moja – do czasu porodu. Nie mam zamiaru żyć na koszt Massima, a przynajmniej nie na takim poziomie jak na Sycylii, udając burżuazję.

– Bo głupia jesteś, Lari. Kurwa, ty zupełnie nie myślisz w kategoriach korzyści. Popatrz, zrobił ci dziecko, zasadniczo bez twojej zgody i wiedzy. – Pokręciła głową, sama jakby nie zgadzając się z tym, co mówi. – No dobra, wiedziałaś, to znaczy, no, nie wiedziałaś, ale chuj z tym. Zrobił ci dziecko, tak? Pozbawił faceta, sprawił, że wyszłaś za niego, a na koniec zdradził. Ja bym temu kutasowi wszystko zabrała, tak wiesz, za karę, dla przykładu, a nie z pazerności.

– Idź, Olo, już zatankuj, wiesz, bo pierdolisz głupstwa. Nie możemy użyć kart, bo Massimo nas namierzy, a przynajmniej dowie się, w którą stronę jedziemy. Więc nie ma co rozbijać gówna na atomy, nie będzie więcej kasy i koniec.

Dalsza droga minęła nam dość szybko i w sumie po ponad dziesięciu godzinach byłyśmy na miejscu. István mieszkał w cudownej, zabytkowej kamienicy niemal w samym centrum Budapesztu, po zachodniej stronie miasta.

– Olgo, jak miło cię widzieć! – zawołał, zbiegając do samochodu. – Ile to już lat Węgry nie widziały tej ślicznej buzi.

– Bez przesady, Istvánie, pięć lat to nie aż tak dużo – odparła Olo z uśmiechem, klepiąc go po tyłku, kiedy przywarł do niej. – No dobra, wystarczy już tych czułości. – Odepchnęła go lekko. – To jest moja siostra Laura.

Pochylił się i szarmancko ucałował moją dłoń.

– To dzięki twoim kłopotom moja ukochana wróciła. Dziękuję ci, Lauro, i liczę, że wszystko się poukłada, jednak niezbyt szybko.

Olga miała absolutną rację, twierdząc, że István nie wygląda na swój wiek. Był niezwykle zmysłowym facetem, odrobinę przypominał Turka skrzyżowanego z Rosjaninem. W oczach miał chłód, a w obyciu nonszalancję. Czuć było, że to silny mężczyzna, który uwielbia, gdy wszystko dzieje się tak, jak on chce. Do tego był niezwykle dobry, ale tego uczucia nie potrafiłam wyjaśnić. Miał w sobie coś takiego, co powodowało, że zaufałam mu od pierwszej sekundy.

– Osobliwe masz podejście do sytuacji, ale rozumiem je – powiedziałam z uśmiechem.

Węgier raz jeszcze rzucił okiem na Olo i krzyknął coś, a po schodach zbiegł młody przepiękny mężczyzna.

– To Atilla, mój syn – powiedział. – Ola, zapewne go pamiętasz?

Obydwie stałyśmy jak zaczarowane, patrząc na młodziutkiego Węgra stojącego przed nami. Widać było, że bardzo lubi ćwiczyć; jego wylewająca się spod niewielkiego T-shirtu muskulatura sprawiała, że trudno się było skupić na czymkolwiek w jego obecności. Miał śniadą karnację, zielone oczy i równiutkie białe zęby, a kiedy się uśmiechał, w policzkach robiły mu się dołeczki. Był tak słodki i śliczny, że nie sposób było oderwać od niego oczu.

– Olo, mam zawał – powiedziałam po polsku z idiotycznym uśmiechem.

Moja przyjaciółka stała jak zahipnotyzowana, nie mogąc wydusić słowa.

– Cześć, jestem Atilla. – Uśmiechnął się. – Wezmę wasze walizki, bo wyglądają na ciężkie.

– Ciekawe, czy mnie może wziąć? – wypaliła Olga, kiedy trochę oprzytomniała.

Młody Węgier tymczasem błyskawicznie wniósł ogromne walizy i zniknął za progiem. A my stałyśmy, wciąż się śliniąc na wspomnienie jego umięśnionego ciała.

– Przypominam ci, że jesteś w ciąży i cierpisz po zdradzie – powiedziała Olga z głupkowatym wyrazem twarzy.

– A ty podobno jesteś szaleńczo zakochana w Domenicu? – odparowałam bez wahania. – Poza tym on jest od nas chyba sporo młodszy.

– Owszem, kiedy widziałam go ostatni raz, był jeszcze dzieckiem, miał jakieś piętnaście lat, czyli teraz ma koło dwudziestu. – Przeliczywszy szybko w pamięci, kiwnęła głową. – Już jako nastolatek był ładny, ale to, co wbiegło po schodach, to już lekka przesada. Jak ja mam mieszkać z nim pod jednym dachem... – jęknęła.

István po odniesieniu ostatniej torby podszedł do nas, wziął kluczyki od auta i zaprowadził je do ukrytego pod kamienicą garażu. My natomiast w towarzystwie Atilli skierowałyśmy się do głównego wejścia.

Dom był przepiękny. Zabytkowe schody jakby witały przy wejściu, prowadząc do salonu, który znajdował się pięć stopni wyżej. Przestronne pomieszczenie zajmowało całe pierwsze piętro budynku. Było zaaranżowane bardzo klasycznie: drewniane meble, podłogi z drewna, murowany kominek. Wszystko urządzono w ciepłych stonowanych kolorach, co dawało wrażenie przytulnej jaskini. Wszędzie leżało dużo skór w formie futrzanych dywaników, było dużo męskich dodatków i ani jednej rośliny. Widać było, że w tym wnętrzu nie ma ręki kobiety, a panami tego domu są mężczyźni.

– Jest późno, chcecie drinka? – zapytał Atilla, otwierając karafkę i nalewając do szklanki odrobinę płynu.

Upił łyk, a jego zielone oczy utkwiły we mnie pytająco. Ten widok do złudzenia przypominał mi sposób, w jaki pił Massimo – ten sam rodzaj dzikiego spojrzenia, sposób oblizywania warg.

– Ja nie mogę, jestem w ciąży – odparłam wiedząc, że dziecko natychmiast go odstraszy.

– Wspaniale, a który miesiąc? – zapytał szczerze zainteresowany. – Zamówię ci herbatę i coś do jedzenia. Na co macie ochotę? W domu jest gosposia, nazywa się Bori, jeśli z któregoś telefonu wybierzecie zero, połączycie się z nią. Świetnie gotuje i jest z nami od piętnastu lat, tak że wiem, co mówię.

Nie byłam głodna, tylko niesamowicie zmęczona. To były bardzo długie dwadzieścia cztery godziny.

– Przepraszam was, moi drodzy, ale padam z nóg i jeśli mogę, chciałabym się położyć.

Atilla odstawił szklankę i chwycił mnie za rękę, prowadząc na górę. Byłam trochę zaskoczona jego bezpośredniością, ale nie przeszkadzał mi jego dotyk, więc specjalnie nie oponowałam. Zaprowadził mnie schodami na drugie piętro i otworzył drzwi do jednego z pokoi.

– To będzie twoja sypialnia – powiedział, zapalając światło. – Zaopiekuję się tobą, wszystko będzie dobrze, Lauro.

Kiedy skończył zdanie, złożył na moim policzku delikatny pocałunek i odrywając twarz od mojej, przeciągnął kciukiem po policzku. Przeszedł mnie dreszcz i poczułam się nieswojo, jakbym zdradzała Czarnego. Odsunęłam się od niego, wycofując w stronę pomieszczenia.

– Dziękuję, dobranoc – wyszeptałam, zamykając drzwi.

Następnego dnia obudziłam się i odruchowo sięgnęłam ręką na drugą stronę łóżka.

– Massimo... – wyszeptałam, a łzy napłynęły mi do oczu. Mama powiedziała mi kiedyś, że nie wolno płakać w ciąży, bo dziecko będzie płaczliwe, ale akurat w tym momencie w dupie miałam zabobony. Leżałam zalana łzami, przekręcając się z boku na bok. Cierpiałam, dopiero kiedy zmęczenie minęło. Pomału do mnie docierało, co się wydarzyło, a moja rozpacz przybrała niemalże namacalny kształt. Żołądek zacisnął mi się w supeł, a cała jego zawartość podeszła do gardła. Nie chciałam żyć, nie chciałam żyć bez niego, nie widzieć go, nie czuć dotyku, zapachu jego skóry. Kochałam go tak, że ta miłość aż sprawiała mi ból. Przykryłam głowę kołdrą i wyłam jak dzikie ranne zwierzę. Marzyłam o tym, by zniknąć.

– Płacz to dobry przyjaciel – usłyszałam jakiś głos i poczułam, jak ktoś obejmuje mnie w pasie.

– Olga opowiedziała mi, co się stało. Pamiętaj, czasem łatwiej wyrzygać się na obcego człowieka niż na przyjaciela.

Odsunęłam kołdrę i popatrzyłam na Atlillę, który siedział w samych spodniach od dresu, trzymając kubek z herbatą. Był uroczy, zatroskany i szczerze przejęty całą sytuacją.

– Usłyszałem dziwny dźwięk, jak szedłem do siebie, więc wpadłem. Jeśli chcesz, wyjdę. Ale jeżeli wolisz, żebym został, zwyczajnie z tobą posiedzę.

Spoglądałam na niego w zadumie, a on uśmiechał się do mnie, upijając co chwilę łyk z kubka.

– Lauro, moja mama zawsze powtarzała mi: „Nie ta, to następna". No fakt, ty jesteś w ciąży, co trochę komplikuje sprawę, ale pamiętaj, że wszystko w życiu dzieje się po coś. I jakkolwiek okrucieństwem może wydawać ci się to, co mówię, myślę, że w głębi duszy wiesz, że mam rację.

Wytarłam oczy i nos, po czym oparłam się o zagłowie łóżka obok niego, wyciągnęłam dłoń i chwyciłam kubek, z którego pił.

– Wiesz, że lubisz dokładnie taką samą herbatę z mlekiem jak ja? – powiedziałam, smakując płyn.

– Absolutnie, po prostu wypijałem ci to, co przygotowała dla ciebie Ola. Jest już prawie czternasta, spałaś ponad dwanaście godzin, ojciec się niepokoił i umówił ci wizytę u swojego kolegi. Jest ginekologiem, zawiozę was, jak się ogarniesz.

– Dziękuję, Atilla, pewnego dnia jakaś kobieta będzie z tobą bardzo szczęśliwa.

Młody Węgier przekręcił się i oparł na łokciu, wpatrując we mnie.

– Oj, szczerze wątpię – odparł rozbawiony. – Jestem stuprocentowym, zdeklarowanym gejem.

Wytrzeszczyłam oczy i zapewne zrobiłam najgłupszą minę na świecie, bo Atilla wybuchnął niekontrolowanym śmiechem.

– Boże, co za strata! – jęknęłam, układając usta w podkówkę.

– Prawda? – Uśmiechnął się z przekorą. – Nawet kiedyś próbowałem być bi, ale to nie dla mnie, waginy zupełnie mnie nie interesują. Jesteście oczywiście piękne i nosicie ładniejsze buty, ale ja wolę facetów. Wielkich, muskularnych...

– Dobra, rozumiem, wystarczy – ucięłam.

Atilla podniósł się i zakręcił biodrami tuż obok mojej twarzy.

– Ale możecie sobie popatrzeć. Proszę bardzo. – I dodał: – Szykuj się, Lauro, za półtorej godziny wychodzimy.

Umyłam się, ubrałam i zeszłam na dół. Przy kuchennym blacie stała Olga otoczona ramionami Istvána. Nawet nie zauważyli, kiedy weszłam. Ona kokieteryjnie zaglądała mu w oczy, przekładając głowę z jednej strony na drugą, a on zagryzał wargi i milczał.

– Dzień dobry – powiedziałam, odstawiając pusty kubek do zlewu.

Moja obecność zupełnie ich nie speszyła. Przywitali się grzecznie, nie odrywając od siebie wzroku.

– Olo, co ty wyprawiasz? – zapytałam po polsku, biorąc do ręki słodki rogalik.

Na dźwięk naszego ojczystego języka István uśmiechnął się i poszedł w stronę salonu.

– Jak to co? Rozmawiam.

– Telepatycznie? Bez słów?

– Lari, o co ci, kurwa, chodzi? – Zirytowała się, siadając na blacie.

– Niedawno jeszcze byłaś zakochana i co, przeszło ci?

– Niedawno jeszcze nasze życie wyglądało kompletnie inaczej. Przecież ja nie mam szans być z Domenikiem, kiedy ty nie jesteś z Massimem. To co, mam teraz do końca życia płakać po facecie i żyć w celibacie, karmiąc się wspomnieniami?

Zwiesiłam głowę i wzięłam głęboki wdech.

– Przepraszam – szepnęłam, po raz kolejny nie panując nad łzami.

– Nie masz za co, kochanie – powiedziała, przytulając mnie. – To nie twoja wina, tylko tego mafiosa. Spierdolił życie nam wszystkim. Tylko, że widzisz – kontynuowała, ocierając mi łzy – ja nie zamierzam, tak jak ty, cierpieć do końca świata. Przeciwnie, planuję jak najszybciej zapomnieć i tobie radzę to samo.

W tym momencie do pomieszczenia wszedł Atilla i obie zaniemówiłyśmy.

Był ubrany w dresowe boyfriendy w kolorze szarego melanżu i beżową koszulkę z ogromnym porozciąganym dekoltem. Na nogach miał czarne air maxy, a w ręku trzymał skórzaną kurtkę w kolorze butów.

Włożył na nos okulary i uśmiechnął się promiennie, ukazując rząd białych zębów.

– Gotowe?

– Chyba sobie jaja robisz, że ja tak wyjdę – krzyknęła Olo, biegnąc na górę. – Dajcie mi pięć minut.

Ja natomiast nie zamierzałam się przebierać, czułam się dobrze w wysokich jasnych emu, wąskich dżinsach i luźnym, grubo plecionym swetrze. Wsadziłam na nos ukochane przydymione aviatory i zerknęłam na zegarek.

Nagle poczułam ukłucie w brzuchu. Objęłam go dłonią, drugą ręką opierając się o blat.

– Co się dzieje, Lauro? – zaniepokoił się Atilla, łapiąc mnie za łokieć.

– Nic, chyba... – wymamrotałam. – Za każdym razem, jak myślę o Massimie, czuję ten głupi ból, jakby dziecko tęskniło za nim. – Podniosłam na niego wzrok. – To idiotyczne, wiem.

– Czy ja wiem... Wiesz, wyrwałem jakiś czas temu ząb mądrości i mimo że rana się szybko wygoiła, jeszcze kilka miesięcy później czułem w tym miejscu ból, choć zęba już nie było. Dentysta powiedział, że to ból widmo. Tak że wiesz, wszystko jest możliwe.

Kucnęłam koło kuchennej wyspy i roześmiałam się.

– No tak, to identyczna sytuacja.

– Jestem! – zawołała Olga, biegnąc po schodach.

Jesień na Węgrzech była zdecydowanie piękniejsza i cieplejsza niż w Polsce. Mimo że zbliżał się listopad, na dworze było prawie dwadzieścia stopni. Przemierzaliśmy malownicze uliczki Budapesztu, delektując się otaczającym nas bogactwem architektury. Atilla prowadził ostrożnie, ale pewnie; jego niebieskie audi A5 z gracją sunęło po zatłoczonych ulicach stolicy.

Po trzydziestu minutach byliśmy na miejscu. Młody Węgier wysiadł i poprowadził nas do prywatnego gabinetu kolegi swojego ojca. Kiedy weszliśmy do środka, recepcjonistka, wdzięcząc się, wysłuchała prośby Atilli, odpowiedziała po węgiersku i po chwili wkroczyłam do gabinetu mojego nowego ginekologa.

– I jak, wszystko dobrze? – zapytała Olga, zrywając się z krzesła, kiedy wyszłam od lekarza.

– Niezbyt. Zrobili mi badania, wyniki będą jutro. Mam leżeć, nie przemęczać się, nie denerwować. Kurwa, przecież ja oszaleję, ciągle leżąc.

– Chodź, piękna, kupię ci langosza, specjalność kuchni węgierskiej, i zabiorę do domu. Poleżymy wszyscy, będzie wesoło – powiedział młody, obejmując mnie ramieniem.

Olo chwyciła mnie za rękę.

– Trudno, to będziemy leżeć, w końcu jesteśmy w ciąży. – Roześmiała się, pocałowała mnie w czoło i ruszyliśmy do samochodu.

Po zjedzeniu przeokropnie tłustego, lecz pysznego placka z serem i czosnkiem wróciliśmy do domu, gdzie przebrałam się posłusznie w dres i wskoczyłam do łóżka. Po krótkiej chwili do mojego pokoju wszedł István, zamykając za sobą drzwi.

– Rozmawiałem z moim przyjacielem – zaczął, siadając na fotelu koło łóżka. – Mam nadzieję, że nie masz mi za złe, że interesuję się twoim zdrowiem. Wiem, że ciąża jest zagrożona, dlatego postaram się, żebyś się tu czuła jak najbardziej komfortowo. O nic się nie martw, jeszcze dziś zainstalują polską telewizję, komputer z dostępem do sieci masz na stoliku koło łóżka. Jeśli czegoś jeszcze ci trzeba: książek, gazet, mów, wszystko zostanie ci dostarczone.

Popatrzyłam na niego z wdzięcznością.

– Czemu to wszystko robisz, Istvánie? Przecież wcale mnie nie znasz. Poza tym to bez sensu, przyjechałam tu, uciekając przed sycylijską mafią, jestem w ciąży i zwiastuję jedynie kłopoty.

– To dość proste. Kocham twoją przyjaciółkę, a ona kocha ciebie.

Pogłaskał mnie po ramieniu, po czym wyszedł, mijając się w drzwiach z Olgą.

– Odwiedziny! – zawołała radośnie moja przyjaciółka, stawiając obok mnie kubek z kakao.

– Nie powiedziałaś mi, co mówił lekarz.

– Z radosnych nowin to dziecko wygląda już jak dziecko i waży tyle co łyżeczka cukru. Wie, kiedy się cieszę albo jestem szczęśliwa, bo podobno wtedy też jest zadowolone dzięki wydzielanym hormonom. Niestety, z wkurwieniem jest tak samo, tak że powinnam żyć na puchatej chmurce i mieć wszystko w dupie. No, co jeszcze? Ma głowę, ręce, nogi, mały człowieczek czterocentymetrowy. Codziennie będzie przyjeżdżał lekarz i robił mi USG. Normalnie powinnam być w szpitalu, ale że István to jego przyjaciel, nie muszę. A właśnie, czy ty wiesz, że on cię kocha? Przed chwilą mi to wyznał, tak po prostu.

Olo położyła głowę obok moich stóp i schowała twarz w dłoniach.

– Jezu, no wiem, i co, kurwa, z tego, Lari? Jak ja kocham Domenica. István mnie kręci, owszem, jest cudowny, dobry, opiekuńczy, no i ten kutas, wiesz...? – Przewróciła w rozmarzeniu oczami. – Ale nie ma między nami już tej chemii, co kiedyś. Pamiętam, jak go poznałam. Był lipiec, wyjechałam na dwa tygodnie nad Balaton. Ty akurat byłaś wtedy z tym Pawłem, co miał restaurację,

i świata poza nim nie widziałaś. No więc wynaję-
łam apartament w Siófok i rozkoszowałam się
cudownym węgierskim latem. I któregoś dnia
postanowiłam wybrać się na dyskotekę. Łaziłam
od knajpy do knajpy, ale nic mi się nie podobało,
więc kupiłam butelkę różowego wina, paczkę fa-
jek i odjebana jak stróż w Boże Ciało siadłam sobie na chodniku i gapiłam się na ludzi. Prawdopodobnie wyglądałam jak prostytutka – i dlatego
mnie zobaczył – albo zwyczajnie byłam trzeźwa
i wciąż wyglądałam jak milion dolców. Tak czy
siak przechodził z kolegami i odwrócił się za mną,
a ja nie wiedzieć czemu utkwiłam wzrok w jego
oczach. I tak gapiliśmy się na siebie jak debile,
a István prawie zabił się o kolesia stojącego przed
nim. Grzałam dalej krawężnik, kiedy zniknął
w tłumie. Po kilku minutach ni z tego, ni z owego
wyrósł przede mną – najpierw moim oczom uka-
zały się dobre drogie buty motocyklowe, później
podarte dżinsy z wielkim wybrzuszeniem, bo
wiesz, ten jego kutas musi się gdzieś mieścić...
A później zobaczyłam muskularne ciało i utkwio-
ne we mnie zabójcze spojrzenie. Wyjął mi z ust
papierosa, którego paliłam, i usiadł obok, opierając się o ścianę. Dopalił go bez słowa, upił łyk
wina, po czym wstał i odszedł. Zgłupiałam. Co to
miało być?, pomyślałam, ale olałam to i dalej
tkwiłam, nie ruszając się z miejsca. Pięć minut
później kolejny raz koło mnie przysiadł, postawił
na chodniku butelkę wina, wyciągnął scyzoryk,

Budapesztu i się okazało, że jest dość majętnym gościem, do tego rozwiedzionym, i ma syna. Przerosło mnie to wszystko, tak że wkrótce po przyjeździe uciekłam. Powiedział, że rozumie, ale nie mógł zapomnieć ani pogodzić się z tym. Więc dzwonił, był w Warszawie u mnie kilka razy...

Wpatrywałam się w nią urzeczona jej pełną czułości, a zwłaszcza namiętności opowieścią.

– Czemu mi nigdy o tym nie opowiadałaś, Olo? To takie słodkie. – Posłałam jej ironiczny uśmiech, a ona zrewanżowała mi się ciosem poduszką w twarz.

– Właśnie dlatego, suko. Bo się ze mnie śmiejesz. Takie pierdolenie o uczuciach to nie w moim stylu, mogę ci za to szczegółowo przedstawić półtora tygodnia z jego kutasem w ustach. Będziesz podekscytowana, gwarantuję.

ROZDZIAŁ 6

Leżałam w łóżku, mijały godziny, dni, tygodnie. Razem ze mną leżeli Olga i Atilla, czasem dołączał István. Graliśmy w gry, czytaliśmy książki, oglądaliśmy telewizję, nudziliśmy się generalnie i przyzwyczajaliśmy się do siebie. Byliśmy trochę jak rodzeństwo. Wyniki moich badań z każdym dniem poprawiały się, byłam spokojna. Nie mogę powiedzieć, że szczęśliwa, bo nie było dnia, bym nie myślała o Massimie, ale umiałam już żyć. Dzwoniłam też do mamy, za każdym razem z innej karty. Dzięki Bogu, mój telefon miał możliwość blokady wyświetlania, więc mama myślała, że zawsze numer jest ten sam. A że nie miała w zwyczaju samej dzwonić, tylko czekała na telefon, to nawet jak wybierała mój numer, nie odbierałam, lecz oddzwaniałam po chwili.

I tak to, w absolutnej konspiracji minęła jesień. Nastał grudzień. Nie było już tak wesoło, bo przestawałam się mieścić w ubrania; brzuszek miałam wprawdzie malutki, ale o wiele bardziej widoczny niż jeszcze parę tygodni temu. Olga walczyła ze sobą, István zaś walczył z jej niechęcią, aż w końcu pewnego dnia doszło do rozmowy, której spodziewałam się od wielu dni.

– Lari, czas wracać do Polski albo wyprowadzić się – powiedziała Olo, siadając obok przy kuchennym blacie, kiedy jadłam śniadanie. – Z dzieckiem jest już wszystko dobrze, ty się czujesz świetnie, nikt nas nie goni, nie szuka, a minęło ponad półtora miesiąca. Wracajmy.

Cieszyłam się, że to mówi. Obie tęskniłyśmy za krajem, ja – za rodzicami i znajomymi, Ola tak samo. Na Węgrzech było cudownie, ale czułam się tu gościem i nie wyobrażałam sobie pozostania na zawsze.

– Masz rację, Olo, mówiłaś już Istvánowi?

– Tak, gadaliśmy całą noc, rozumie decyzję. I chyba dzięki tym kilku tygodniom pogodził się z tym, że nie ma przed nami żadnej przyszłości.

Atilla zszedł do kuchni i jak zawsze mocno przytulił mnie do siebie, całując w głowę.

– Jak się miewa moja ulubiona mamusia? – spytał.

Fakt, że to gej, bardzo mi pomagał w zbliżeniu się do niego. Mimo że był jednym z najpiękniejszych facetów, jakich widziałam w życiu, traktowałam go jak brata.

– Czuję się na tyle dobrze, że niebawem wyjeżdżamy – powiedziałam, tuląc się do jego barku.

Odskoczył jak oparzony, obszedł wyspę z drugiej strony i opierając się dwiema rękami o blat, wrzasnął:

– Nie możecie sobie tak po prostu wyjechać i zostawić mnie tu samego! Poza tym Laura nie powinna znowu zmieniać lekarza. A jak w Polsce się jej pogorszy, to kto się nią zajmie? Nie zgadzam się, nigdzie nie jedziecie.

Gdy skończył się wydzierać, walnął ręką w blat i utkwił we mnie wściekły wzrok. Byłam zaskoczona jego reakcją. Nagle z cudownego chłopca przemienił się w totalitarnego samca, który nie chce oddać tego, co do niego należy.

– Atilla, nie zachowuj się jak gnój! – prychnęła Olo, wstając z miejsca. – Nie drzyj się na nas, bo wkurwia mnie do granic, kiedy zachowujesz się jak palant. Nie zostawiamy cię, tylko wracamy do kraju, rozumiesz? Są samoloty, samochody, a my nie mieszkamy w Kanadzie. Możesz widywać się z nami co tydzień, jeśli będziesz chciał, poza tym w Warszawie mamy zajebistych chłopaków.

Wstałam i podeszłam do niego, tuląc głowę do jego muskularnego ciała.

– No już, Godzilla, nie wściekaj się – powiedziałam. – Jedź z nami, jeśli chcesz, ale my musimy wracać.

Poklepałam go po plecach i poszłam na górę. Tak jak się spodziewałam, nie czekałam długo, a mój przybrany brat gej popędził za mną. Wpadł do pokoju jak burza i zamknął drzwi. Podszedł do mnie, objął mnie dłonią za szyję i przycisnął do ściany. W żołądku poczułam znajome mrowienie; tylko Massimo traktował mnie w ten sposób. Niespodziewanie jego język brutalnie wdarł się w moje usta, a całe ciało przywarło do mnie. Zamknęłam oczy i przez chwilę wydawało mi się, że cofnęłam się w czasie. Nasze języki tańczyły ze sobą w idealnym leniwym rytmie, podczas gdy ogromne dłonie czule obejmowały moją twarz. Miękkie wargi otulały moje usta, były ciepłe, namiętne i dzikie.

– Atilla, co ty wyprawiasz? – wyszeptałam oszołomiona, odwracając głowę na bok. – Przecież mówiłeś...

– Naprawdę uwierzyłaś, że jestem gejem? – zapytał, przesuwając językiem po mojej szyi. – Lauro, jestem stuprocentowym heterykiem. Pragnę cię niemal od chwili, gdy weszłaś do tego domu, uwielbiam to, jak pachniesz i jak wyglądasz, kiedy się budzisz. Kocham to, jak podnosisz jedną nogę i opierasz ją o drugą, kiedy myjesz zęby, jak czytasz książkę i zagryzasz wargi, kiedy się nad czymś zastanawiasz – westchnął. – Boże, ile razy chciałem cię wtedy mieć.

Byłam w takim szoku, że w pierwszej chwili nie zrozumiałam tego, co do mnie mówił. A sprawy nie ułatwiał jego liżący mnie wciąż język.

– Ale ja jestem w ciąży i jestem żoną stuprocentowego mafiosa. Czy to do ciebie dociera? – Odepchnęłam go. – Młody, traktuję cię jak brata, a ty odstawiłeś całą tę szopkę, że niby jesteś ciotą, żeby mnie wydymać? Jezu, to obrzydliwe. – Wściekła otworzyłam drzwi. – Wypierdalaj! – Kiedy nie reagował, wrzasnęłam: – Wypierdalaj, Atilla!

Olga, jak przystało na pitbula, pojawiła się po kilku sekundach i stanęła w progu.

– Co się dzieje? Czemu się drzesz?

– Tak sobie krzyczę. Pakuj się, wyjeżdżamy.

Olo z nieukrywanym niepokojem popatrzyła na nas oboje, a nie uzyskawszy odpowiedzi, odwróciła się i poszła do swego pokoju.

Po dwóch godzinach byłyśmy gotowe do drogi. Olga przez większość czasu żegnała się z Istvánem, któremu nasz wyjazd najwyraźniej był nie na rękę. Nie mam pojęcia, jak mu podziękowała za ten kilkutygodniowy pobyt, ale minę miał dość usatysfakcjonowaną, kiedy wyszli z jego sypialni.

Ucałowałam go, on zaś przytulił mnie jak ojciec i długo nie wypuszczał z objęć. Lubiłam go, czułam się przy nim spokojna i wiedziałam, że w przeciwieństwie do syna nie ma złych zamiarów.

– Dziękuję – powiedziałam, odrywając się od niego.

– Zadzwońcie, jak dojedziecie.

Atilla po naszej kłótni wyszedł z domu i nie wrócił aż do wyjazdu. Było mi przykro, ale z drugiej strony byłam na niego wkurwiona, więc bilans uczuć się wyrównywał, tak że koniec końców jego nieobecność niewiele mnie obeszła.

Droga do Polski okazała się długa, zdecydowanie za długa, a z racji tego, że nasz wyjazd był dość nagły, nie wiedziałyśmy, dokąd się udać. Olśniło nas dopiero w połowie drogi.

– Lari, wiesz, na co wpadłam? – zapytała Olo.

– Wydaje mi się, że na to samo, co ja. Że nie możemy wrócić do twojego mieszkania?

– Eee tam, na to wpadłam już parę dni temu, nie o tym mówię.

Popatrzyłam na nią pytająco.

– Bo widzisz, myślałam o tym jakiś czas i nasze uciekanie nie ma absolutnie sensu, on i tak cię znajdzie, czy tego chcesz, czy nie. Poza tym, skarbie, są prawne sposoby na uregulowanie waszych spraw, a spierdolenie sobie życia tylko dlatego, że Massimo jest skurwielem, nie ma sensu. Odetchnęłaś, odżyłaś, uspokoiłaś się. Ja nie mówię, żebyś do niego zaraz dzwoniła, ale olejmy to, czy nas znajdą. Będziemy w Polsce, nie na Sycylii, tu on gówno może, będzie tylko odpicowanym Włochem, nie donem, któremu wszyscy kłaniają się w pas.

Siedziałam, wsłuchując się pilnie w każde jej słowo. Pomału do mnie docierało, że ma rację, a ja postąpiłam jak egoistyczna idiotka. Uciekłam i wplątałam w to wszystko Bogu ducha winną Olgę, która dość już miała tej całej sytuacji.

– Właściwie to masz rację – przyznałam. – Ale do naszego mieszkania nie chcę wracać. Na razie zatrzymamy się w moim byłym hotelu w centrum i poszukamy czegoś na spokojnie. Mamy kasę, to będzie tylko kwestia wyboru dzielnicy. Najbardziej bym chciała pomieszkać w Wilanowie, ale nie w Miasteczku, tylko dalej. Tam jest spokój, niska zabudowa, blisko do centrum, klinika obok. Paweł Ome załatwi mi lekarza i dopilnuje, żebym przy porodzie nie umarła z bólu.

– Widzę, że zaplanowałaś wszystko?

– Absolutnie. Przyszło mi to do głowy przed chwilą. – Wzruszyłam ramionami.

Kiedy dojechałyśmy do Warszawy, zapadał wieczór. W międzyczasie zadzwoniłam do Natalii, koleżanki, z którą pracowałam, i poprosiłam, żeby zarezerwowała mi pokój na swoje nazwisko. Nie chciałam już uciekać, ale nie chciałam także ułatwiać sprawy mojemu mężowi, meldując się w hotelu jako ja. Im bliżej było do celu, tym bardziej byłyśmy zmęczone, a jako że prowadziłam od granicy, wcisnęłam gaz, chcąc już jak najszybciej dojechać.

Pędziłam przez obwodnicę; był środek nocy i niemal zerowy ruch. Wtedy w tylnym lusterku, a później w przedniej szybie, ujrzałam migające niebieskie światła.

– Ożeż w dupę, policja.

Olga obróciła głowę do szyby, zupełnie niewzruszona sytuacją.

– Ile jechałaś?

– Nie wiem, kurwa, ale dużo.

– Spoko, wciśnie się im bajerę.

Niestety, po piętnastu minutach oraz zwierzeniach dotyczących ciąży, długiej podróży i złego samopoczucia panowie policjanci wlepili mi mandat i punkty karne. Nie przejęłam się zanadto, ale musieli mnie wylegitymować, a to oznaczało, że

Massimo się dowie, gdzie jestem. Może miałam paranoję, ale musiałam brać pod uwagę ewentualność, że Massimo ma dostęp do baz policji. Gdy wreszcie dotarłyśmy do hotelu, zapłaciłam za tydzień z góry i poszłyśmy spać.

Po trzech dniach znalazłam mieszkanie, co prawda nie tam, gdzie chciałam, ale było tak śliczne, że nie mogłam się powstrzymać. Żeby jego właściciel nie chciał podpisywać umowy, zapłaciłam za pół roku z góry i wręczyłam mu kaucję. Był przeszczęśliwy.

Mieszkanie, niestety, znajdowało się w bliskim sąsiedztwie miejsca, w którym mieszkał Martin, mój były, ale wiedziałam, że nawet jeśli się spotkamy, ominie mnie szerokim łukiem.

Wprowadziłyśmy się i odetchnęłam – wreszcie po tylu tygodniach byłyśmy u siebie. Mieszkanie okazało się cudowne, za duże jak na nas dwie, ale to był szczegół. Wielki salon z otwartą kuchnią zajmował połowę powierzchni, dalej były trzy sypialnie i garderoba, dwie łazienki i gościnna toaleta. Nie zamierzałyśmy robić tu imprez ani spędów, ale zawsze lepiej mieć więcej niż mniej.

Był wtorek. Siedziałyśmy na wielkiej kanapie w salonie, gapiąc się w telewizor.

– Muszę wyskoczyć do rodziców – oznajmiła Olga. – Na jeden dzień, maks na dwa. Wpadnę też do twoich, żeby im nawinąć bajerę, jak to ci teraz dobrze. Jutro rano jadę, matka dziś dzwoniła i mnie dręczy, więc niech już ma.

179

– A jedź, pewnie – odparłam. – Ja będę robiła to samo co od kilku tygodni, czyli leżała, nadrabiając luki filmowe.

Olo wyjechała następnego dnia z samego rana, a ja po kilku godzinach w domu poczułam się samotna. Odpaliłam komputer i niespiesznie sprawdziłam repertuar kin. Grali tyle filmów, które chciałam zobaczyć, że kupiłam bilety od razu na dwa seanse, jeden po drugim. W sumie w kinie przesiedziałam prawie pięć godzin, wychodząc z założenia, że co za różnica, czy zalegam w domu, czy w fotelu w kinie.

Kiedy mój maraton dobiegł końca, złapałam taksówkę i wróciłam do Wilanowa. Przekręciwszy klucz w drzwiach, usłyszałam telewizor. Olga już wróciła?, pomyślałam zdziwiona. Zamknęłam je i skierowałam się tam, skąd dobiegały dźwięki. W mieszkaniu było całkiem ciemno, mrok rozświetlała jedynie poświata z telewizora. Spojrzałam na ekran i serce mi stanęło: śniłam na jawie po raz któryś ten sam koszmar. Obraz w telewizorze podzielony był na pół – po jednej stronie nagrania z monitoringu była scena zdrady Massima, a po drugiej jakieś spotkanie w ogrodzie. Usiadłam na kanapie i poczułam, że robi mi się słabo. W pewnym momencie ktoś wcisnął pauzę, a film się zatrzymał. Wzięłam głęboki wdech, wiedząc, że on tu jest. Zamknęłam oczy.

– Massimo?

– Jeśli przyjrzysz się dokładnie temu, co jest po lewej stronie, zobaczysz na pośladku mojego brata pieprzyk, którego ja nie mam – odezwał się. – Jeśli popatrzysz na prawą stronę ekranu, zobaczysz, że w tym samym czasie siedziałem z ludźmi z Mediolanu w ogrodzie.

Słysząc jego głos, o mało się nie rozpłakałam – był tu, czułam jego zapach, ale zupełnie nie słuchałam tego, co mówi.

– Lauro, kurwa, wstań i popatrz, a potem wyjaśnij mi, do cholery, co się z tobą działo przez te wszystkie tygodnie! – wrzasnął, kiedy nie reagowałam. – Chcesz ode mnie odejść, to powiedz mi to w twarz, a nie uciekaj i nie chowaj się przede mną. Potraktowałaś mnie jak najgorszego wroga, a nie męża. A jakby tego było mało, uznałaś, że jestem idiotą, który zdradziłby cię z kimś, kogo szczerze nienawidzi.

W tym momencie światło w salonie zapaliło się, a don wstał z fotela i stanął przede mną. Podniosłam wzrok i spojrzałam mu prosto w oczy. Był najpiękniejszym facetem na ziemi. Ubrany w czarne spodnie i golf w tym samym kolorze wyglądał oszałamiająco. Stał i przeszywał mnie lodowatym wzrokiem; dawno już nie czułam na sobie tego arktycznego lodu. Zmusiłam się, by oderwać od niego oczy, bo jego widok aż bolał. Przeniosłam wzrok na telewizor. Massimo znów wcisnął play. Wszystko, co mówił, miało sens i cała sytuacja nagle stała się jasna. Przewinął

181

kilkanaście minut do tyłu i wyraźnie zobaczyłam, jak wstaje od stołu, a po kilku chwilach zjawia się w bibliotece, w której jego brat posuwa Annę. Było mi źle. Tak potwornie, jak w tej chwili, nie czułam się chyba jeszcze nigdy w życiu. Zjebałam, zwyczajnie, po ludzku, pomyliłam się i zjebałam. Chciałam otworzyć usta, by cokolwiek powiedzieć, ale nie wiedziałam, co niby byłoby odpowiednie w tej sytuacji.

– Adriano wyjechał – odezwał się po chwili Massimo. – I ku mojej radości zabrał ze sobą Annę, którą uczynił chyba najszczęśliwszą kobietą na ziemi. Dzięki temu rozejm został oficjalnie przypieczętowany, a ja mam pewność, że będziesz bezpieczna. – Usiadł na fotelu obok. – Pakuj się, jeszcze dziś wylatujemy na Sycylię.

– Nie zostawię Olgi.

– Jest z Domenikiem w drodze od rodziców. Powinni być za godzinę, pakuj się.

– Nie mam nic do zabrania.

– To ubieraj się i chodź – stwierdził stanowczo, wstając z fotela.

Był zły, a właściwie to wkurwiony do granic. Tak obojętny i lodowaty nie był w stosunku do mnie jeszcze nigdy. Nie chciałam podsycać jego złości, więc zrobiłam to, co kazał.

Na lotnisko jechaliśmy piętnaście minut, piętnaście długich, milczących minut. Kiedy weszłam do samolotu, Massimo wręczył mi tabletkę i szklankę wody.

– Proszę, łyknij – powiedział najspokojniej, jak potrafił.

– Nie chcę, dam radę.

– Już wystarczająco naraziłaś moje dziecko, więc nie sprawdzaj, gdzie jest granica.

Połknęłam lek i grzecznie poszłam w stronę kabiny z łóżkiem. Chwyciłam wełniany koc, przykryłam się i zamknęłam oczy. Byłam spokojna i szczęśliwa; świadomość, że mnie nie zdradził, dawała mi ukojenie, którego nie czułam od naszego miesiąca miodowego. Wiedziałam, że musimy porozmawiać, ale skoro potrzebował czasu, zamierzałam dać mu go tyle, ile będzie trzeba. Najważniejsze, że znów był mój.

Gdy otworzyłam oczy, było już rano, a ja leżałam w swoim łóżku na Sycylii. Uśmiechnęłam się i sięgnęłam ręką na drugą stronę w poszukiwaniu męża, ale jak zwykle go nie było. Włożyłam szlafrok i poczłapałam do pokoju Olgi. Już miałam złapać za klamkę, gdy sobie przypomniałam, że może nie być sama. Najciszej jak to możliwe, zajrzałam do środka. Leżała w łóżku zasłonięta laptopem.

– Cześć – rzuciłam, zamykając drzwi i wślizgując się do niej pod kołdrę. – Massimo jest taki wkurwiony, że nie odzywa się do mnie, wydaje tylko polecenia. Wkurza mnie to.

– Dziwisz mu się? Nic nie zrobił, a został oskarżony o zdradę, a przy tym odebrałaś mu to, co kocha najbardziej na świecie. Wybacz, kochanie, i powiem to tylko tobie, ale uważam, że ma rację. Ja na jego miejscu bym cię chyba zabiła, serio. – Zamknęła klapę komputera. – Mówiłam ci, że on tego nie zrobił, ale nie chciałaś mnie słuchać. Może nauczy cię to wyjaśniania sytuacji, a nie uciekania przed nią.

– Odbędę tę pokutę z pokorą – powiedziałam, nakrywając twarz poduszką. – A jak Domenico?

Olga uśmiechnęła się i zamknęła oczy. Chwilę mruczała coś pod nosem, aż ułożywszy sprawy w głowie, zaczęła mówić:

– Przyjechał wczoraj po mnie, kiedy byłam u rodziców. Wyobraź sobie moje zdziwienie, kiedy wzięłam psa na spacer, wychodzę przed klatkę, a tu on. Stoi sobie, taki, wiesz, włoski, poważny, oparty o to czarne ferrari Massima. Boże, jaki był piękny... Rzuciłam się na niego i wtedy uciekł mi pies.

Parsknęłam śmiechem.

– Nie wierzę! Jak to?

– Niestety, ten jebany kundel szarpnął się i spierdolił, a ja za nim, bo to ukochany pies matki. Złośliwy chujek biegał radośnie po osiedlu, a ja jak debil za nim.

– A Domenico?

– A Domenico stał, obserwując całą sytuację. Wiesz, miało to swoje plusy, bo skupiłam się na cholernym psie, zamiast na tym, że mam ochotę obciągnąć mu pod blokiem. Laura, ja żyję od prawie dwóch miesięcy bez seksu. Ile można...

– No a István? Jak byłyśmy w Budapeszcie, to ty i on... nic...?

Olo pokręciła głową, a w jej wyrazie twarzy dało się wyczytać dumę.

– Nic nie było, spałam z nim, przytulałam go, ale nic poza tym. No i kontynuując, złapałam to pokurwiałe zwierzę, odprowadziłam je na górę, pożegnałam rodziców i piętnaście minut później z gracją sunęłam już ku niemu. Otworzył mi drzwi do auta i zanim wsiadłam, oparł mnie o bok samochodu i pocałował. Ale, Lari, jak on to zrobił, mówię ci... Jakby chciał mnie zjeść. Lizał się ze mną tak, jak robiłyśmy to w szkole średniej, pierdolił mnie wprost językiem...

– Dobra, rozumiem! – syknęłam, wykrzywiając usta.

– No a potem pierdolił mnie w drodze. Już nie językiem. Tylko że biedaczyna nie wziął pod uwagę, że w tym kosmicznym pojeździe będzie to niemożliwe, tak że musieliśmy wysiąść. Dobrze, że byliśmy tacy napaleni na siebie, to nie obchodziło nas, że na dworze jest zero stopni. Wiesz, dla niego to nowość i przyznam, że dla mojej gołej dupy też. Sporadycznie zdarzało mi się wprawdzie wystawiać ją nagą na takie warunki, ale robiłam to tylko w wyjątkowych sytuacjach. Nie daliśmy jednak rady po jednym razie i stawaliśmy trzykrotnie w przydrożnych lasach, przez co spóźniliśmy się na samolot. To znaczy, ja wiem, że on jest prywatny, ale też ma godziny, w których może odlecieć. No, tak czy owak będę przeziębiona, czuję to.

– To w końcu wszyscy lecieliśmy razem? – Byłam ciekawa, bo po dziesięciu minutach od momentu łyknięcia tabletki, nic nie pamiętałam.

– Tak, ja, ty, Domenico, Massimo i ochrona.

– A co mówił Czarny w trakcie lotu? – zapytałam, zerkając na nią zza poduszki.

– Nic, bo nie siedział z nami. Całą podróż gapił się na ciebie, jak spałaś. Wyglądał tak, jakby modlił się do ciebie. Wpadłam do niego na chwilę, to widziałam, ale nie chciał ze mną gadać. Później wyniósł cię z samolotu i wsadził do samochodu, a w domu położył do łóżka, przebrał w piżamę i znowu się gapił, siedząc na fotelu. Wiem, bo chciałam mu w tym wszystkim pomóc, ale nie pozwolił mi. Potem Domenico zabrał mnie do sypialni i tak zrobił się ranek.

– To będą trudne dni – westchnęłam. – Dobra, muszę pojechać na badania, zadzwonię do lekarza i umówię się na wizytę. Zaraz wrócę.

Poszłam po telefon i wybrałam numer kliniki. Jak zawsze, magiczne nazwisko Torricelli powodowało, że otwierały się przede mną wszystkie drzwi. Miałam większy wybór niż przeciętny śmiertelnik. Ubrałam się w luźną wełnianą tunikę w szarym kolorze, ukochane czarne kozaki od Givenchy i skórzaną kurtkę w kolorze butów. Na Sycylii nie było zimy, ale fakt był taki, że na upał nie było co liczyć. Kiedy wróciłam do pokoju Olo, z zaskoczeniem odkryłam, że była gotowa.

– Proponuję śniadanie na plaży. Co ty na to? – rzuciła wesoło. – Pojedziemy do takiej małej restauracyjki w Giardini Naxos, chodziliśmy tam z Domenikiem na spacery, kiedy byliście z Massimem na Karaibach. Mają tam pyszny omlet z szynką i sery, które sami robią.

– Cudownie. Wizytę mam za dwie godziny, więc spokojnie damy radę, chodź.

Przeszłyśmy przez zupełnie pusty dom i gdy wyszłyśmy na podjazd, zostawiłam Olo, a sama okrążyłam budynek i poszłam do garażu po bentleya. Otworzyłam skrzynkę, w której zawsze wisiały kluczyki do aut, i z zaskoczeniem odkryłam, że mimo iż samochody stoją, nie ma w środku nawet jednej pary.

– Co jest, kurwa? – powiedziałam, wychodząc.

Zobaczyłam ochroniarza siedzącego w ogrodzie, skierowałam się więc w jego stronę, żeby dowiedzieć się, co jest grane.

– Cześć, chciałabym jechać do lekarza, a nie wiem, gdzie są kluczyki?

– Niestety, nie możesz opuścić posiadłości. Taka jest decyzja dona. Lekarz przyjedzie do ciebie. Jeśli jeszcze czegoś ci trzeba, powiedz, a zostanie ci to dostarczone do domu.

– Chyba sobie ze mnie jaja robisz! – wrzasnęłam. – Gdzie jest Massimo i gdzie mój ochroniarz Paulo?

– Don wyjechał i zabrał ze sobą Maria i Domenica, wrócą jutro. Ja jestem dziś do waszej dyspozycji.

– Kurwa mać – wycedziłam przez zęby, patrząc na mojego goryla. Nie ma to jak wrócić do domu!

Minęłam Olgę, która cały czas tkwiła na progu willi.

– Do dupy na raki, a nie na sanki. Jesteśmy uziemione, nie wolno nam wyjść, kluczyków od auta nie ma, brama jest zamknięta, łodzi przy pomoście brak, a mur dookoła rezydencji jest za wysoki.

– Powkurwiasz się później, Lari, teraz chodź, zamówimy sobie śniadanie. – Wzruszyła ramionami i po matczynemu objęła mnie wpół. – Ten omlet tam wcale nie był taki dobry.

Po kilku godzinach i wizycie lekarza, który stwierdził, że wszystko jest dobrze i pobrał mi krew, zaczęłyśmy się nudzić. Wpadłam więc na genialny pomysł zamówienia do domu fryzjera i kosmetyczek. W ciągu godziny cała ekipa wraz ze sprzętem była już w posiadłości.

Jak powszechnie wiadomo, nie ma nic lepszego na ostre wkurwienie niż manicure, pedicure i fryzjer. Zrobiłyśmy sobie paznokcie, później cięcie i odświeżenie koloru. Dla pewności sięgnęłam do skarbnicy wiedzy wujka Google'a, czy jeśli pofarbuję włosy w ciąży, to dziecko nie urodzi się rude. Takie zabobony sprzedawała mi moja babcia, kiedy byłam młodsza. Okazało się jednak, że nie ma to zupełnie znaczenia, trzeba tylko uprzedzić fryzjera, bo używa się innych produktów. Po prawie czterech godzinach znowu przypominałyśmy ludzi, ja pachniałam wanilią, a Olga – wiśniami. Nie wiedziałyśmy za bardzo, po co się tak odstawiłyśmy akurat dziś, skoro nasi panowie wracają jutro, ale każdy powód był dobry.

Po wszystkim zjadłyśmy kolację, wyjątkowo w domowej jadalni, bo pogoda na dworze nie sprzyjała posiłkom. W grudniu na Sycylii jest tylko kilka dni deszczowych i właśnie dziś przypadał taki dzień. Olo opróżniła butelkę wina i zwyczajnie się nawaliła, po czym poszła spać.

Ja natomiast nie byłam wcale zmęczona. Włączyłam telewizor i poszłam do garderoby, stanęłam po tej stronie, gdzie wisiały ubrania Massima, i rozpaczliwie zaczęłam poszukiwać wśród nich jego zapachu. Przekopywałam półkę po półce, ale każda rzecz pachniała tylko czystością. W końcu trafiłam na skórzaną kurtkę, na której osiadł intensywny zapach Czarnego. Zdjęłam ją z wieszaka i usiadłam na dywanie, tuląc do siebie. Chciało mi się płakać, kiedy pomyślałam o tym, jak szalał z niepokoju i rozpaczy. Przypomniałam sobie, jak go potraktowałam, kiedy zadzwonił, i łzy same napłynęły mi do oczu.

– Przepraszam – wyszeptałam, a po moich policzkach spłynęła łza.

– Znam to słowo – usłyszałam głos zza pleców.

Podniosłam wzrok i zobaczyłam górującego nade mną Massima. Stał ubrany w czarny garnitur, a jego oczy martwym zimnym wzrokiem lustrowały mnie uważnie.

– Jestem na ciebie wściekły, Mała. Jeszcze nikt nigdy nie doprowadził mnie do takiej furii. Chciałbym, żebyś wiedziała, że przez ciebie musiałem pozbyć się najlepszych ludzi, którzy was nie upilnowali. Latając po Europie w poszukiwaniu ciebie, straciłem także pewien lukratywny interes, co poderwało mój autorytet u pozostałych rodzin. – Podszedł do szafy i odwiesił marynarkę. – Jestem zmęczony, więc pozwól, że umyję się i pójdę spać.

Chyba jeszcze nigdy nie był wobec mnie taki obojętny; czułam, że go tracę, że odsuwa się ode mnie. Kiedy usłyszałam dźwięk wody uderzającej o podłogę, postanowiłam zaryzykować. Rozebrałam się i weszłam do łazienki. Czarny stał nagi, a gorąca woda oblewała jego boskie mięśnie. Wyglądał dokładnie tak, jak wtedy, kiedy go widziałam pierwszy raz w całej okazałości. Opierał się łokciami o ścianę, pozwalając, by jego ciało otaczał gorący strumień z deszczownicy. Zaszłam go od tyłu i przywarłam do niego, a moje ręce odruchowo powędrowały do jego męskości. Nim dotarły do celu, złapał je i obrócił się w moją stronę, przytrzymując nadgarstki.

– Nie – powiedział spokojnym, pewnym tonem.

Oparłam się o szybę, nie mogąc uwierzyć, że odpycha mnie od siebie.

– Chcę wrócić do Polski – stwierdziłam obrażona, obracając się w stronę wyjścia z kabiny.

– Daj znać, jak ci przejdzie.

Moja prowokacja zadziałała na niego jak płachta na byka. Chwycił mnie za rękę i energicznym ruchem przyparł do ściany. Lustrował zimnym wzrokiem moje ciało, jednocześnie gładząc smukłymi dłońmi drogę, jaką przebiegał jego wzrok.

– Masz brzuszek – uśmiechnął się, klękając przede mną. – Mój syn rośnie.

– To córka, Massimo, i owszem, jest już całkiem spora. Ma jakieś dziewięć centymetrów.

Wsparł się czołem o moje łono i zastygł w bezruchu, nic sobie nie robiąc z płynącej mu po plecach gorącej wody. Oplótł ramionami moje ciało i złapał za pośladki, mocno wbijając w nie palce.

– Tylko Bóg jeden wie, jakie cierpienie mi zadałaś, Lauro.

– Massimo, proszę, porozmawiajmy.

– Nie teraz. Teraz będzie kara za ucieczkę.

– Nie może być, niestety, zbyt dotkliwa. – Czarny zamarł, wbijając we mnie przymrużone oczy.

– Ciąża była zagrożona – wyszeptałam, gładząc go po włosach. – Dlatego nie możemy...

Nie dając mi dokończyć, zerwał się na równe nogi. Jego szczęki zaciskały się w zastraszającym tempie, a klatka falowała w rytmie przypominającym galop. Miałam wrażenie, że spływająca po nim woda za chwilę zacznie parować pod wpływem żaru wściekłości, jaki wstrząsał jego ciałem. Odsunął się ode mnie, zacisnął pięści i wydał z siebie przerażający ryk, po czym odwrócił się i poszedł w stronę drzwi.

Policzkowałam się w myślach za głupotę i sposób wyjawienia mu swoich kłopotów ze zdrowiem. Samobiczowałam się tak, chowając twarz w dłoniach, aż usłyszałam, jak wrzeszczy coś po włosku. Chwyciłam ręcznik i niemalże pobiegłam do garderoby, z której Massimo wyszedł ubrany raczej skromnie – w szare spodnie od dresu i sportowe buty. Rzucił telefonem, który trzymał w ręce, i spojrzał na mnie, jakby zamierzał mnie zabić. Chciałam go zatrzymać, ale jedynie podniósł wysoko ręce i minął mnie bez słowa, schodząc na dół. Chwyciłam jego koszulę, koronkowe figi, które wcześniej z siebie zdjęłam, i pobiegłam za nim.

Nie widział mnie, szedł korytarzem, uderzając pięściami o ściany i wrzeszcząc coś po włosku. Zniknął, schodząc na dół, a ja zastygłam przed prowadzącymi do piwnicy drzwiami, którymi trzasnął. Nigdy jeszcze tam nie byłam, jakoś nieszczególnie miałam chęć sprawdzać pomieszczenia na dole. Prawda była taka, że moja wyobraźnia podsyłała mi przeróżne obrazy: zamkniętych w lodówkach zwłok albo sali tortur, gdzie na krześle siedzi związany nagi mężczyzna. Generalnie na myśl o zejściu tam serce przyspieszyło mi jak szalone, jednak nie na tyle, by mnie powstrzymać. Postanowiłam zejść.

Złapałam za klamkę i cicho prześliznęłam się przez drzwi. Ostrożnie schodziłam po lekko podświetlanych stopniach, a z oddali dochodziły mnie dźwięki jęków i uderzeń. Boże dopomóż, pomyślałam, roztaczając przed sobą wizję makabrycznych rzeczy dziejących się gdzieś obok.

Wtem schody skończyły się, a ja po złapaniu trzech głębszych oddechów wychyliłam zza ściany, by ocenić sytuację. Jakież było moje zdziwienie, gdy zamiast przewiercania kolan i łamania kołem zobaczyłam salę treningową. Z sufitu zwisał worek bokserski, obok stała grucha, drążki do podciągania, manekin do zapasów i jeszcze dziesiątki innych rzeczy, o których nie miałam pojęcia, do czego służą. Rozglądając się po wnętrzu, odkryłam, że pomieszczenie w pewnym momencie zakręca, tworząc kształt litery L. Po cichu podeszłam do kolejnej ściany i wychyliłam się zza niej, by zobaczyć, co się dzieje.

Moim oczom ukazało się coś na kształt klatki, a w środku niej Massimo i jeden z naszych ochroniarzy. Okładali się pięściami, a raczej to Czarny niesamowicie go tłukł. Mimo że różnica wagi między nimi była znaczna, don nie miał najmniejszego kłopotu z rozerwaniem go na strzępy. Kiedy jego przeciwnik podnosił ręce w geście kapitulacji, do klatki wchodził kolejny człowiek, a Massimo zaczynał od nowa.

Nie miałam pojęcia, że potrafi się bić, byłam przekonana, że ma od tego ludzi. Jak widać, nie myliłam się. Jego ciało faktycznie było niesamowicie rozciągnięte, miał doskonałą kondycję, ale nigdy nie przypuszczałam, że zawdzięcza to walce. Wykonywał bardzo wysokie kopnięcia i efektownie wykorzystywał klatkę, by pokonać przeciwnika. Nie powiem – ten widok był dość seksowny i nawet to, że Massimo był skrajnie wściekły, nie robiło mi różnicy.

Po wykończeniu kolejnego sparingpartnera ponownie wydał z siebie ten zwierzęcy ryk i opadł wewnątrz klatki, opierając się o jej bok. Jeden z ludzi podał mu butelkę wody i wszyscy trzej ruszyli w stronę wyjścia, czyli musieli przejść obok. Miałam w nosie to, że mnie zobaczą, nawet nie próbowałam się chować; w końcu byłam jego żoną. Kiedy mijali mnie stojącą w koszuli Czarnego, każdy z nich delikatnie skinął ku mnie głową, po czym wyszli. Wzięłam głęboki wdech i ruszyłam w stronę wyczerpanego Massima, który na dźwięk moich kroków podniósł tylko oczy. Nieszczególnie zdziwił go mój widok. Właściwie wcale się mną nie przejął.

Nauczona przykładem sytuacji spod prysznica postanowiłam sprytniej podejść mego męża. Otworzyłam drzwi z siatki i przechodząc przez nie, powoli rozpinałam koszulę. Kiedy byłam już zaledwie metr od niego, rozchyliłam jej poły, ukazując mu moje obfite piersi i ulubione majtki z czerwonej koronki. Oczy mu pociemniały i odruchowo zagryzł wargę. Dopił resztkę wody z butelki, po czym niedbałym gestem rzucił ją w kąt klatki. Nic nie mówiąc, stanęłam nad nim okrakiem, tak że jego głowa znalazła się na wysokości mojego łona, i ostentacyjnie ściągnęłam majtki, rzucając je na jego spocony brzuch.

Cudownie pachniał; parujący z niego pot połączony z zapachem żelu pod prysznic stanowił najseksowniejszą mieszankę woni na świecie. Zaciągałam się nią niczym najwspanialszym aromatem. Wiedziałam, że to ja muszę wykonać pierwszy ruch, czy raczej cały szereg ruchów, bo Massimo ani drgnął.

Kucnęłam i chwyciłam gumkę jego dresów, zahaczając o nie palce. Popatrzyłam na twarz Czarnego, jakbym szukała w niej aprobaty. Niestety, był niewzruszony.

– Proszę... – wyszeptałam cicho ze szklistymi oczami.

Jego biodra uniosły się, umożliwiając mi ściągnięcie z niego spodni. Kiedy rzuciłam wilgotne dresy na matę, lekko rozchylone uda Massima odsłoniły cudowną monumentalną erekcję.

Nie byłoby w tym nic zaskakującego, gdyby nie fakt, że bił się z trzema mężczyznami jakieś dwadzieścia minut, a trzydzieści minut wcześniej pałał żądzą mordu.

Ponownie stanęłam nad nim okrakiem, wyciągnęłam dłoń i wsunęłam w usta Czarnego dwa palce prawej ręki. Kiedy uznałam, że są dostatecznie mokre, wyjęłam je i opuściłam dłoń, by wysmarować jego śliną swoją cipkę. Nim moja ręka dosięgła celu, Massimo złapał mnie za nadgarstek i zachłannie przywarł wargami do mojej łechtaczki. Jęknęłam z rozkoszy i podsunęłam ku niemu biodra, przytrzymując się siatki za nim. Lizał mnie, głęboko penetrując językiem i mocno zaciskając dłonie na moim tyłku. Nie chciałam szczytować, nie potrzebowałam orgazmu, pragnęłam tylko bliskości. Wydawało mi się, że gdy poczuję go w sobie, razem z uczuciem wypełnienia nadejdzie przebaczenie.

Chwyciłam go za włosy i odciągnęłam jego głowę od siebie, opierając ją o klatkę. Powoli zniżyłam się, a kiedy nasze oczy znalazły się na tej samej wysokości, poczułam, jak pierwsze centymetry jego nabrzmiałej męskości wchodzą we mnie. Czarny otworzył usta i wziął głośny wdech, nie odrywając ode mnie wzroku. Cały płonął, czułam to, jego pożądanie było nieomal namacalne. Zsunęłam się jeszcze niżej po jego brzuchu, nadając tempa całej sytuacji. Wiedziałam, że nie lubił, kiedy sprawowałam władzę, ale skoro nie dał mi dokończyć tego, co mówiłam, powinien był zdawać sobie sprawę, że nie wie, jak postępować.

Oplotłam udami jego nagie biodra i mocno wtuliłam się w jego mokre od potu ciało. Miałam w tej chwili tylko jedno pragnienie: poczuć go w sobie. Chwyciłam zębami jego dolną wargę, po czym zaczęłam ssać. Massimo delikatnie ujął moje pośladki i zaczął wykonywać nimi nieznaczne ruchy, a po chwili szybsze i silniejsze. Cały czas badawczo lustrował mnie wzrokiem, jakby szukając w moich oczach potwierdzenia tego, co robił.

– Przepraszam – powiedziałam prawie szeptem, wspierając się na kolanach o matę i łapiąc siatkę za jego głową.

Moje biodra mimo woli przyspieszyły, nadając ciału coraz szybszy pęd. W jego świdrujące mnie spojrzenie wkradła się panika. Objął moje plecy i jednym ruchem powalił na matę, unieruchamiając pod sobą. Zawisł nade mną wsparty na łokciach, a jego nos trącał moje wargi.

– To ja przepraszam – odparł cicho, ponownie wnikając we mnie.

Poruszał się tak delikatnie, że niemal zapomniałam, jaki brutalny i nieustępliwy umie być. Jego rytmicznie falujące ciało wprawiało mnie w stan kompletnej ekstazy. Wiedziałam, że tak jak ja nie miał ochoty na ekwilibrystykę czy udziwnienia, chciał wyłącznie mnie czuć. W pewnej chwili zatrzymał się w pół ruchu, opierając czołem o moje czoło, i mocno zacisnął powieki.

– Tak bardzo cię kocham... – wyszeptał. – Uciekając, wyrwałaś mi serce i zabrałaś ze sobą na te wszystkie tygodnie.

Gdy to usłyszałam, dalsze słowa uwięzły mi w gardle, a do oczu napłynęły łzy. Mój cudowny silny mąż obnażał się teraz przede mną, karząc mnie szczerością. Jego dolna warga wycierała każdą płynącą po moim policzku kroplę.

– Umrę bez ciebie – powiedział, a jego kutas znów zaczął poruszać się we mnie.

Nie chciałam dochodzić, poza tym nie miałam na to zupełnie ochoty po słowach, jakie usłyszałam. Chciałam tylko, by nasycił się tym, czego tak brutalnie pozbawiłam go kilka tygodni temu.

– Nie tutaj – wydyszał, unosząc mnie z maty i biorąc na ręce.

Nagi przeszedł przez pierwsze pomieszczenie i mijając drugie, chwycił jeden z ręczników leżących na półce. Postawił mnie na moment, a kiedy owinął nim biodra, ponownie wziął mnie na ręce i ruszył schodami na górę. Niósł mnie korytarzami bez słowa, skręcając co chwilę w jakieś drzwi. W końcu dotarł do biblioteki i ułożył mnie na dywanie obok ledwo już tlącego się kominka.

– Pierwszej nocy, kiedy chciałaś uciec i powaliłem cię dokładnie w tym miejscu, myślałem, że nie dam rady. – Zrzucił ręcznik i powoli zaczął wsuwać się we mnie. – Kiedy twój szlafrok rozchylił się, jedyne, o czym marzyłem, to to, aby w ciebie wejść. – Jego wielki kutas zanurzył się do końca, a ja jęknęłam, odrzucając głowę w tył. – Pragnąłem cię wtedy do tego stopnia, że zabijając człowieka, miałem przed oczami to, jak cię pieprzę.

– Ciało Czarnego poruszało się coraz szybciej, a w moim zaczęło narastać napięcie. – Później, kiedy straciłaś przytomność i przebierałem cię...

– Kłamca – przerwałam mu, głośno dysząc. Pamiętałam, jak powiedział, że przebrała mnie Maria.

– ...zanurzyłem w tobie palce, byłaś taka mokra. I mimo że nieprzytomna, jęknęłaś z rozkoszy, kiedy poczułaś je w sobie.

– Zboczeniec – wyszeptałam.

Uciszył mnie pocałunkiem, a jego język namiętnie pieprzył wnętrze moich ust. Oderwał się na chwilę i popatrzył na mnie. Złapał w dłonie moją twarz i z głośnym jękiem doszedł, zalewając taką ilością ciepłej spermy, że miałam wrażenie, iż jego kutas urósł jeszcze o kilka centymetrów. Skończył, po czym opadł na mnie, wtulając głowę w zgięcie mojej szyi.

Po kilku minutach leżenia poczułam, jak jego serce stopniowo wraca do normalnego rytmu.

– Złap ręcznik, kochanie – nakazał, lekko się unosząc. – I owiń mnie nim w pasie, kiedy wstanę.

Wykonałam posłusznie jego polecenie. Nie spodziewałam się co prawda nikogo spotkać po drodze, ale faktycznie lepiej, żeby nikt poza mną nie oglądał jego pośladków.

Przeszliśmy z Massimem przez cały dom, aż dotarliśmy na górę, ponownie lądując pod prysznicem. Zdjął z siebie ręcznik, a ze mnie koszulę, którą przez ten cały czas miałam na sobie.

Włączył deszczownicę i oboje stanęliśmy pod ciepłą wodą.

Po dwudziestu minutach leżeliśmy już w łóżku, z tą jednak różnicą, że standardowa pozycja,
czyli „ja pod pachą", została zastąpiona nową,
pod tytułem „Massimo gada do brzucha". Wyglądała ona tak, że głową leżał na moich udach, brodą opierał się o wzgórek łonowy, a dłonią głaskał
widoczną wypukłość mojego ciała.

– O czym rozmawiacie? – zapytałam, zmieniając kanały w telewizorze.

– Opowiadam mojemu synowi, ile niezwy-
kłych rzeczy go tu czeka, na kogo będzie musiał
uważać, a kogo może się pozbyć.

– To będzie dziewczynka, Massimo. Poza tym
uważać to wy wszyscy powinniście tylko i wyłącznie na mnie. – Massimo przeniósł wzrok z brzucha na mnie. – Chciałabym, jeżeli pozwolisz, dokończyć to, co ci mówiłam. – Otworzył usta, by
coś powiedzieć, ale uniosłam dłoń, dając znać,
by umilkł. – Tylko mi nie przerywaj. Dobrze
wiesz, że ze względu na moje chore serce ta ciąża
nie jest prosta dla mojego organizmu. Wydarzenia tej felernej nocy też mi nie pomogły i lekarz
na Węgrzech stwierdził...

– Gdzie? – Na jego twarzy odmalowało się zdu-
mienie. – Przez ten cały czas chowałaś się przede
mną na Węgrzech?

– A co, myślałeś, że będę siedzieć w Warszawie, w naszym apartamencie i czekać, aż

200

przyjedziesz? Nieważne! Miałam kłopoty przez kilka tygodni i przeleżałam je, bo takie było zalecenie, nigdzie nie wychodziłam, nic nie robiłam, po prostu leżałam. Ale że w tym czasie seks mnie zupełnie nie interesował, to nie pytałam lekarza, czy mogę go uprawiać.

– Jestem na ciebie zły – warknął, podnosząc się i układając obok.

Tego już nie wytrzymałam.

– Massimo, a jaka ja mam być? – Usiadłam na łóżku i chwyciłam poduszkę. – Masz pretensję, że uciekłam, okej, zgoda, ale coś czuję, że w analogicznej sytuacji ze mną byłby co najmniej jeden trup. Poza tym to raczej ja mogę mieć pretensje, że ta wywłoka znów znalazła się w naszym domu. A, no i jeszcze ten twój patologiczny braciszek nieumiejący trzymać rąk przy sobie. Więc nie wkurwiaj mnie, Massimo, i przyjmij moją pokorę oraz wykaż się własną!

Odwrócił w moją stronę głowę i spoglądał na mnie przez chwilę skonsternowany. Widać było, że nie przywykł do tego, by kobieta mu się przeciwstawiała. Kiedy skończyłam swoją orację, poczułam w brzuchu lekkie ukłucie i złapałam się za bok, lekko krzywiąc.

– Co ci jest, kochanie? – Massimo zerwał się na równe nogi i przytknął dłoń do mojego brzucha. – Dzwonię po lekarza.

Patrzyłam na niego szeroko otwartymi oczami, kiedy biegał po pokoju w poszukiwaniu telefonu. Był zupełnie nagi, miał zmierzwione i wciąż lekko mokre włosy. Ten widok upajał mnie, dając wiele radości i satysfakcji, a jednocześnie uświadamiał mi, jak musiał szaleć z niepokoju, gdy zniknęłam.

– Twój telefon ponad godzinę temu roztrzaskał się o ścianę z tego, co pamiętam, a poza tym nic mi nie jest, Massimo. Mam jakąś kolkę i tyle, pewnie coś zjadłam. – Czarny zamarł w pół kroku i badawczo mi się przyjrzał. – Massimo, masz paranoję – ciągnęłam – i zaraz zejdziesz na zawał. Za kilka miesięcy czeka cię poród i jeśli nie zmienisz podejścia, obawiam się, że nie dożyjesz tej pięknej chwili, a nasze dziecko w dniu narodzin zostanie półsierotą. – Z rozbawieniem uniosłam brwi i sięgnęłam po stojącą obok łóżka butelkę z wodą.

Wyrwał mi ją z ręki, nie pozwalając wziąć łyka.

– Ta woda jest otwarta trzeci dzień, nie pij jej – powiedział, wyrzucając niemal pełną flaszkę. – Zamówię ci mleko.

Sięgnął po słuchawkę telefonu znajdującego się przy łóżku, rzucił kilka słów, a kiedy skończył, zamarł ze wzrokiem utkwionym we mnie. Zgłupiałam. Jego paranoja robiła się niebezpieczna i wiedziałam, że stanie się uciążliwa.

– Massimo, ja tylko jestem w ciąży, nie jestem chora ani umierająca.

Czarny opadł na kolana i wtulił głowę w mój brzuch.

– Odchodzę od zmysłów na myśl, że tobie albo dziecku coś się może stać. Chciałbym, żeby już się urodziło i żebym mógł...

– ...oszaleć do reszty – dokończyłam za niego.

– Kochanie, przestań ciągle się zamartwiać, ciesz się tym, że masz mnie na wyłączność, bo za kilka miesięcy będę zajęta bieganiem za śliczną małą istotką.

Podniósł głowę i popatrzył na mnie. W jego spojrzeniu czaiło się coś całkiem nowego.

– Sugerujesz, że nie będziesz mieć czasu dla mnie? – zapytał oburzony.

– Kochanie, pomyśl, będę matką małego dziecka, ono wymaga atencji cały czas, jest całkowicie zależne ode mnie, więc odpowiadając na pytanie: tak, będę mieć dla ciebie mniej czasu. To naturalne.

– Będzie miało niańkę – obruszył się obrażony, wstając z kolan i idąc w stronę drzwi, do których ktoś pukał. – Jeśli będę miał ochotę zerżnąć cię, żaden człowiek, nawet nasze dziecko, nie przeszkodzi mi w tym.

Wypiłam mleko i uświadomiłam sobie, która jest godzina, bo oczy same mi się zamykały. Massimo siedział w łóżku z komputerem na kolanach, pogrążony w pracy. Oplotłam jego nogę swoją i wtulając głowę w wolne miejsce przy jego barku, zasnęłam.

ROZDZIAŁ 7

Obudziłam się rano i jak zawsze sięgnęłam ręką na drugą stronę łóżka. O dziwo – był tam. Zaskoczona obróciłam się i zobaczyłam, że siedzi dokładnie w tej samej pozycji z komputerem na kolanach. Spał. Boże, jakżeż będzie go bolała szyja, pomyślałam, usiłując zabrać mu laptopa. Otworzył oczy i uśmiechnął się do mnie.

– Cześć, kochanie – powiedziałam półgłosem.

– Jak bardzo bolą cię plecy?

– Nie na tyle, by zaraz nie wylizać cipki mojej ślicznej żonie.

Odłożył komputer na podłogę i próbował obsunąć się pod kołdrę, ale tylko syknął i opadł na poduszkę.

– Przekręć się, zrobię ci masaż – powiedziałam, wychodząc spod kołdry.

Po chwili siedziałam już na jego nagich pośladkach, ugniatając muskularne plecy.

– Coś czuję, że nocny trening dał ci mocno w kość.

– Czasami muszę odreagować, a klatka to chyba najlepsze do tego miejsce. Poza tym MMA jest najskuteczniejszą formą walki, bo łączy w sobie elementy wielu stylów. – Przekręcił głowę na bok. – Mocniej!

Zwiększyłam intensywność ucisku, na co jęknął z zadowoleniem.

– Podoba mi się ta klatka – powiedziałam, nachylając się do jego ucha. – Widzę dla niej sporo zastosowań.

Massimo uśmiechnął się mimo woli i energicznie przekręcił, łapiąc mnie w pasie. Po czym wykonał ewolucję, której nawet nie zauważyłam, tak że już po chwili leżałam przygnieciona jego ciężarem.

– Widzisz moja droga, to także jest MMA i prawdopodobnie podoba ci się dlatego, że ma rzeczywiście sporo zastosowań w łóżku. Zaskoczę cię może, ale największe europejskie gale tego sportu odbywają się w Polsce. – Pocałował mnie w nos i ruszył do łazienki. – Po kilkunastu minutach wyszedł owinięty ręcznikiem, wziął do ręki nowy telefon i zniknął na tarasie.

– Nie sądź, że nie wiem, co się dzieje w moim kraju – odparłam z przekorą. – Słyszałam o tych galach, stale lecą w telewizji, ale nigdy tego nie widziałam na żywo.

Kiedyś Olga spotykała się z jednym takim, który to trenował, i wymyśliła, że fajnie by było, gdybym na te randki chodziła razem z nią. Więc znalazła mi chłopaka – miał na imię Damian, i zdecydowanie był gorącym towarem. Ogromny łysy zawodnik MMA wyglądał jak gladiator. Niebieskie oczy, duży, złamany nos i niewiarygodnie ponętne usta, którymi wyczyniał cuda.

Wspaniale się bawiliśmy; w ogóle był świetnym człowiekiem, dobrym i zaskakująco mądrym. Zaskakująco, bo stereotyp o tych ludziach podpowiadał troglodytę bez szkoły, natomiast on był o wiele inteligentniejszy niż ja i lepiej wykształcony.

Niestety, po kilkunastu tygodniach znajomości okazało się, że dostał kontrakt w Hiszpanii i wyjechał. Nawet proponował mi, bym z nim pojechała, ale dla mnie wtedy najbardziej liczyła się praca. Dzwonił później jeszcze jakiś czas, pisał mejle, ale nie reagowałam na nie, bo uważam, że związki na odległość nie mają przyszłości.

Z zamyślenia wyrwał mnie głos Czarnego.

– O czym myślisz? – zapytał.

Postanowiłam oszczędzić mu historii mojego byłego kochanka i skłamałam:

– Że chciałabym to zobaczyć.

Massimo zdążył już opuścić taras i mrużąc lekko oczy, powiedział:

– To się świetnie składa, bo za kilka dni jest kolejna gala. Odbywa się w Gdańsku, więc jeśli chcesz ją zobaczyć, możemy jechać, a przy okazji odwiedzić twojego brata.

Na dźwięk tych słów moje oczy rozpromieniły się, a na twarzy pojawił szeroki uśmiech. Tęskniłam za Jakubem; mimo że nasze ostatnie spotkanie na weselu nie było zbyt udane, i tak skakałam z radości, że go znów zobaczę. Czarny stał, przyglądając mi się z rozbawieniem, kiedy zerwałam się i odbijając od materaca, skoczyłam na niego, obsypując jego twarz pocałunkami.

– Kobiety w ciąży nie powinny skakać – zauważył rzeczowo, niosąc mnie nagą w stronę szafy. – Zjedzmy śniadanie.

Położył mnie na grubym dywanie i sięgnął ręką po dresy, które leżały na półce.

– Przeleć mnie, donie, tutaj – powiedziałam, zarzucając ręce za głowę i szeroko rozkładając zgięte w kolanach nogi.

Massimo zastygł w bezruchu i pomału odwrócił się w moją stronę, jakby nie był pewien tego, co usłyszał. Odłożył spodnie z powrotem na miejsce i zbliżył się do mnie, stając tak blisko, że niemal stykaliśmy się palcami stóp. Utkwił w mojej cipce swoje czarne oczy, a dolną wargę nerwowo przygryzł. Bez słowa chwycił swoją męskość, po czym zaczął delikatnie, lecz stanowczo przesuwać po niej ręką w górę i w dół, aż po chwili zrobił się całkiem twardy. Nie będę ukrywać, że trochę mu w tym pomogłam, wkładając palce najpierw do ust, a później, ku jego zadowoleniu, bawiąc się łechtaczką. W końcu opadł przede mną na kolana i łapczywie przywarł do sutka, gryząc go i ssąc na zmianę.

– Mocniej – wymamrotałam, wkładając palce w jego włosy.

Jego język zataczał zmysłowe koła wokół mojej brodawki, a palce drażniły nabrzmiałą łechtaczkę. Już nie mogłam się doczekać, aż wejdzie we mnie, tak bardzo tęskniłam za jego kutasem, a zwłaszcza uczuciem, że rozsadza mnie od środka. Wysunęłam biodra, by dać mu sygnał, że już nie mogę się doczekać, ale zignorował go, a jego usta powędrowały w górę do moich. Chwycił mocno moją głowę i wdarł się językiem do ust, gryząc je i pieprząc z taką siłą, że nie byłam w stanie złapać tchu.

– To jedyna moc, na jaką możesz liczyć, Mała – stwierdził, odrywając ode mnie wargi.

Wiedziałam, że chodzi mu o dziecko, wiedziałam też, że ma rację, ale całe moje ciało domagało się porządnego pierdolenia. Z pokorą jednak przyjęłam jego troskę i delikatny seks, jaki mi zaofiarował tego ranka.

Zeszłam na dół, gdzie Domenico zlizywał czekoladę ze stopy Olgi. Czarnemu zaraz po tym, jak doprowadził mnie do orgazmu, znów zadzwonił telefon, ubrałam się więc i zeszłam na śniadanie.

– Dobrze się bawicie? – zapytałam, stając w futrynie i zerkając na ich słodkie gówniarskie zachowanie.

Nawet nie zwrócili na mnie uwagi i nadal brudząc się, robili wstęp do kolejnej orgii.

– Do pokoju, zboki! – krzyknęłam, ze śmiechem siadając przy stole. – Poza tym wiesz co, Domenico, nigdy bym nie przypuszczała, że jesteś takim ogierem. Przez pierwsze dwa miesiące wybierałeś mi buty i ubrania.

Młody Włoch wylizał do czysta nogę Olgi i wytarł twarz w serwetkę, po czym posłał mi zdziwione spojrzenie.

– To nie do końca prawda – powiedział, wzruszając ramionami. – Nie wiem, jak bardzo cię to rozczaruje, ale większość tego, co dostawałaś, wybierał Massimo. To znaczy nie stylizacje, ale same ubrania czy buty. On dokładnie wie, w czym mu się podobasz. Poza tym z tego, co wiem, słucha cię, kiedy mówisz, że coś przykuło twoją uwagę, jak te kozaki Givenchy. Więc z przykrością informuję, że nie zrobiłem tak wiele.

– Oj, już nie pierdol. – Nonszalancko rzuciła Olga, chwytając go za koszulkę. – Mnie też ubierasz do malowania.

– Nie, kochanie, do malowania to ja cię rozbieram – powiedział jej prosto w usta i namiętnie do niej przywarł.

– Zaraz się zrzygam, przysięgam. – Uniosłam ręce w geście kapitulacji. – Ostrzegam. Jestem w ciąży i miewam mdłości, tak że was obrzygam. I żebyście nie mieli do mnie pretensji.

W tym momencie do jadalni wkroczył Massimo, a gdy usiadł przy stole, jego komórka na nowo się rozdzwoniła. Czarny zaklął i odebrał ją, oddalając się od nas do innego pomieszczenia.

Domenico słuchał go z lekko zmarszczonym brwiami, po chwili westchnął i wrócił do picia kawy.

– Co się dzieje? – zapytałam młodego Włocha. – Telefon nie przestaje mu dzwonić.

– Interesy – rzucił, nie patrząc na mnie.

– Po co kłamiesz? – Odstawiłam kubek na stół z większą mocą, niż zamierzałam.

Massimo zerknął w moją stronę, słysząc uderzenie szkła o drewno, i lekko zmrużył oczy.

– Bo nie mogę powiedzieć prawdy, nie męcz mnie. – Zasłonił się gazetą, a ja popatrzyłam na Olgę.

– Ja pierdolę, jaki foch – powiedziałam po polsku. – Dość ich mam czasami, serio.

– Oj, wiesz... – zaczęła Olo, skubiąc naleśnika. – Naprawdę chcesz wiedzieć, co się dzieje? Lari, a po co nam ta wiedza? Ja myślę, że póki tu żyjemy w idyllicznej sielance, jestem szczęśliwa.

– Załatwione – oznajmił z uśmiechem Massimo, siadając przy stole i sięgając po kawę. – Za tydzień lecimy do Polski. Obejrzymy galę, ja popchnę kilka spraw z Karolem, a ty, kochanie, spotkasz się z Jakubem.

Słysząc to, Olga wyprostowała się lekko i przewróciła oczami, co nie umknęło uwadze Domenica.

– Olga, nie cieszysz się? – zapytał, upijając łyk kawy.

– Szaleńczo – wymamrotała, wbijając oczy we mnie.

Jakub, mój ukochany brat, był kolekcjonerem. Świadom własnej urody i atrakcyjności wykorzystywał ją do maksimum, dymając wszystko, co spotkał na swojej drodze a zwłaszcza moje koleżanki. Niestety, na nieszczęście, Oli także nie odpuścił. Miałyśmy wtedy jakieś siedemnaście lat, kiedy postanowił ją przelecieć. Wolę sądzić, że był to jeden raz, ale rozsądek podpowiadał, że pewnie niejeden. Myślę, że gdyby nie dzieląca ich odległość, ciągle umawialiby się na bzykanie; dzięki Bogu prawie czterysta kilometrów skutecznie ich powstrzymywało. Rzecz jasna, zanim zaczęło się to sycylijskie szaleństwo.

Widziałam, że atmosfera gęstnieje, a Domenico podejrzanie obserwuje nas obie, toteż postanowiłam zmienić temat.

– Co będziemy dziś robić? Znowu zamierzacie zniknąć, zamykając nas w tym więzieniu? Czy możemy liczyć na to, że zaszczycicie nas swoją obecnością? – zapytałam ironicznie, sztucznie szczerząc się do Czarnego.

– Gdybyście były grzeczne i nie uciekały, to nadal miałabyś otwartą bramę i zaparkowanego bentleya na podjeździe. – Don obrócił się do mnie i oparł łokciem o stół. – Byłaś grzeczna, Lauro?

Zastanawiałam się przez chwilę, co tu odpowiedzieć, a nie mogąc znaleźć riposty, postanowiłam zaryzykować:

– Oczywiście, że byłam. – Posłałam mu najsłodszy uśmiech na świecie. – Ja i twoja córka. – Pogłaskałam z uczuciem brzuch, wiedząc, że stopi to jego ewentualny lód.

Oczy Massima nawet na sekundę nie oderwały się od moich, co zupełnie zbiło mnie z tropu.

– To doskonale, zatem przyjdzie do was Mikołaj – odparł i w tym momencie jego oczy rozbłysły blaskiem niczym u małego chłopca na

211

widok worka cukierków. – Szykujcie się, przed południem musimy wyjść.

– A no tak! – wykrzyknęła Olga. – Mikołaj, dziś jest szósty grudnia. – Ucałowała Domenica i popędziła przez korytarz.

Siedziałam przez chwilę w miejscu, popijając herbatę, po czym wstałam i ruszyłam w stronę sypialni.

Weszłam do garderoby i nie mając pojęcia, co będziemy robić, utonęłam w morzu wieszaków. Dziwne, bo mimo upływającego czasu nie zdawałam sobie sprawy, jak szybko biegnie. Przyjechałam tu w sierpniu, a tymczasem zrobił się grudzień i rok już zmierzał ku końcowi.

Myślałam o moich rodzicach i o tym, że to z nimi zawsze spędzałam święta. To o ich prezenty się troszczyłam i jak mała dziewczynka nie mogłam się doczekać pierwszej gwiazdki. Z rozmyślań wyrwał mnie telefon dzwoniący na szafce nocnej. Olałam poszukiwania i przebiegłam do sypialni. Na łóżku siedział Massimo, trzymając w ręku mojego iPhone'a. Wyciągnęłam po niego dłoń, ale on tylko wyciszył dzwonek i odłożył go na powrót obok lampki.

– To twoja mama – powiedział z uśmiechem. – I wiem, po co dzwoni – dodał.

Zgłupiałam. Stałam, wpatrując się w niego ze skrzywioną miną i oczekując wyjaśnień.

– Daj mi, proszę, telefon – zażądałam, podchodząc bliżej.

Czarny złapał mnie wpół i powalił na łóżko, czule całując. Wiedziałam, że mogę do niej zawsze oddzwonić, a w tej chwili najważniejszy był dla mnie mężczyzna, który leżał na mnie.

– Dzwoni podziękować – mamrotał między pocałunkami. – Za torebkę, a tata za teleskop.

Odsunęłam się, spoglądając na niego pytająco.

– Słucham?

Czarny całował całą moją twarz, a jego wargi delikatnie obejmowały moje policzki, oczy, nos, uszy.

– Lubię robić prezenty – powiedziałam.

– A zwłaszcza rodzinie.

– Nie chciałem, byś była smutna tylko dlatego, że w tym roku ominęła cię tradycyjna gwiazdka z bliskimi. Twój brat dostał bilety na mecz Manchester United.

Jego język ponownie wślizgnął się w moje usta, a nie napotykając odpowiedzi z mojej strony, wycofał się. Czarny odchylił głowę, by mnie widzieć. Leżałam zaskoczona, trawiąc to, co właśnie powiedział. Fakt, że ostatnie tygodnie sprawiły, że zapomniałam o tym, iż nadchodzi czas prezentów, ale skąd, do cholery, wiedział, że jest to takie istotne.

– Massimo – zaczęłam, gramoląc się spod niego, na co westchnął i obrócił się do mnie, zakładając ręce pod głowę. – A skąd wiesz, po pierwsze, jak obchodzimy święta, a po drugie, co chciała dostać moja rodzina?

Przewrócił oczami, teatralnie zamknął je i umilkł na dłuższą chwilę.

– Miałem nadzieję, że ucieszysz się i podziękujesz.

– Bardzo się cieszę i dziękuję. A teraz poproszę o odpowiedź.

– Moi ludzie sprawdzili twoje konta, wiem, na co wydajesz pieniądze, a na co nie. – Kończąc zdanie, skrzywił się, jakby wiedział, co za chwilę nastąpi.

– Co, kurwa, zrobiłeś? – Wściekłam się w sekundę.

– Jezu, wiedziałem.

– Massimo, do cholery, czy jest jakaś część mojego życia, do której się nie wpierdalasz?

– Lauro, proszę cię, to tylko pieniądze.

– Nie, Massimo! To aż pieniądze, a precyzyjniej moje pieniądze. – Płynął ze mnie potok złości. – Czemu musisz mnie do tego stopnia kontrolować? Nie mogłeś zapytać? – warknęłam.

– Nie byłoby niespodzianki – odparł, patrząc martwo w sufit.

Mój telefon po raz kolejny zaczął dzwonić. Sięgnęłam po niego i zobaczyłam na wyświetlaczu numer mojej mamy. Zanim odebrałam, Czarny zdążył jeszcze powiedzieć:

– Torebka z ostatniej kolekcji Fendi, beżowa, masz taką, tylko żółtą. – Wzruszył ramionami, a ja odebrałam.

– O, cześć, mamuś – zaczęłam wesoło, nie odrywając wzroku od Massima.

– Kochanie, prezent od Mikołaja jest cudowny, ale na miłość boską wiem, ile kosztuje ta torebka. Czy ty całkiem oszalałaś?

No to teraz dopiero będę musiała się gęsto tłumaczyć, pomyślałam, cudownie. I wyobraziłam sobie, że kopię Czarnego w wątrobę.

– Mamuś, ja teraz zarabiam w euro, a tu przeceny są zdecydowanie większe niż w Polsce.

W tym momencie powinnam była wziąć rozbieg i walnąć głową w ścianę. Jakie przeceny, kurwa, przecież jest początek grudnia. Zrozpaczona własną głupotą i tym, jak właśnie strzeliłam sobie w kolano, opadłam na łóżko i czekałam.

– Przeceny, teraz? – usłyszałam w słuchawce. Brawo, brawo, Lauro, policzkowałam się w myślach. Z tych nerwów telefon wysunął mi się z dłoni i zanim wyciągnęłam rękę, by go chwycić, był już przy twarzy Czarnego, który ze słodkim uśmiechem zaczął rozmowę z moją mamą. Jakby mnie ktoś kopnął w głowę. Pokój zaczął wirować, a mój lęk przeszedł w histeryczną panikę. Mama sądziła, że rozstałam się z nim, bo mnie zdradził, a teraz on wyrywa mi słuchawkę i jak gdyby nigdy nic świątecznie do niej szczebioce.

– Boże, Jezu, kurwa... – mamrotałam, aż telefon ponownie znalazł się przy moim uchu.

– Lauro Biel, jak ty się wyrażasz?!

Na te słowa niemal się wyprostowałam.

– Wyrwało mi się tak jakoś – powiedziałam, czekając na cios albo od razu obcięcie głowy maczetą, tępą i zardzewiałą.

– Ten Massimo to bardzo kulturalny człowiek, chyba zależy mu na tobie.

W tej sekundzie, mimo że leżałam, moja szczęka opadła tak, że spoczęła na podłodze. Albo lepiej – przy zachodnim skrzydle posiadłości, turlając się na pomost.

– Słucham? – zapytałam z niedowierzaniem.

– Wyjaśnił mi pokrótce całe to zamieszanie, to wszystko. Trzeba było uczyć się języków, to zrozumiałabyś naszą rozmowę.

Wtedy z odsieczą przyszedł mi ledwo słyszalny w słuchawce głos taty.

– Chryste, wszystko muszę robić sama – westchnęła mama. – Kochanie, muszę kończyć, tata nie umie złożyć tego teleskopu i za chwilę go zepsuje. Kocham cię, skarbie, raz jeszcze dziękuję za cudowną niespodziankę. Kochamy cię. Pa!

– Ja was też. Pa! – powiedziałam, wciskając czerwoną słuchawkę.

Odłożywszy telefon, popatrzyłam wyczekująco na mojego męża, który najwyraźniej zadowolony z siebie szczerzył się do mnie.

– Co jej powiedziałeś?

– Że dałem ci podwyżkę, żebyś wróciła do mojego hotelu. – Jego ramiona ciasno mnie oplotły. – Wspomniałem jej też o zamieszaniu, które wynikło z twojego podejrzenia o zdradę, ale nie martw się, skłamałem, ujmując nieco twojej inteligencji. Śmiała się, mówiąc, że to cała ty. – Przewrócił mnie tak, że leżeliśmy teraz bokiem, a on przygniatał moje biodra nogą. – A tak swoją drogą nie wiedziałem, że jesteś zazdrosna, to dla mnie nowość. W każdym razie twoja mama wie, że wciąż jesteśmy razem.

– Dziękuję – wyszeptałam, całując go czule.

– Dziękuję, że mnie porwałeś.

Czarny przerzucił nogę do końca i po chwili unosił się nade mną.

– Za chwilę cię wezmę – wyszeptał, ściągając mi dresy. – A wiesz dlaczego?

Wiłam się pod nim, pozbywając kolejnych warstw ubrania.

– Dlaczego? – zapytałam, ściągając mu spodnie.

– Bo mogę. – Jego język brutalnie wcisnął się w moje usta, a ręce mocno chwyciły za głowę.

Podziwiałam jego muskulaturę. Zerknęłam w dół i popatrzyłam na siebie, rozchylając poły jego koszuli, którą miałam na sobie. Westchnęłam na widok małej piłeczki z mojej własnej skóry, jakby uczepionej do dołu brzucha. Wyglądałam, jakbym połknęła nieduży balonik. Szaleję ze szczęścia, wiedząc, że noszę jego dziecko, ale nienawidzę tego, jak zmienia się moje ciało. Uniosłam oczy i napotkałam zatroskany wzrok Czarnego. Po chwili ukląkł przy mnie.

– Co się dzieje? – zapytał, sadzając mnie sobie na kolanach.

Wtuliłam głowę w jego klatkę, zaciągając się cudownym ciężkim zapachem jego wody toaletowej.

– Robię się gruba – powiedziałam żałośnie.

– Jeszcze miesiąc albo dwa i w nic się nie zmieszczę.

– Robisz się głupia, moja droga – stwierdził, śmiejąc się i całując mnie w głowę. – Jak dla mnie, możesz być nawet grubsza niż ja, bo to znaczy, że mój syn rośnie, jest duży i silny. A teraz przestań zamartwiać się bzdurami i ubieraj, bo za mniej niż godzinę musimy być na miejscu.

– Gdzie jedziemy?

– Gdzieś, gdzie jeszcze nie byłaś. Ubierz się wygodnie.

Mój mąż wcisnął na siebie seksowne wytarte dżinsy, czarny longsleeve i wysokie, niezasznurowane, wojskowe buty. Wow, pomyślałam, patrząc na niego, tego jeszcze nie grali. Przeczesał dłońmi włosy i zniknął w wyjściu, uprzednio czule mnie całując. Podniosłam się i ja, po czym poszłam do swojej części szafy. Wygoda oznaczała dla mnie chyba coś innego niż dla niego, ale skoro już wiedziałam, że nie chodzi o żadne oficjalne wyjście, mogłam się wyluzować. Sięgnęłam po wieszak i zdjęłam z niego czarną bluzę Kenzo z tygrysem. Na dworze nie było gorąco, ale zimno też nie, postanowiłam więc pokazać ciągle szczupłe nogi i wybrałam grafitowe szorty One Teaspoon. Całości dopełniły muszkieterki od Burberry i długie skarpety. Przepakowałam się w czarną torbę Boy od Chanel i poszłam na dół.

Przed wyjściem na podjazd spotkałam Olgę, która zawzięcie tłumaczyła coś Domenicowi, a gdy dołączył do nas Czarny, wszyscy czworo ruszyliśmy w stronę zaparkowanych aut. Oczywiście każdy z nich miał swoje. Massimo otworzył mi drzwi do BMW i8, czyli kolejnego kosmicznego pojazdu, który miał udawać samochód, a Domenico poprowadził Olgę do bentleya.

– Ile ty w sumie masz samochodów? – zapytałam, kiedy zamknął drzwi i odpalił silnik.

– Teraz nie wiem, kilka sprzedałem, ale też parę przybyło, więc trochę ich jest. I nie mam, tylko mamy. Nie przypominam sobie intercyzy, a więc co moje, to twoje, kochanie. – Ucałował moją dłoń i ruszył.

Mamy, pomyślałam. Hm... Szkoda tylko, że wyłącznie jedno z nas może wszystkimi sobie jeździć. Ja dostaję albo czołg z kokpitem jak w samolocie i milionem guzików, albo woła na kołach.

ROZDZIAŁ 8

Skręciliśmy z autostrady i ruszyliśmy wręcz „wymarzoną" dla niskiego zawieszenia drogą bez asfaltu. Wszystko w samochodzie telepało się i stukało, tak że miałam wrażenie, iż za chwilę się rozsypie. Rozglądałam się dokoła, znajdowaliśmy się dokładnie pośrodku niczego. Kamienna pustynia i skąpa roślinność sugerowały, że niespodzianka nie będzie zbyt ekskluzywna. Gdyby ta przejażdżka odbyła się kilka miesięcy temu, pomyślałabym, że chcą nas zastrzelić i gdzieś zakopać, bo na milion procent nikt by nas tu nie znalazł. Nagle droga skręciła w bok i moim oczom ukazał się kamienny mur z wielką bramą pośrodku. Massimo wyciągnął telefon, powiedział do niego kilka słów i metalowe wrota zaczęły wolno się otwierać.

Jechaliśmy prostą asfaltową drogą; rosnące po obu jej stronach palmy tworzyły tunel. Nie miałam pojęcia, gdzie jesteśmy, ale wiedziałam, że nawet jeśli zapytam, i tak nie poznam odpowiedzi, bo na tym polega niespodzianka. W końcu auto zatrzymało się pod pięknym dwupiętrowym budynkiem wykonanym z identycznego kamienia jak posiadłość, w której mieszkaliśmy. Większość zabudowań na wyspie tak wyglądała

– jakby zbudowano je z lekko pobrudzonych kamieni.

Kiedy wysiedliśmy, na progu pojawił się starszy mężczyzna, czule witając obydwu naszych panów. Nie wiem, ile mógł mieć lat, ale z sześćdziesiąt na pewno. Ucałował Massima, klepiąc go lekko po twarzy, i powiedział kilka słów. Czarny wyciągnął ku mnie rękę, chwytając moją dłoń.

– Don Matteo, poznaj moją żonę Laurę.

Starszy mężczyzna pocałował mnie dwa razy i uśmiechnął się dobrodusznie.

– Cieszę się, że już jesteś – powiedział łamaną angielszczyzną. – Ten chłopiec długo na ciebie czekał.

Nagle wokół rozbrzmiały głośne wystrzały, a ja z przerażeniem wtuliłam się w bark Massima. Nerwowo rozglądałam się na boki, szukając źródła hałasu, ale wokół była tylko zachwycająca przyroda.

– Nie bój się, kochanie – powiedział Massimo, obejmując mnie ramieniem. – Dzisiaj nikt nie zginie. Chodź, nauczę cię strzelać.

Poprowadził mnie przez piękny dom, a ja usiłowałam zrozumieć to, co właśnie mi powiedział. Strzelać? Ja jestem w ciąży, a on chce, żebym strzelała? Nie pozwala mi samej podnieść nawet cięższej torby, a teraz nagle mam strzelać. Przeszliśmy przez wszystkie pomieszczenia, wychodząc na tyły domu. Zamurowało mnie.

– O kurwa, jak na filmach – rzuciła Olga, stając obok i łapiąc mnie za rękę.

Massimo i Domenico na ten widok wybuchnęli śmiechem.

– A gdzie się podziały nasze dzielne i nieustępliwe Słowianki?

– Zostały w domu – powiedziałam, odwracając się do nich. – Co my tu robimy?

– Chcemy nauczyć was, jak posługiwać się bronią. – Czarny objął mnie ramieniem i mocno przytulił. – Uważam, że jest ci to potrzebne, a nawet jeśli nigdy ci się nie przyda, to jest to doskonała forma relaksu, zobaczysz.

W tym momencie padł kolejny strzał, a ja z przerażeniem podskoczyłam do góry i wtuliłam głowę w klatkę Czarnego.

– Nie chcę – wyszeptałam. – Boję się.

Massimo ujął łagodnie w dłonie moją twarz i delikatnie pocałował.

– Kochanie, zwykle przeraża nas to, czego nie znamy, ale spokojnie. Konsultowałem to z twoim lekarzem i strzelanie jest dla ciebie tak samo groźne jak granie w szachy. Chodź.

Po kilkunastu minutach i kilku głębszych wdechach stałam ze słuchawkami na uszach, obserwując, jak Czarny bierze do ręki broń. Don Matteo stanął obok, przytrzymując moje ramię, jakby się bał, że będę potrzebowała wsparcia.

Massimo stanął na szeroko rozstawionych nogach i załadował naboje do pistoletu Glock kaliber 9 mm. Nie miał na sobie słuchawek, a zamiast ochronnych okularów miał na nosie aviatory Porshe. Wyglądał męsko, cudownie, zniewalająco i tak seksownie, że byłam gotowa uklęknąć przed nim i zrobić mu laskę. Nagle jego dzisiejszy strój nabrał zupełnie nowego sensu i złożył się w całość, kiedy trzymał w rękach broń. Już nie przerażał mnie ten widok, tylko kręcił i odbierał zdolność logicznego myślenia. Niebezpieczny, władczy, brutalny i mój; w podbrzuszu tańczyły mi motyle, a w głowie szumiała krew, byłam napalona. Boże, jakie to proste, pomyślałam, nie musi robić nic, a ja patrzę na niego i nogi mam jak z waty.

Skinął do starszego pana stojącego obok mnie, wziął głęboki wdech i wystrzelił siedemnaście kul z taką prędkością, że pojedyncze strzały zlały się w jeden huk. Odłożywszy broń, wcisnął guzik przywołujący tarczę strzelecką. Kiedy znalazła się naprzeciw niego, uśmiechnął się, odsłaniając szereg białych zębów, i dumnie uniósł brwi.

— Wszystkie w głowę — powiedział z miną małego chłopca. — Praktyka robi swoje.

Ten żart wydał mi się tak makabryczny, że aż zapiekło mnie w mostku.

— Ale przecież dziesiątka jest na środku klatki? Więc nie zdobyłeś maksymalnej ilości punktów — powiedziałam, chwytając kartkę. Czarny uśmiechnął się i odchylił mi słuchawki.

— Ale z pewnością zabiłem przeciwnika. — To mówiąc, pocałował mnie w policzek. — Teraz ty,

223

Mała, chodź. Będę bardzo nieprofesjonalny i ustawię się za tobą, ale chcę, żebyś czuła się bezpieczna. – Poprowadził mnie do stanowiska i objaśnił pokrótce działanie samej broni, gdzie przycisnąć, aby uwolnić magazynek, jak przeładować i jak przełączyć się na ogień ciągły bez potrzeby przeładowywania go po każdym strzale. Kiedy już załadowałam broń i wykonałam wszystkie niezbędne czynności, Czarny ustawił się za mną tak, że moje ciało opierało się o niego.

– Popatrz na cel, muszka i szczerbinka muszą znaleźć się w jednej linii. Potem weź wdech i wydychając powietrze, powoli, ale zdecydowanie pociągnij za spust. Nie szarp nim, tylko wykonaj jeden płynny ruch. Dasz radę, kochanie.

To jest jak gra w szachy, jak gra w szachy, powtarzałam w głowie, usiłując przekonać mózg, że nie ma się czego bać. Poczułam, jak Massimo lekko zapiera się na jednej nodze i przytrzymuje moje biodra.

Złapałam wdech i wydychając powietrze, zrobiłam, o co prosił. To był ułamek sekundy, odrzut i huk, albo odwrotnie, nie wiem. Siła wystrzelonego pocisku wyrzuciła moje ręce w górę, czego zupełnie się nie spodziewałam. Przerażona mocą, jaką dostałam w dłonie, zaczęłam się trząść, a do oczu napłynęły mi łzy.

Czarny chwycił broń i delikatnie wyciągając ją z moich rąk, odłożył na blat przede mną. Obróciłam się do niego i wpadłam w histerię.

– Jak szachy, tak? – wrzasnęłam. – Ja w dupie mam takie szachy.

Massimo obejmował mnie czule, gładząc włosy, i czułam, jak jego klatka drży od tłumionego śmiechu. Uniosłam oczy i popatrzyłam na jego rozbawienie pomieszane z troską.

– Kochanie, nic ci nie jest, po co te łzy?

Wydęłam dolną wargę i lekko zawstydzona schowałam głowę pod jego pachę.

– Przestraszyłam się.

– Ale czego? Przecież jestem tu.

– Massimo, to jest wielka odpowiedzialność trzymać broń w dłoniach. Świadomość, że można zabić z tego żywą istotę, zmienia zupełnie sens tej czynności. Jej siła, moc, potęga... Przeraził mnie respekt, jakiego wymaga strzelanie.

Czarny stał, kiwając głową, a jego spojrzenie zdawało się zdradzać dumę.

– Imponuje mi twoja mądrość, Malutka – szepnął, całując mnie delikatnie. – A teraz wracamy do lekcji.

Kolejne strzały były już łatwiejsze, a po wystrzelaniu kilku magazynków niemal nie robiły na mnie wrażenia. Miałam poczucie, że osiągnęłam poziom eksperta.

Po jakimś czasie don Matteo zniknął, przynosząc nam kolejną „zabawkę".

– Spodoba ci się. – Massimo chwycił w ręce karabin, który położył przed nim mężczyzna. – To M4, karabinek szturmowy, miły, stosunkowo

225

lekki i przyjemny przy strzale, bo nie ma takiego odrzutu jak glock. A to dlatego, że opierasz go o bark.

– Przyjemna broń – powtórzyłam z lekkim niedowierzaniem. – Spróbujmy.

Faktycznie, z tego rodzaju broni strzelało się o wiele łatwiej, mimo że była cięższa.

Po ponad godzinie wysiłku związanego ze strzelaniem byłam wykończona. Don Matteo zaprosił nas na taras przylegający do strzelnicy, gdzie podano oszałamiający lunch. Owoce morza, pasty, mięsa, antipasti i całą gamę deserów. Oszalałam. Wrzucałam w siebie kolejne pyszności, jakbym nie widziała jedzenia co najmniej tydzień.

Czarny popijał wino ze szklanki i co jakiś czas chrupał oliwkę, tuląc mnie do siebie.

– Uwielbiam, kiedy masz taki apetyt – wyszeptał wprost do mojego ucha. – To znaczy, że mój syn rośnie.

– Cór...ka... – wybełkotałam między gryzami.

– To będzie dziewczynka. A jeśli chcesz zakończyć ten spór, myślę, że przy kolejnym USG możemy się dowiedzieć, kto ma rację.

Jego oczy rozpromieniły się, a dłoń powędrowała pod moją bluzę na brzuch.

– Nie chcę wiedzieć przed porodem. Chcę mieć niespodziankę. Poza tym wiem, że to chłopak.

– Dziewczynka.

– Najzabawniej będzie, jak się okaże, że to bliźniaki – odezwała się Olga, dolewając wszystkim wina. – To dopiero będzie jazda. Laura, jej mąż gangster i dwoje wrzeszczących bachorów. Domenico. – Popatrzyła na młodego Włocha. – Wtedy my się wyprowadzimy.

– Dzięki Bogu, ciąża nie jest mnoga, bije we mnie jedno serce. – Wzruszyłam ramionami i wróciłam do obżerania się.

Po skończonym posiłku położyłam się na huśtawce, a obok mnie leniwie rozciągnęła się Olga. Panowie we trzech rozprawiali o czymś przy stole, a ja dziękowałam Bogu za to, za co jeszcze kilkanaście tygodni temu go przeklinałam.

– Wierzysz w przeznaczenie, Olo?

– Wiesz, że myślałam o tym samym. Zobacz, jakie to niesamowite, jeszcze pół roku temu nasze życie było takie spokojne, poukładane w swoim chaosie i zwyczajne. A teraz leżymy ogrzewane promieniami grudniowego słońca na Sycylii. Nasi mężczyźni to mafiosi, alfonsi i mordercy. – Poderwała się z miejsca i usiadła, niemal spadając z leżanki. – Kurwa, jakie to wszystko posrane, no bo zobacz, oni są złymi ludźmi, a my kochamy ich za to, jacy są, więc my także jesteśmy złe.

Skrzywiłam się, słysząc te słowa, ale zasadniczo było w nich wiele prawdy.

– Ale my ich przecież nie kochamy za to, co robią złego, tylko co dobrego. Jak można kochać kogoś za to, że kogoś zabił? Poza tym każdy robi coś złego, tylko skala jest inna. Weźmy na przykład mnie. Pamiętasz, jak w piątej klasie kopnęłam w twarz Rafała, tego blondyna, bo dzióbał cię szpilką? To też nie było dobre, a kochasz mnie wciąż.

– Ja pierdolę. – Olga przewróciła oczami.

Na dźwięk odsuwanych foteli obie obróciłyśmy się w stronę stołu. Domenico i Massimo zakładali coś na głowy, ciesząc się przy tym jak małe dzieci.

– Kurwa, za każdym razem, jak widzę ten jego uśmiech, zaczynam się bać – warknęła Olga, pociągając mnie w ich stronę.

– Drogie panie, zapraszam na film – powiedział Don Matteo, wskazując wejście do domu.

Obie stanęłyśmy skonfundowane, spoglądając to na niego, to na naszych mężczyzn.

– Co ty masz na głowie? – zapytała Olga, pukając Domenica w małe pudełko na środku czoła.

– To kamera, drugą będę miał na lufie. Pokażemy wam, dlaczego możecie się z nami czuć bezpieczne.

Przybili sobie piątkę i poszli w kierunku czegoś, co wyglądało jak kamienny labirynt.

– Drogie panie. – Matteo wskazał nam drogę.

Usiadłyśmy w fotelach, a on zaciągnął zasłony tak, że w pomieszczeniu zrobiło się zupełnie ciemno. Po czym włączył ogromne monitory i naszym oczom ukazał się obraz z kamer Massima i Domenica.

– Wyjaśnię wam może, co się teraz stanie. Panowie będą trenować szturm, tego rodzaju przygotowanie mają także służby specjalne. Sprawdza to szybkość reakcji, ocenę sytuacji, refleks, no i oczywiście technikę strzelecką. Zawsze byli lepsi od niejednego komandosa, który przeszedł przez moje ręce, ale dawno ich nie było, więc zobaczymy.

Kompletnie osłupiałam. Człowiek, który miał do czynienia ze służbami specjalnymi i komandosami, szkolił mafię.

W pewnym momencie na ekranie pojawił się ruch, Domenico i Massimo przechodzili przez kolejne drzwi, zabijając kolejne manekiny imitujące zbirów.

– Co za hipokryzja – powiedziała po polsku Olga. – Zabijać kolegów po fachu.

Nie dało się jednak ukryć, że ich trening był seksowny, a skupienie i spokój malujące się na twarzy Czarnego podniecały mnie w dziwny sposób. Przemykali przez pomieszczenia, strzelając i kryjąc się wzajemnie. Wyglądali trochę jak mali chłopcy bawiący się w wojnę, tyle tylko, że mieli prawdziwe karabiny. Po kilku minutach było po wszystkim. Wygłupiali się, coś krzyczeli i wykrzywiając się do kamer, wymachiwali bronią jak raperzy na amerykańskich teledyskach.

– Debile – skwitowała Olo, wstając z miejsca.

Po pożegnaniu z don Matteo wsiedliśmy do samochodów i ruszyliśmy do domu. Kosmiczne

BMW bezszelestnie sunęło po autostradzie, a w głośnikach rozbrzmiewała najmniej męska melodia świata, czyli *Strani Amori* Laury Pausini. Czarny wczuwał się w tekst z rozbawieniem i śpiewał dla mnie po włosku. Dzisiaj zachowywał się i wyglądał jak młody chłopak, zwyczajny trzydziestolatek, który lubi się wygłupiać, bawić i ma mnóstwo pasji. W niczym nie przypominał władczego, nieustępliwego, totalitarnego dupka, który dostaje świra na punkcie mojego bezpieczeństwa i nie radzi sobie ze sprzeciwem.

Minęliśmy nasz zjazd i zobaczyłam, jak bentley skręca tam, gdzie i my powinniśmy. Popatrzyłam pytająco na Czarnego, nie wydając z siebie żadnego dźwięku; nie musiałam. I tak dobrze wiedział, o co chcę zapytać. Uśmiechnął się tylko, nie odrywając oczu od ulicy, i mocniej wcisnął pedał gazu.

Zjechał po kilkudziesięciu kilometrach, kiedy znaki pokazały drogę na Messynę. Kluczył długo po wąskich uliczkach, aż wreszcie podjechał pod monumentalny mur z misternie ułożonych kamieni.

Wyjął z kieszeni pilota i otworzył wielkie drewniane wrota. Kolejny raz przeszyłam go pytającym spojrzeniem, ale tylko uniósł brwi, szczerząc do mnie zęby, i ruszył w górę podjazdem.

Zaparkował obok przepięknego dwupiętrowego domu i wysiadł z BMW.

– Zapraszam. – Otworzył drzwi i podał rękę, bym mogła się wytoczyć z kosmicznej fury.

Nadal milczałam, oczekując wyjaśnień. Nic jednak nie mówił. Przekręcił tylko klucz i wprowadził mnie do wnętrza. Cholera... aż zabrakło mi tchu. W gigantycznym salonie, sięgając chyba pierwszego piętra, stała najpiękniejsza choinka, jaką w życiu widziałam, ubrana w bombki i światełka w kolorach złota i czerwieni. Na kominku trzaskał ogień, a tuż obok leżała biała włochata skóra jakiegoś zwierzęcia. Dalej były sofy, fotele w kolorach brązu i beżu, drewniana ława i wielki telewizor. A jeszcze dalej jadalnia z ogromnym dębowym stołem, cudownymi świecznikami i krzesłami obitymi bordowym suknem. Całość utrzymana w ciepłych kolorach i bardzo subtelnie wykończona.

– O co tu chodzi, Massimo? – Obróciłam się i wbiłam w niego oczy wielkości talerzy do drugiego dania.

– To mój prezent dla ciebie.

– Ta choinka?

– Nie, Mała, ten dom. Kupiłem go, by kojarzył ci się wyłącznie ze mną, z dzieckiem i byś miała tu tylko dobre wspomnienia. Chcę, żebyś miała swoje miejsce na ziemi i nigdy już nie uciekała przede mną, lecz do mnie. A jeśli kiedyś odczujesz potrzebę, by zaszyć się gdzieś, to miejsce będzie czekało na ciebie. – Podszedł do mnie i ujął moją zaskoczoną twarz w dłonie. – Jeśli będziesz chciała wyprowadzić się z posiadłości, możemy zamieszkać tutaj. Z mniejszą obsługą, za to we trójkę: ty, ja i nasz syn...

– Córka!

– ...zapewnię ci tu maksimum prywatności i bezpieczeństwa. Wszystkiego najlepszego, kochanie.

Jego usta przywarły do moich, a zęby delikatnie skubnęły dolną wargę. Chwycił mnie za pośladki i uniósł, sadzając sobie w pasie. Oplotłam go udami w pasie i odwzajemniłam pocałunek. Pieścił moje usta, a jego dłonie błądziły po całym ciele, kiedy niósł mnie w stronę wielkiego stołu w jadalni. Ułożył na blacie i chwytając tył swojej koszulki jednym ruchem ściągnął ją przez głowę. Szeroki uśmiech nie znikał z mojej twarzy, kiedy ściągnął mi szorty.

– A buty? – zapytałam, kiedy razem z koronkową bielizną spodenki powędrowały na podłogę.

– Buty zostają.

Gestem wskazał, bym uniosła ręce w górę, i już po chwili leżałam przed nim jedynie w długich skarpetach do połowy uda i czarnych oficerkach. Wziął w swoje wielkie dłonie moje biodra i unosząc je lekko, przesunął w głąb stołu, nieco mnie tym zaskakując. Myślałam, że zsunie raczej i wejdzie we mnie. Jego pełne pożądania, lekko zmrużone oczy przeszywały mnie na wylot. Rozstawiłam szeroko nogi, opierając stopy o stół, i zarzuciłam ręce za głowę. Czarny aż jęknął.

– Uwielbiam – wyszeptał, rozpinając guziki w dżinsach ze wzrokiem wbitym w moją mokrą cipkę.

– Wiem.

Stał przede mną nagi, gładząc i ściskając zewnętrzną stronę moich ud.

– Ten dom ma jeszcze jedną, ogromną zaletę – powiedział i odszedł w stronę ściany, po chwili wciskając guzik na panelu wiszącym obok kominka. W tej samej chwili wokół rozbrzmiały dźwięki *Silence* w wykonaniu Delerium. – Nagłośnienie – wyszeptał, wkładając język w moją mokrą szparkę.

Nie mogłam się doczekać tego momentu od chwili, gdy widziałam, jak oddaje pierwszy strzał. Wiłam się pod zachłannym dotykiem jego ust i wdzierającego się we mnie języka. Brutalnie natarł na rozpaloną, nabrzmiałą łechtaczkę. Delikatnie wsunął dwa palce w moją cipkę i leniwie zaczął nimi poruszać w tył i przód. Wiedziałam, że jeszcze chwila, a znajdę się na skraju rozkoszy. Właściwie byłam już na nim, odkąd zdjął spodnie, ale nie chciałam kończyć po kilkunastu sekundach.

– Wiem, że chcesz już dojść – powiedział, wkładając kolejny palec w moje tylne wejście.

Tego już nie byłam w stanie wytrzymać. Doszłam w sekundę, a moje ciało uniosło się jak rażone piorunem. Czarny nie ustawał, przeciwnie, przyspieszył ruchy.

– Jeszcze raz, Mała. – Kolejny palec wsunął się delikatnie w moją pupę.

– O Boże! – krzyknęłam zaskoczona intensywnością doznania.

Jego język nerwowo ocierał się o pulsującą łechtaczkę, błądząc po niej w szaleńczym tempie. Następny orgazm przyszedł po kilku sekundach, a potem kolejny i kolejny. Urywały się i nadchodziły falami, dając mi skrajnie wyczerpującą przyjemność. Przed oczami jak film przelatywał mi Massimo – to stojący z bronią, skupiony i silny, to rozbawiony i beztroski. Otworzyłam oczy i popatrzyłam na niego. Jego wlepiony we mnie wzrok był zwierzęcy i przepełniony pożądaniem, które doprowadziło mnie na sam szczyt. Chwyciłam jego głowę, a gdy ostatni orgazm przeszył moje ciało, poczułam, jak paraliżują mnie skurcze mięśni. Opadłam z hukiem na stół, on zaś powoli się ze mnie wycofał.

– Grzeczna dziewczynka – syknął, zagryzając dolną wargę, po czym chwycił mnie za kostki i zsunął na skraj blatu.

Wokół nas rozlegała się przypominająca modlitwę rytmiczna muzyka, a ja kochałam go bardziej niż kiedykolwiek.

Nie odrywając ode mnie wzroku, ujął dłonią swoją nabrzmiałą męskość i nakierowując ją we właściwą stronę, powoli wszedł we mnie, obserwując moją reakcję.

– Mocniej – wyszeptałam niemal bezdźwięcznie.

– Nie prowokuj mnie, Mała. Wiesz, że nie mogę.

Tak cholernie brakowało mi agresywnego Massima. To było jedyne, czego nienawidziłam w ciąży – że od jakiegoś czasu nie mógł mnie zwyczajnie pieprzyć tak, jak lubiłam najbardziej. On także nie był w pełni usatysfakcjonowany, ale ważniejsze od dobrego rżnięcia było dla niego dobro dziecka.

Jęknął i pochylił głowę, kiedy wszedł we mnie cały. Po chwili jego biodra zaczęły ostrożnie i miarowo się poruszać. Kochał się ze mną, będąc paradoksalnie ucieleśnieniem delikatności i czułości. Reagował na każde moje westchnienie, każdy ruch głową. Pieścił palcami prawej dłoni moje sutki, co jakiś czas mocno je ściskając, a kciukiem lewej zataczał koła po nabrzmiałej łechtaczce. Połączenie bólu i rozsadzające wypełnienie dawało mi uczucie absolutnej nieważkości.

– Uderz mnie – poprosiłam, kiedy piosenka kolejny raz zaczynała się na nowo. Jego biodra zamarły. – Uderz mnie, donie! – krzyknęłam, gdy nie reagował.

Jego oczy rozbłysły furią, a dłoń powędrowała do mego gardła i zacisnęła na nim palce. Z ust wyrwał mi się krzyk pełen żądzy, a głowa odchyliła w tył. Czułam, że ma ochotę zerżnąć mnie mocno i brutalnie, ale wiedziałam, że tego nie zrobi. Przez chwilę analizował sytuację, aż w końcu jednym ruchem ściągnął mnie ze stołu, stawiając obok ściany i opierając o nią.

– Jak szmatę? – wysyczał, wkładając go kolejny raz we mnie, kiedy oparłam się czołem o kamień przede mną.

– Proszę. – Poczułam, jak w moim ciele na nowo budzi się rozkosz, kiedy złapał mnie jedną ręką za włosy, a drugą za szyję.

Nieważne było to, że jego ruch we mnie był powolny i delikatny, wszystko, co robił poza tym, rozpalało mnie do czerwoności. Przyduszał tak umiejętnie, że z trudem powstrzymywałam narastające podniecenie. Co jakiś czas odrywał dłoń od szyi, by boleśnie skarcić moje nabrzmiałe otarte brodawki. Jego zęby gryzły moje uszy, szyję, bark, nie dając mi szansy rewanżu.

Kiedy już czuł, że jest blisko, puścił mnie i przekręcił przodem do siebie.

– Siadaj – powiedział, wskazując niski podnóżek. Złapał mocno moją twarz w dłonie i kciukami rozwarł wargi. – Do samego końca, Mała. – Po tych słowach brutalnie i bez ostrzeżenia zaczął rżnąć moje usta, po chwili zalewając je potężną falą spermy. Dławiłam się, chwytając rozpaczliwie jego dłonie, ale nie przestawał, póki nie skończył. Jego ruch ustał, ale on nadal tkwił oparty kutasem o mój język.

– Łykaj – nakazał, patrząc mi lodowato w oczy.

Wykonałam jego polecenie, a wtedy puścił mnie i popchnął na kanapę.

– Kocham cię! – zawołałam z uśmiechem, kiedy odwrócił się w stronę ściany, by ściszyć muzykę.

– Wiesz, że większość dziwek nie jest tak zboczona jak ty? – zapytał, kładąc się obok i przykrywając nas miękkim kocem.

– A więc słabe z nich dziwki. – Wzruszyłam ramionami i zaczęłam delikatnie lizać jego sutki.

– Jutro mam wizytę u lekarza, mam nadzieję, że pozwoli nam już normalnie zachowywać się w łóżku.

Massimo wcisnął mnie pod swoją pachę, obejmując ramieniem.

– Ja też, bo nie mam pojęcia, jak długo jeszcze dam radę znosić te twoje prowokacje.

– No, nic nie poradzę, że lubię, jak mnie trochę boli.

Czarny obrócił się na bok, tak by widzieć moje oczy.

– Trochę? Kobieto, ja cię prawie udusiłem. – Głośno westchnął i znów położył się na plecach. – Czasem boję się tego, co wyzwalasz we mnie, Mała.

– To wyobraź sobie, jak ja się boję tego, jaką się staję przy tobie.

ROZDZIAŁ 9

– Dzień dobry. – Jego ciepły głos otulił mnie, nim zdążyłam otworzyć oczy.

Zamruczałam i wcisnęłam nos w jego klatkę piersiową, próbując wchłonąć zapach ledwo już wyczuwalnej wody toaletowej.

– Boli mnie szyja – powiedziałam, wciąż nie otwierając powiek.

– Pewnie dlatego, że spędziliśmy noc na kanapie.

Otworzyłam oczy spanikowana i dopiero widząc gigantyczne przybrane drzewko, przypomniałam sobie wczorajszy wieczór.

– Nie wiem, jak u was, ale u nas choinkę ubiera się w Wigilię, no ewentualnie dobę wcześniej, jak się dzieci uprą. Ale żeby od szóstego grudnia stała? – Ziewnęłam.

– Jeśli będziesz cieszyć się na jej widok, nakażę, by stała ubrana cały rok. Poza tym co miałem zrobić, okręcić dom wielką czerwoną wstęgą?

– Przede wszystkim nie musiałeś go kupować.

– Och, kochanie. – Przekręcił się na plecy i swoim zwyczajem wsadził mnie pod pachę, przyciskając ramieniem. – To inwestycja, a poza tym nie wiem, czy posiadłość w Taorminie jest najlepsza dla dziecka. Chciałbym mieć was dla siebie, a tam ciągle kręcą się jacyś ludzie.

– Ale jest tam także Olga. – Przekręciłam się i podniosłam lekko, opierając na łokciu. – Co ja mam tu robić sama?

Czarny usiadł i oparł się o sofę, zwracając twarz w moją stronę.

– Będziesz miała dziecko i mnie, to mało?

– W jego oczach pojawił się smutek. Pierwszy raz widziałam, jak wygląda Massimo, kiedy jest mu naprawdę przykro. Chwyciłam jego twarz w dłonie i oparłam swoje czoło o jego.

– Kochanie, ale ciebie ciągle nie ma. – Potarłam skronie ze zdenerwowaniem, szukając rozwiązania. – Zróbmy tak: jak urodzi się dziecko, będziemy mieszkać w posiadłości i zobaczymy. Jeśli się okaże, że masz rację, przeniesiemy się tu, a jeśli nie – zostanie tak, jak jest. I wtedy to miejsce stanie się wyłącznie moim azylem, no i miejscem rozpusty, kiedy będę już mogła się rżnąć na całego i pić.

Wyskoczyłam spod koca i odtańczyłam na dywanie dziki taniec radości uzależnionej od seksu alkoholiczki. Massimo przyglądał mi się z rozbawieniem, po czym chwycił na ręce i poniósł przez dom.

– A zatem naznaczmy każde miejsce tutaj, tak by kojarzyło ci się wyłącznie z rozpustą, którą ci zapewniam.

Kiedy podjechaliśmy na podjazd rezydencji w Taorminie, wyskoczyłam z samochodu i pobiegłam do jadalni. Jedzenie, jedzenie, jak mantrę powtarzałam w głowie jedno słowo. Nasz nowy dom faktycznie był cudowny, ale niestety nikt nie wpadł na to, by zapełnić lodówkę.

– Naleśniki! – zawołałam, wbiegając do pomieszczenia, gdzie przy wielkim stole siedziała Olga.

Popatrzyła na mnie znad komputera i ucieszona moim widokiem zamknęła go, odkładając na podłogę.

– Pamiętam dobre czasy, jak chciało ci się rzygać na samą myśl o jedzeniu. A teraz? Proszę, dupa rośnie.

– Nie dupa, tylko brzuch – wyburczałam, nakładając sobie zdecydowanie zbyt dużo. – Poza tym moja dupa jest tak mała, że jeśli urośnie nawet trochę, to się ucieszę.

Olga z uśmiechem nalała mi herbaty i dolała mleka, po czym wsypała dwie łyżeczki cukru do kubka.

– Dostałam rolexa – oznajmiła, machając mi przed twarzą ręką. – Różowe złoto, masa perłowa i diamenty. A ty co dostałaś?

– Dom – wymamrotałam między gryzami.

Ola zrobiła wielkie oczy i tak głośno przełknęła ślinę, jakby ktoś przyłożył jej do szyi mikrofon.

– Co do... sta... łaś...? – wyjąkała z niedowierzaniem.

– Dom, kurwa, głucha jesteś?

– Zajebiście, ja dostałam zegarek, a ty dom.
– I gdzie tu sprawiedliwość?

– Zajdź w ciążę z mafiosem, wyjdź za niego za mąż, a następnie toleruj apodyktycznego dupka wymachującego bronią, to dostaniesz zamek, gwarantuję.

Obie zaniosłyśmy się śmiechem, przybijając w górze piątkę.

– Co was tak bawi? – zainteresował się Massimo, wchodząc do pomieszczenia i siadając przy stole.

Ubrany był w czarny garnitur i czarną koszulę, co zwiastowało albo pogrzeb, albo pracę.

– Gdzie jedziesz? – Popatrzyłam na dona, odkładając widelec. – O trzynastej mam wizytę u lekarza.

– No i właśnie na nią jadę – odparł, nakładając sobie jajka.

– W stroju grabarza? – wypaliła Olga.

Czarny popatrzył na nią martwym wzrokiem, po czym wziął dzbanek z kawą i nalał płyn do filiżanki.

– Domenico chyba wali właśnie konia w sypialni. Może sprawdzisz, czy nie potrzebuje pomocnej dłoni? – zapytał, nawet na nią nie patrząc.

Olga parsknęła i oparła się o siedzenie, splatając ręce na piersiach.

– Doszedł tyle razy w ciągu ostatnich dwóch godzin, że szczerze wątpię, by mógł chodzić, ale to miłe, że troszczysz się o brata, Massimo. – Skończyła i posłała mu jeden ze swoich ulubionych sztucznych uśmiechów podszytych jadem.

– Dobra, skupmy się na mnie – powiedziałam, rozgarniając kłęby ciężkiej atmosfery. – Kto jedzie ze mną do lekarza?

– Ja! – wykrzyknęli oboje niemal chórem. Po czym popatrzyli na siebie wzrokiem, który powinien był ich spopielić.

– Super, to jedźmy wszyscy – odparłam.

Olga upiła łyk kawy i wstała z krzesła.

– Coś ty, żartowałam, chciałam tylko wkurwić Czarnego z rana, stęskniłam się. – Pocałowała mnie w czoło i wyszła.

– Jesteście jak dzieci – warknęłam, dokładając sobie kolejną porcję naleśników z nutellą.

U lekarza oboje z Czarnym siedzieliśmy jak na szpilkach. Choć, sądząc po wyrazie twarzy, doktor Ventura był zdecydowanie bardziej zdenerwowany. Nie ma się co dziwić, skoro tym razem Czarny postanowił zaszczycić jego gabinet, nie wychodząc ani na chwilę. Chciał mieć pewność, że lekarz nie zdradzi mi płci dziecka. Kiedy już przyszło do badania, a lekarz naciągnął prezerwatywę na USG, o mało ze złości nie stracił przytomności, uprzednio zabijając lekarza. Byłam tym ubawiona i zdenerwowana zarazem, bo to byłby już chyba mój trzeci lekarz. Massimo dzielnie jednak przetrwał całą wizytę, usiłując nie odrywać wzroku od monitora, ewentualnie zerkając tylko na moją twarz.

– Drodzy państwo – zaczął Ventura, siadając na fotelu ze zdjęciami USG i wynikami badań. – Zadzwoniłem do węgierskiego lekarza pani Laury, ponieważ nie miałem jasnego obrazu sytuacji. Przesłał mi całą brakującą dokumentację oraz swoje spostrzeżenia. Muszę przyznać, że zajął się panią wzorowo, choć faktycznie powodów do obaw trochę było. – Urwał i upił łyk wody. – Teraz natomiast wyniki są idealne, jest pani w świetnej formie, a dziecko rozwija się prawidłowo, jest duże i zdrowe. Pani serce doskonale sobie radzi z obciążeniem związanym z ciążą. Absolutnie nie mamy powodów do zmartwień.

– Doktorze Ventura. – Massimo zmrużył oczy, splatając palce na brzuchu.

– Tak, don Massimo? – wydukał przerażony lekarz.

– Dlaczego życie mojego dziecka było zagrożone?

– No cóż... – Lekarz chwycił w ręce dokumenty przed sobą i zaczął nerwowo przeglądać. – Z badań i obserwacji lekarza na Węgrzech oraz z informacji, jakie posiadam, wynika, że pańska małżonka przeżyła ogromny stres. Prawdopodobnie trwał on dłużej niż dzień czy dwa i serce nie wytrzymywało tego stanu. Organizm zaczął się buntować i mówiąc oględnie, odrzucał płód jako zagrożenie i coś, co zabiera energię życiową.

– Ale teraz już nic się nie dzieje? – zapytałam, gładząc Massima po dłoni i patrząc jednocześnie na lekarza.

– Tak, wszystko jest w najlepszym porządku.

– A seks? – Czarny ponownie przeszył Venturę wzrokiem mordercy.

Myślę, że nawet jeśli powinnam pościć do końca ciąży, w tym momencie lekarz nie odważyłby się powiedzieć mu tego.

– Jeśli pyta pan, czy są przeciwskazania, to nie, nie ma.

– I każda intensywność, że tak powiem, jest dozwolona? – dopytywałam z oczami w podłodze.

Uniosłam wzrok i zobaczyłam, jak doktor wodzi wzrokiem, patrząc to na mnie, to na Massima.

Boże, pomyślałam, jeśli będziemy tak się pierdolić z tematem jak matka z łobuzem, to w życiu się nie dowiem i będę jeszcze przez prawie pół roku dymana należycie tylko w połowie. Wzięłam głęboki oddech.

– Panie doktorze, zapytam wprost: lubimy ostry seks, możemy go uprawiać?

Twarz Ventury poczerwieniała, on sam zaś wydawał się szukać odpowiedzi w papierach, którymi się zasłonił. Mimo że był ginekologiem i tego rodzaju rozmowy odbywał kilka razy dziennie, niezbyt często pewnie rozmawiał z głową rodziny mafijnej o tym, jak mocno chce pieprzyć swoją żonę.

– Możecie państwo uprawiać każdy seks, jaki chcecie.

Massimo z gracją podniósł się z krzesła i pociągnął mnie za sobą w stronę drzwi tak szybko, że nawet nie zdążyłam się pożegnać. Niemal wybiegliśmy na ulicę, gdzie chwycił mnie i przyparł do pierwszej napotkanej ściany.

– Chcę cię pierdolić... teraz! – wysapał wprost w moje usta, zamykając je zachłannym pocałunkiem. – Zerżnę cię tak, żebyś poczuła, jak bardzo za tym tęskniłem. Chodź. – I ciągnąc mnie za rękę, pobiegł w stronę samochodu, po czym wrzucił mnie do środka, a sam się nieomal teleportował, tak że nim zdążyłam zapiąć pas, pędził już wąskimi uliczkami w kierunku autostrady.

Po kilkunastu minutach minął nasz zjazd, jadąc na Messynę. Wiedziałam, dokąd mnie porywa, i cieszyłam się na myśl o pieprzeniu w absolutnej prywatności nowego domu. Bez obsługi, ochrony ani zboczonej przyjaciółki – tylko ja i on.

– Mam dla ciebie jeszcze jedną niespodziankę – powiedział, otwierając wielką bramę pilotem.

Obrzucił mnie lodowatym wzrokiem, czekając na możliwość wjazdu. Na jego wargach błąkał się cwaniacki blady uśmiech, a dłonie mocno zaciskały na kierownicy. Kiedy wreszcie brama otworzyła się na tyle, by BMW mogło przejechać, z piskiem opon ruszył wzdłuż podjazdu, zatrzymując się pod samymi drzwiami.

Wyskoczył z auta, szarmancko otworzył moje drzwi i wyciągnął mnie jak worek, chwytając w ramiona.

Kiedy dopadliśmy do drzwi wejściowych, włożył klucz do zamka i przekręcił, nie puszczając mnie ani na sekundę. Po czym kopniakiem je zamknął i ruszył na górę szerokimi imponującymi schodami, które po wejściu do domu wprost biły po oczach.

– Najpierw cię umyjemy – oznajmił, stawiając na podłodze w pięknej, klimatycznej łazience. – Nie mogę znieść zapachu innego mężczyzny na twoim ciele.

Wybuchnęłam śmiechem. Nie sądziłam, że gumowa prezerwatywa albo głowica od USG mają w ogóle jakiś zapach.

– Massimo, to tylko lekarz.

– To facet, podnieś ręce. – Pospiesznie zdjął ze mnie kaszmirowy sweterek, który miałam na sobie, a potem stanik, spódnicę i figi. Wszystko wylądowało na podłodze. – Moje! – mruknął, omiatając dzikim spojrzeniem moje nagie ciało.

– Tylko twoje – przytaknęłam, kiedy stawiał mnie pod ciepłą wodą.

– Masz trzy minuty. – Odwrócił się i wyszedł z łazienki.

Byłam zaskoczona; spodziewałam się grzmocenia pod prysznicem albo chociaż zabawiania się z mydłem, a tu takie rozczarowanie. Wydusiłam odrobinę żelu i zaczęłam namydlać ciało.

– Trzy minuty minęły – oświadczył po chwili, stając w progu.

Kurwa, myślałam, że te trzy minuty to metafora. Spłukałam się pospiesznie.

– Gotowa! – Rozłożyłam szeroko ręce, prezentując nagą umytą skórę.

Massimo podszedł, zdejmując po drodze koszulę, i zaciągnął się zapachem parującym ze mnie.

– Zdecydowanie lepiej – powiedział, z zadowoleniem obejmując mnie w pasie i biorąc na ręce.

Zaniósł mnie do sypialni, gdzie mimo iż był środek dnia, panował przyjemny półmrok.

W krajach śródziemnomorskich najbardziej podobało mi się to, że w każdym oknie montuje się zaciemniające elektryczne rolety. Lubiłam ciemność; Martin zawsze mi powtarzał, że to wampirza, depresyjna cecha, której nienawidził.

W pomieszczeniu stało gigantyczne, wsparte na czterech kolumnach łóżko, nad którym rozciągał się czarny baldachim. Przed nim stała nieduża ławeczka obita grafitową pikowaną satyną, identycznej długości jak materac, po bokach drewniane, nocne szafki z ręcznie zdobionymi frontami, a w rogu do kompletu komoda, na której ustawione były świece. Wszystko ciemne, ciężkie i bardzo stylowe.

Ułożył mnie na miękkim materacu, zrzucając na podłogę kilkadziesiąt leżących na nim poduszek.

– Niespodzianka – powiedział, sięgając do jednej z kolumn i wyciągając zza niej łańcuch z miękką opaską na nadgarstek.

Przed oczami jak film przeleciały mi sceny sprzed kilkunastu tygodni, kiedy przykuł mnie do łóżka i kazał oglądać występ w wykonaniu obciągającej mu Weroniki.

– Nic z tego. – Zerwałam się z łóżka, dezorientując go kompletnie.

– Nie drażnij się ze mną, Mała – syknął, łapiąc mnie za kostkę.

– Jesteś mi winien trzydzieści dwie minuty, teraz chcę je odebrać.

Puścił moją nogę, przyglądając mi się z zaciekawieniem.

– A co, może już nie pamiętasz? – Zmrużyłam oczy, cofając się. – W noc poślubną dostałam godzinę, wykorzystałam trochę więcej niż połowę. Obiecałeś, że będę miała sześćdziesiąt minut, więc teraz ty się połóż. – Wskazałam miejsce, w którym jeszcze chwilę wcześniej sama tkwiłam.

Oczy Czarnego płonęły pożądaniem, a szczęki rytmicznie zaciskały się, kiedy zagryzał dolną wargę. Położył się na plecach na samym środku materaca i uniósł ręce na boki, kierując je w stronę słupów. Byłam zdziwiona i zaskoczona jego uległością, ale wolałam kuć żelazo póki gorące, i nie czekając, aż się rozmyśli, zacisnęłam więzy na jego nadgarstkach.

– Po bokach zapięć są takie niewielkie zatrzaski – poinstruował mnie, spoglądając na prawą rękę. – Musisz nacisnąć to dwoma palcami, żeby się rozpięło. Spróbuj.

Zrobiłam grzecznie, o co prosił, wiedząc, że chce mnie nauczyć czegoś, co za kilkanaście minut może mi się przydać. Faktycznie, mechanizm był dość prosty, natomiast na tyle skomplikowany, że samodzielne uwolnienie się z więzów było niemożliwe.

– Sprytnie – powiedziałam, na powrót zapinając opaskę.

– Dziękuję, sam to wymyśliłem.

– Czyli znasz sposób, by się uwolnić?

Massimo zamarł, a przez jego twarz przebiegł cień niepokoju.

– Z tego nie da się uwolnić. Nigdy nie zakładałem, że będę tym unieruchomiony.

Kilka sekund zastanawiałam się, czy mówi prawdę, ale spojrzawszy w jego lekko przerażone oczy, wiedziałam, że nie kłamał. Ucieszyło mnie to i wystraszyło jednocześnie. Dobrze wiedziałam, co chce zrobić, wiedziałam także, że Czarny w życiu się na to nie zgodzi, a kiedy go uwolnię – co było nieuniknione – zemści się srodze.

– Czy jest coś, czego mi nie wolno? – spytałam, z wolna ściągając jego spodnie i w duchu modląc się, by nie wpadł na to, co zamierzałam zrobić.

Massimo myślał przez chwilę i kiedy nie przyszło mu nic do głowy, pokręcił nią przecząco.

– Doskonale. – Jego bokserki razem ze spodniami wylądowały na podłodze, a ja pochyliłam się nad nim.

Chwyciłam dłonią jego męskość, przesuwając po niej dłonią powoli w dół i w górę. Czarny jęknął i oparł głowę o poduszki, zamykając oczy. Lubiłam, kiedy był wyluzowany, a przy tym, co chciałam zrobić, potrzebował sporo luzu. Poczułam, jak jego kutas twardnieje mi w dłoni, a oddech przyspiesza.

Nie spuszczając wzroku z jego oczu, końcem języka zatoczyłam leniwe kółko wokół szparki na jego czubku. Głośno wciągnął powietrze, nie wypuszczając go, póki mój język dotykał jego fiuta. Był rozgrzany do czerwoności, czułam po smaku, jak bardzo chciał mnie mieć.

Nie zamierzałam się jednak spieszyć. Zgodnie z umową miałam jeszcze całe pół godziny i zamierzałam je wykorzystać co do minuty. Objęłam wargami główkę i powoli obsuwałam się po niej, tak aby czuć każdy wsuwający się centymetr. Biodra Czarnego uniosły się w górę, jakby chciał przyspieszyć dotarcie do samego końca, ale unieruchomiłam je dłońmi.

Gdy kontynuowałam powolną pieszczotę, Massimo mamrotał coś niezrozumiale. Kiedy wreszcie jego penis wszedł w całości, opierając się o moje gardło, z jego ust wyrwał się przeciągły jęk, a łańcuchy otarły o drewniane belki. Ponownie uniosłam głowę i powtórzyłam niespieszną torturę. Don wiercił się i prowokował mnie, bym przyspieszyła, ale to tylko spowalniało moje ruchy. Uniosłam się, wspierając na rękach, i przygryzłam jego brodawkę, słuchając z zadowoleniem syku, jaki wydobywał się z jego ust. Całowałam jego klatkę, pieściłam ramiona, co jakiś czas ocierając kroczem o nabrzmiałego kutasa. Wiedziałam, jak bardzo się męczy, mimo jego zamkniętych oczu doskonale zdawałam sobie sprawę, jak w tym momencie wyglądają jego źrenice. Przesunęłam językiem wzdłuż jego szyi, aż do zaciśniętych mocno warg. Powoli wsunęłam wskazujący palec do jego ust, nieco je rozchylając.

– Massimo? – zapytałam szeptem. – Jak bardzo mi ufasz?

Czarny otworzył oczy i wbił we mnie owładnięte żądzą spojrzenie.

– Bezgranicznie. Weź go do buzi.

Zaśmiałam się tylko szyderczo i przejechałam językiem jego wyschnięte wargi. Próbował złapać go zębami, ale byłam szybsza.

– Chcesz, żebym ci obciągnęła? – Prawą ręką mocno złapałam jego członek, a lewą chwyciłam za szczękę. – Poproś! – nakazałam przez zaciśnięte zęby.

– Nie przeginaj, Mała – warknął wprost w moje usta, nadal usiłując je złapać.

– Dobrze, donie, to będzie najlepsza laska w twoim życiu.

Wypuszczając penis z dłoni, zaczęłam się wolniutko obniżać, aż znalazłam się głową tuż nad jego twardym jak stal fiutem, po czym objęłam go ustami i zaczęłam mocno ssać. Chyba jeszcze nigdy nie robiłam laski z taką prędkością. Czarny pojękiwał, mamrotał i szarpał za więzy.

– Rozluźnij się, kochanie – powiedziałam, oblizując wskazujący palec i wsuwając go między jego pośladki.

Ciało Massima zesztywniało, a on sam przestał oddychać.

Moja ręka nie zdążyła się nawet zbliżyć o centymetr, gdy potężne dłonie Czarnego chwyciły mnie, obracając na plecy. Zaskoczona leżałam pod nim, patrząc na jego wściekłe czarne oczy. Wisiał tak nade mną bez słowa, przeszywając mnie na wylot spojrzeniem. Głośno przy tym dyszał, a jego czoło rosił pot.

– Nie podobało ci się, kochanie? – zapytałam słodko, robiąc głupiutką minkę.

Don nadal milczał, dysząc nade mną, a jego dłonie coraz mocniej zaciskały się na moich nadgarstkach.

Zamknęłam oczy, nie chcąc już dłużej patrzeć na jego gwałtowną reakcję, i wtedy poczułam, jak zapina mi więzy. Po czym materac ugiął się i kiedy otworzyłam oczy, odkryłam, że jestem sama. Z łazienki dobiegał szum wody płynącej pod prysznicem. Zajebiście, w połowie akcji poszedł się umyć, pomyślałam. Czy aż tak bardzo przegięłam? Nie chciałam zrobić mu krzywdy, a jedynie udowodnić coś w dość niekonwencjonalny sposób. Czytałam kiedyś o męskiej anatomii i dowiedziałam się, że pewne eksperymenty mogą być dla facetów równie przyjemne, co dla kobiet, a nawet bardziej. No, może nie dla najbardziej męskiego faceta na ziemi, ale większości pewnie sprawiłyby przyjemność.

– Ostatni raz miałaś nade mną kontrolę – usłyszałam głos, który wyrwał mnie z rozmyślań.

Massimo stał na progu, ociekając wodą, a jego klatka nadal falowała w zastraszającym tempie.

– Jak się uwolniłeś? – zapytałam, zmieniając niewygodny temat. – I po co myłeś się w trakcie...

Uśmiechnął się cwaniacko i podszedł do mnie, stając tak blisko, że jego fiut triumfalnie sterczał kilka centymetrów od mojej twarzy.

– Chyba nie sądzisz, że powiem ci to teraz, kiedy zamierzam zerżnąć cię tak mocno, że będziesz chciała uciec, a twój krzyk usłyszą w Warszawie. – Chwycił moją głowę i wsadził mi do ust twardego penisa. – Ssij mocno – powiedział, wprawiając biodra w szaleńczy pęd. – I nie myłem się, tylko próbowałem ostudzić zimną wodą.

Przyduszał mnie swoją grubością, wkładając go tak głęboko, iż momentami miałam wrażenie, że dociera do żołądka. Przez chwilę zwalniał, czule gładząc kciukami moją twarz, ale zaraz przyspieszał, traktując mnie jak prywatną dziwkę.

Nagle rozdzwoniła się jego leżąca na stoliku nocnym komórka. Czarny zerknął na wyświetlacz i odrzucił połączenie, po chwili jednak buczenie rozbrzmiało na nowo. Massimo warknął kilka słów po włosku i chwycił telefon w rękę, nie przerywając ruchu biodrami.

– To Mario, muszę odebrać, a ty ssij mocniej – wydyszał, odpinając mi jedną rękę, tak abym mogła załapać nasadę jego penisa.

Wiedział, że mnie to podnieca. Zdawał sobie sprawę, że uwielbiam przeszkadzać mu w służbowych rozmowach. Mocno zacisnęłam na nim dłoń, jeszcze głębiej biorąc go do ust.

– Jezu... – szepnął, biorąc potężny wdech, i przyłożył telefon do ucha.

Starał się nie odzywać, tylko słuchał, co jakiś czas uspokajając dyszenie. Jego kolana drżały, a ciało oblewał zimny pot. Wolną ręką oparł się o drewnianą konstrukcję łóżka; wiedziałam, że jest blisko. Po kilkudziesięciu męczących sekundach rozmowy, a raczej monologu Maria, wyrzucił z siebie dwa zdania przez zaciśnięte zęby i cisnął telefon na szafkę.

Chwycił mnie i przekręcił, rozpiął zapiętą dłoń i raz jeszcze przesunął. Sięgnął po opaski i ponownie zakuł, ale tym razem leżałam na brzuchu.

– Masz szczęście, Mała, że nie mam tyle czasu, ile zakładałem – powiedział, unosząc moje biodra tak, że miałam mocno wypięte pośladki, a twarz zanurzoną w poduszce. – Musimy się pospieszyć.

Skończył mnie ustawiać i sięgnął ręką do szuflady nocnej szafki. Wyciągnął z niej coś i kolanem mocno rozchylił moje zgięte nogi.

– Teraz ty się rozluźnij – szepnął, pochylając się nade mną i lekko gryząc w kark.

Po czym zsunął się, a jego język zagłębił w mojej spragnionej jego ust cipce. Jęknęłam z rozkoszy i mocniej wypięłam biodra. Po chwili znalazłam się na skraju rozkoszy, wtedy przerwał i ukląkł tuż za mną. Delikatnie głaskał mój pośladek, a drugą rękę wsunął w moje włosy i energicznie za nie szarpnął. Odchyliłam głowę i wtedy poczułam, jak mocno uderza mnie w tyłek. Krzyknęłam; jego uchwyt na moich włosach wzmocnił się, a ręka uderzyła kolejny raz. Czułam, jak piecze mnie skóra, a miejsce po uderzeniu pulsuje.

– Rozluźnij się, powiedziałem.

Jego twardy członek wdarł się we mnie brutalnie i mocno, a ja poczułam, że odlatuję. Dopiero w tej chwili uświadomiłam sobie, jak bardzo tęskniłam za moim władczym kochankiem. Puścił moją głowę i mocno złapał biodra, nacierając raz po raz z coraz większym impetem.

– Tak! – krzyczałam oszołomiona doznaniem.

Massimo głośno oddychał, a jego palce wbijały się w moje ciało. Nagle jedna ręka zwolniła uścisk i sięgnęła po coś leżącego obok jego nogi.

Dookoła rozbrzmiał dźwięk cichej wibracji. Chciałam zobaczyć, co to, ale nie byłam w stanie odwrócić się do niego, zdołałam jedynie przekręcić głowę na bok.

– Otwórz usta – powiedział, nie przerywając.

Rozchyliłam usta, a on wsadził do nich coś gumowego i tylko trochę grubszego od palca. Po kilku sekundach wyjął i delikatnie zaczął pocierać moje tylne wejście. Domyślałam się, co to, rozluźniłam się więc, choć nie było to łatwe przy brutalnych pchnięciach jego bioder.

Poczułam, jak niewielki wibrator, który jeszcze przed chwilą miałam w ustach, wsunął się w moją pupę. Kiedy rozkosz rozlała się po moim ciele, głośno krzyknęłam. Jego rytmiczny ruch i wibrowanie we mnie nieuchronnie zbliżało mnie do celu: potężnego orgazmu, którego nie mogłam się doczekać.

Przytrzymując koreczek wewnątrz mnie, ponownie uderzył mnie w pośladek i zaczął szczytować. Kiedy poczułam, jak wybucha wewnątrz mnie, dołączyłam do niego, dziękując w duchu, że dom jest pusty. Ciszę rozdzierały tylko nasze głośne krzyki i klaśnięcia bioder uderzających o pośladki. Szczytowaliśmy razem, długo i intensywnie, aż w pewnym momencie poczułam, jak moje ciało wiotczeje i traci siły. Rozłożyłam szeroko kolana i opadłam bezwładnie na materac, czując, że Massimo idzie w moje ślady, ale opiera się na łokciach, tak by mnie nie zgnieść.

Jednym wprawnym ruchem rozpiął moje nadgarstki i osunął się na bok, nakrywając mnie w pasie nogą. Odgarnął mokre włosy z mojej spoconej twarzy i delikatnie mnie pocałował.

– Czy możesz już to ze mnie wyciągnąć? – wymamrotałam, czując, że nadal wibrują mi pośladki.

Massimo zaśmiał się i sięgnął ręką po magiczny koreczek. Jęknęłam, gdy poczułam, że opuszcza moje ciało i milknie.

– Dobrze się czujesz? – zapytał z troską.

Nie mogłam myśleć ani mówić, ale wiedziałam, że ja i dziecko czujemy się wyśmienicie.

– Doskonale.

– Uwielbiam cię pieprzyć, Mała.

– Tak za tobą tęskniłam, donie.

Po wzięciu prysznica wskoczyłam do łóżka otulona miękkim szlafrokiem. Massimo wszedł do pokoju owinięty w ręcznik i podał mi szklankę zimnego kakao.

– Jeszcze dwa miesiące temu dostałabym szampana – westchnęłam z rozczarowaniem, biorąc napój.

Czarny wzruszył przepraszająco ramionami i ściągnął ręcznik, wycierając nim włosy.

Boże kochany, jakiż on jest piękny, pomyślałam, niemal krztusząc się kakaowym płynem. To niesprawiedliwe, straszne i przerażające, że mężczyzna może być tak doskonały. Minęły już prawie cztery miesiące, a ja nadal nie nasyciłam się jego widokiem.

– Musimy wracać – stwierdził oschle. – Jeszcze dziś powinienem być w Palermo.

Usiadłam, upijając łyk, i wykrzywiłam usta.

– Nie patrz tak, kochanie, muszę popracować, jest mały kłopot w jednym z hoteli. Ale mam pomysł – dodał, siadając obok. – Za parę dni jest gala, na którą jedziemy, może więc polecisz wcześniej do Polski, zobaczysz się z rodzicami, a ja przyjadę najszybciej, jak to możliwe?

Na dźwięk słowa „rodzice" ucieszyłam się, a później zerknęłam na mój rosnący brzuch. Mamie z pewnością nie umknie to, że utyłam – i to sporo.

– Weźmiesz ze sobą Olgę, bo Domenico musi jechać z nami. Samolot jest do twojej dyspozycji, możesz wylecieć, kiedy tylko masz ochotę.

Siedziałam skonsternowana, smutna i wesoła zarazem.

– Co się dzieje, Massimo?

Obrócił się i popatrzył na mnie, wstając. Jego oczy były spokojne i bez wyrazu.

– Nic, Mała. – Przejechał kciukiem po mojej dolnej wardze. – Muszę popracować, ubieraj się.

Wróciliśmy do rezydencji, a Czarny po czułym pożegnaniu zniknął w bibliotece. Stałam przed drzwiami oparta o ścianę i gapiłam się na klamkę. W głowie wirowały mi setki myśli, a do oczu napływały łzy. Co się ze mną dzieje, pomyślałam, nie widzę go dopiero od minuty, a już tak tęsknię. Delikatnie chwyciłam klamkę, naciskając ją wolno i uchylając drzwi.

W pomieszczeniu przy oknie stał don zwrócony w stronę Domenica, który pokazywał mu coś małego trzymanego w rękach. Mój wzrok powędrował na przedmiot i zamarłam. O Boże, to było pudełko z pierścionkiem, czyżby Młody planował oświadczyć się Oldze? A może jest coś, o czym mi nie mówią? Oszołomiona nabytą wiedzą, a raczej jej brakiem, postanowiłam nie przeszkadzać im i pójść do siebie.

Usiadłam na tarasie i otulona kocem patrzyłam na zachód słońca. Wcale nie było mi chłodno, na dworze było kilkanaście stopni powyżej zera, ale ja lubiłam się przykrywać. Nie chcę jechać do zimnej Polski, pomyślałam. Nie bez niego i nie kiedy mam stawić czoła mamie. Z jednej strony chciałam zobaczyć rodziców, ale z drugiej ta konfrontacja nie była im potrzebna.

Popijając herbatę, układałam w głowie plan. Najważniejsze jest ubranie, tak żeby nie było widać brzucha. Ze wzrostem wagi poradzę sobie bajeczką o zbyt dużej ilości makaronów i pizzy.

Chwalić Boga, już nie rzygam, pomyślałam, bo symulowanie permanentnego zatrucia wzbudziłoby podejrzenia mojej bystrej rodzicielki. Nagle spanikowałam: w co ja się ubiorę!? Przecież nie mam nic takiego – tu nie muszę kryć się z ciążą. Zmęczona rozmyślaniami wsadziłam głowę między zgięte kolana.

– Nigdy nie zajdę w ciążę – usłyszałam głos zbliżającej się Olgi. – Co ja bym zrobiła bez alkoholu?

Przerażona tą myślą usiadła na fotelu obok, kładąc nogi na stolik.

– Chyba muszę się napić – oświadczyła.

– Chyba nie – powiedziałam, odstawiając kubek. – Wyjeżdżamy.

– Kurwa, znowu? Dokąd i po co? Przecież dopiero co przyjechałyśmy – zawyła żałośnie, wznosząc wzrok ku niebu.

– Do Polski kochana, do ojczyzny. Myślę, że rano wylecimy. Co ty na to?

Myślała przez chwilę, rozglądając się na boki, jakby czegoś szukała.

– Idę się ruchać. – Pokiwała stanowczo głową.

– A masz z kim? – zapytałam przekornie, wiedząc, że Domenico jest z Mariem i Massimem.

– A nie mam? Zdrzemnęłam się godzinkę, a Młody w tym czasie zniknął, poszukam go i do dzieła.

Podniosłam się i poskładałam koc, odkładając go na fotel.

– Obawiam się, że nie masz. – Wzruszyłam ramionami, wydymając dolną wargę. – Interesy! Dzisiejszej nocy skazana jesteś na mnie, chodź.

ROZDZIAŁ 10

Olo poszła zapakować walizki, a ja mimo usilnej próby zmuszenia się do tej czynności, nie dałam rady. Przegrywając wojnę z własnym lenistwem po raz trzeci dzisiejszego dnia, postanowiłam wziąć prysznic. Nie to, że czułam się brudna, ale zwyczajnie miałam ochotę postać pod ciepłą wodą.

Weszłam do ogromnej łazienki i odkręciłam wszystkie dysze, w kilkanaście sekund napełniając całe pomieszczenie parą. Wzięłam do ręki telefon i połączyłam go z głośnikiem stojącym na toaletce. Po chwili rozległo się *Silence* Delerium. Wsunęłam się pod wodę i zamknęłam oczy, uspokajający szum rozluźniał mnie, a brzmiąca wokół muzyka relaksowała. Oparłam ręce o ścianę, pozwalając, by ciepły strumień płynął po moim ciele, wyciszając napływ myśli.

– Tęskniłem – usłyszałam głos tuż za moim uchem.

Przestraszyłam się, mimo że wiedziałam, kto za mną stoi. Nie był to jednak lęk przed tym, co się stanie, lecz reakcja na nieoczekiwany dźwięk.

– Uważam, że nasze pożegnanie nie było dostatecznie czułe – powiedział, chwytając mnie za biodra.

Wciąż stojąc do niego tyłem, złapałam dłońmi za poprzeczne rurki, które po włączeniu odpowiedniego przycisku zmieniały się w bicze wodne. Zacisnął swoje dłonie na moich, błądząc wargami i zębami po ramionach, szyi, aż dotarły do ust. Jego język, wdarłszy się do środka, delikatnie splótł z moim. Był nagi, mokry i już, kiedy stanął za mną, bardzo gotowy. Ugiął nieco kolana i jednym wprawnym ruchem nabił mnie na swojego wielkiego sterczącego kutasa. Jęknęłam, opierając tył głowy o jego muskularną klatkę. Dłonie Czarnego powędrowały na moje nadwrażliwe piersi, ugniatając je miarowo, a biodra zataczały leniwe koła. Czułam, jak rośnie we mnie pożądanie; moje ciało spinało się i rozluźniało w rytm jego ruchów.

– Chyba nie sądzisz, że przyszedłem tu poocierać się o ciebie. – Zęby Massima boleśnie zagryzły moje ucho.

– Taką mam nadzieję, don Torricelli.

Chwycił mnie brutalnie, wynosząc spod prysznica, i postawił przed wielką umywalką z lustrem. Po czym oparł moje nagie ciało o zimny blat obok niej i szarpnął za włosy tak, że zobaczyłam go w ogromnej tafli.

– Patrz na mnie – warknął, ponownie we mnie wchodząc.

Wolną ręką mocno złapał moje biodra i zaczął pieprzyć w szalonym tempie. Owładnięta rozkoszą przymknęłam w ekstazie powieki. Odpływałam.

– Otwórz oczy! – wrzasnął.

Popatrzyłam na niego i zobaczyłam obłęd; mimo że widziałam, iż się kontroluje, podniecało mnie to. Chwyciłam blat umywalki, aby unieruchomić ciało, i delikatnie rozchyliłam usta, oblizując je.

– Mocniej, donie – szepnęłam.

Na ciele Czarnego pojawiła się siateczka nabrzmiałych żył, a mięśnie napięły tak, że mógłby robić za manekina na lekcji anatomii. Zagryzając wargi, nie odrywał ode mnie swych czarnych, świdrujących oczu.

– Jak sobie życzysz. – Tempo, które nadał swoim ruchom, było dla mnie zabójcze. Po chwili poczułam, jak w moim podbrzuszu rozlewa się rozkosz. – Jeszcze nie, Mała – wycedził przez zęby.

Niestety, jego zakaz brzmiał dla mnie jak rozkaz. Zaczęłam dochodzić wpatrzona w jego spojrzenie z głośnym jękiem przechodzącym w krzyk. Nawet na chwilę nie zwolnił i po paru sekundach doszłam po raz drugi. Dyszałam, a moim ciałem wstrząsały dreszcze.

– Klękaj – powiedział, kiedy opadłam na umywalkę.

Nie mogąc złapać tchu, wykonałam jego polecenie, a on wszedł w moje usta, trzymając mnie mocno za głowę. Nie pieprzył ich jednak, tylko delikatnie się wsunął i pozwolił mi nadać tempo. Po jego smaku połączonym z moim czułam, że jest blisko, dostosowałam się więc do niego i obciągałam mu łapczywie i głęboko.

Pośladki Czarnego napinały się, a usta nie nadążały za oddechem. Wyciągnął ze mnie penisa i głośno doszedł, oblewając ciepłą spermą mokre piersi. Patrzył na mnie, wylewając z siebie całą zawartość. Odchylona do tyłu i mocno wypięta, jęczałam, jedną ręką pocierając jego ciężkie jądra.

Gdy skończył, oparł dłonie o marmurowy blat za mną.

– Wykończysz mnie kiedyś, Mała – powiedział, dysząc.

Zaśmiałam się, rozcierając lepką wydzielinę po swoich piersiach i spoglądając na niego z ukosa.

– Myślisz, że to takie proste? – powiedziałam.

– Myślisz, że nie próbowali?

Powtórzyłam jego słowa z pierwszej nocy, kiedy usiłowałam zastrzelić go nieodbezpieczoną bronią.

Usta Czarnego ułożyły się w cwaniacki uśmiech, a dłonie powędrowały ku mojej twarzy.

– Umiesz słuchać. To miłe i niebezpieczne zarazem.

Podniosłam się i stanęłam przed nim, mocno przywierając do jego wspaniale zbudowanego, umięśnionego ciała.

– Nie lubię się z tobą żegnać, Massimo – powiedziałam niemal z płaczem.

– Dlatego nie będziemy się żegnać, kochanie. Wrócę, zanim zdążysz zatęsknić. – Ścierał ręcznikiem resztki spermy, delikatnie całując mnie w usta. – Samolot masz o dwunastej, po południu będziecie na miejscu. Odbierze was Sebastian, ten sam chłopak, który woził cię ostatnio. Numer do Karola masz zapisany w komórce, jeśli będziesz czegoś potrzebować, dzwoń do niego. Do czasu mojego przyjazdu zaopiekuje się tobą.

Popatrzyłam na niego przerażona, bo instrukcje, które wypowiadał, brzmiały, jakby coś mi groziło. Wszystko, co robił, było podejrzane – nagły wyjazd, odesłanie mnie do Polski. Massimo sporadycznie pozwalał mi oddalać się od siebie.

– Don, co się dzieje? – Milczał i nadal wycierał mi piersi. – Kurwa, Massimo! – krzyknęłam, wyrywając mu ręcznik.

Opuścił ręce wzdłuż ciała i przeszył mnie gniewnym spojrzeniem.

– Lauro Torricelli, ile razy mam ci powtarzać, że nic się nie dzieje. – Chwycił moją twarz w dłonie i mocno pocałował. – Kocham cię, Mała, i za trzy dni będę przy tobie. Obiecuję. A teraz nie złość się, bo mój syn tego nie lubi. – Pogładził dłonią dół mojego brzucha, uśmiechając się wesoło.

– Córka.

– Oby nie była taką złośnicą, jak jej mama. – Odskoczył, bo wiedział, że po tych słowach dostanie cios.

Biegałam za nim naga, usiłując zdzielić go mokrym ręcznikiem, ale był szybszy. A kiedy wbiegłam do sypialni, chwycił mnie i powalił na łóżko, wciskając pod kołdrę.

– Dopełniasz mnie, Mała. Dzięki tobie co dzień budzę się, by żyć, a nie tylko egzystować. – Popatrzył na mnie wzrokiem pełnym ciepła i miłości. – Każdego dnia dziękuję Bogu, że prawie umarłem. – Zbliżył usta i delikatnie pieścił nimi moje. – Naprawdę muszę już jechać, dzwoń do mnie, jeśli coś się będzie dziać.

Wstał i poszedł do garderoby, wracając po kilku minutach w standardowym czarnym garniturze i koszuli tego samego koloru. Raz jeszcze mnie pocałował i zniknął na schodach.

Obudziłam się zaskakująco wcześnie. Kiedy spojrzałam na zegarek, okazało się, że jest siódma. Poleżałam kilkanaście minut, oglądając telewizję, i poszłam do łazienki. Czwarty już raz w ciągu ostatnich dwudziestu czterech godzin wzięłam prysznic i umyłam głowę; miałam czas. Nie wiedzieć po co, bo przecież Massimo wyjechał, ułożyłam skrzętnie włosy na szczotę i pomalowałam oczy.

Siadłam na dywanie w garderobie i jęknęłam, wyczerpana na samą myśl, że mam się spakować. Oczywiście, Maria mogła to za mnie jak zwykle zrobić, jednak tym razem musiałam bardzo precyzyjnie dobrać strój. Przerzucałam kolejne ubrania, grzebiąc w stertach markowych ciuchów. Niestety, większość moich ulubionych rzeczy raczej podkreślała brzuszek, niż go maskowała. O ile na Sycylii lubiłam go eksponować, o tyle w Polsce najchętniej ubrałabym się w namiot. Boże, jak by to było cudownie móc powiedzieć o dziecku całemu światu, pomyślałam, siadając w wielkim kopcu koszul, koszulek, bluzek i sukienek.

– Wyprzedaż? – zapytała Olga, stając w progu z kubkiem kawy. – Biorę wszystko!

– Kurwa, Olo! – krzyknęłam przeraźliwie, tonąc w usypanej górce. – Czy ty wiesz, że ja za bardzo nie mam co zabrać? Mało tego, ja nie mam nawet zimowych ciuchów, bo tu przecież nie ma zimy.

Ola energicznie odstawiła kubek na stolik i okrążywszy mnie z wrzaskiem, po chwili powiedziała drwiąco:

– Jakie to straszne! Będziemy musiały iść na zakupy. – Padła na kolana obok. – Jezu i co my teraz poczniemy?!

Patrzyłam na nią zirytowana, wiedząc, że nabija się ze mnie, a ja naprawdę nie potrzebowałam już więcej ciuchów.

– Spierdalaj – syknęłam, ładując do walizki kilka rzeczy, które wybrałam. – Dobrze, że w buty się mieszczę – powiedziałam, przytulając kozaki od Givenchy. – Jesteś gotowa?

– Na pewno bardziej niż ty.

Po zjedzeniu śniadania i dzięki współpracy przy pakowaniu przed jedenastą siedziałyśmy już w samochodzie pędzącym na lotnisko. Zanim jeszcze podeszłam do tej latającej pułapki, wzięłam tabletkę uspokajającą i zasiadłam w fotelu, odpływając chwilę przed startem. Dzięki temu podróż wydała mi się teleportacją.

– Miło panią znowu widzieć – przywitał mnie Sebastian, otwierając mi drzwi do mercedesa.

– Ciebie także. – Obdarzyłam go promiennym uśmiechem i lekko otępiała usadowiłam w fotelu.

Wjechaliśmy do garażu podziemnego mojego budynku i kilka minut później byłyśmy już w apartamencie.

– Czemu właściwie ja nie jadę do siebie? – zapytała Olga, opadając na kanapę. – Przecież mam mieszkanie.

Wstawiłam wodę na herbatę i zajrzałam do lodówki, z zaskoczeniem odkrywając, że ugina się od jedzenia.

– Bo Massimo chce, żebyśmy były razem, poza tym po co chcesz siedzieć sama? Dość mnie masz?

Sięgnęłam po słoik masła czekoladowego stojącego na półce i zanurzyłam w nim łyżkę. Olo wstała i stanęła w progu, opierając się o futrynę.

– Co robimy? Czuję się tu taka zdezorientowana i... obca. – Skrzywiła się i zrobiła smutną minkę.

– Wiem, ja też. Zobacz, jakie to dziwne, ile może w życiu zmienić kilka miesięcy. Jutro pojedziemy do rodziców, ty do swoich, ja do swoich. Trzeba jakoś ich przygotować na to, że pierwszy raz spędzą święta bez nas.

Na samą myśl o tym, że musimy tam jechać, robiło mi się niedobrze. Tęskniłam za nimi, ale świadomość teatrzyku, jaki będę musiała odegrać, odbierała mi chęć na to spotkanie.

– O, śnieg pada – powiedziała Olo, patrząc za okno. – Pada... kurwa... śnieg!

Stałyśmy, gapiąc się, jakby to było coś niezwykłego. A ja marzyłam o powrocie na Sycylię.

– Zakupy – wymamrotałam, nie odrywając wzroku od szyby. – Chodźmy poprawić sobie humor.

– A właśnie, odnośnie do zakupów – zaczęła, odwracając się do mnie. – Domenico dał mi kartę kredytową, co dziwne karta jest na mnie. – Otworzyła szeroko oczy i pokiwała znacząco głową. – Odnoszę wrażenie, że on bardzo chce naśladować Massima. Tylko że przez to nie wiem już, czy on to wszystko czuje, czy chce tylko kopiować brata.

Przez głowę przeleciała mi scena, którą widziałam w bibliotece wczorajszego dnia. Biłam się z myślami, czy jej o tym powiedzieć, ale doszłam do wniosku, że to nie moja sprawa i nie zamierzam psuć jej niespodzianki.

– Moim zdaniem, Olo, rozbijasz gówno na atomy. Wypijmy herbatę i jedźmy kupić mi jakieś workowate ciuchy.

– Laura, ale ty wiesz, że przesadzasz z tym brzuchem? Przecież go ledwo widać, i to tylko wtedy, kiedy ktoś bardzo chce go zobaczyć; bez przesady. – Pokręciła głową.

– No nie wiem. – Chwyciłam brzuch w dłonie i pogłaskałam wypukłość. – Może być tak, że masz rację, ale ja znam moją mamę, ona tę ciążę wyczyta mi z łuski włosów, więc wolę być ostrożna.

Po ponad godzinie, herbacie, kilku batonikach i połowie słoika nutelli wjeżdżałyśmy moim białym BMW na parking galerii handlowej. Oczywiście nie obeszło się bez przebrania w coś bardziej zimowego. Ja postawiłam na czarne kozaki Givenchy, skórzane legginsy, w które ledwo wcisnęłam brzuch, a przynajmniej tak mi się wydawało, luźną kremową tunikę i ponieważ na dworze hulała zima, futrzaną kamizelkę z szarego lisa. Olga natomiast na to, co ekstremalnie lubiła, czyli krótkie szorty i kozaki od Stuarta Weitzmana do połowy uda, a do tego luźny sweterek w kolorze butów i skórzaną kurtkę. Styl na dziwkę, czyli pewnego rodzaju standard.

Krążyłyśmy po sklepach, wydając górę pieniędzy i obładowując się kolejnymi torbami pełnymi zimowych rzeczy. Nie wiedziałyśmy do końca, po co nam takie ilości, skoro we Włoszech zupełnie nam się to nie przyda. W końcu, aby zagłuszyć wyrzuty sumienia, zgodnie ustaliłyśmy, że zostawimy to wszystko w Polsce, bo z pewnością kiedyś tego będziemy jeszcze potrzebować. Wiedzione tą myślą nadal beztrosko trwoniłyśmy ciężko zarobione pieniądze naszych facetów. Kiedy przechodziłyśmy między butikami, mój telefon zaczął dzwonić. Gdy wyciągnęłam go z torebki i zobaczyłam numer zastrzeżony, ucieszyłam się.

– Cześć, Mała – odezwał się w słuchawce cudowny brytyjski akcent. – Jak zakupy?

– Doskonale, workowate ubrania to jest to, co kocham – powiedziałam z przekąsem. – Skąd wiesz, gdzie jestem? – Boże, co za głupie pytanie, zaraz jak skończyłam je zadawać, rąbnęłam się mocno w głowę.

– Kochanie, twój telefon ma nadajnik, twój zegarek także i przyjechałaś tam autem, które również go posiada – odparł ze śmiechem. – A ta czerwona sukienka, którą kupiłaś przed chwilą, jest oszałamiająca i w niczym nie przypomina worka.

Moje ciało przeszedł dreszcz i nerwowo zaczęłam rozglądać się dookoła – skąd, u licha, wiedział, co kupiłam? Już chciałam o to spytać, gdy dostrzegłam dwóch rosłych mężczyzn stojących nieopodal.

– Po co mi ochrona, donie? – zdziwiłam się. – Przecież jestem w Polsce, a poza tym nic mi nie grozi. – Zawahałam się przez chwilę. – Prawda?

– Oczywiście, że nie – odparł bez namysłu. – Ale lubię wiedzieć, że moje ukochane istoty są bezpieczne.

– Rozumiem, że mówisz o mnie i Oldze? – zaśmiałam się i usiadłam na ławeczce pośrodku pasażu.

Massimo zamamrotał coś po włosku, czego nie zrozumiałam.

– O tobie i moim synu.

– Córce! – przerwałam mu.

– Nie wolno ci włożyć tej czerwonej sukienki, póki jej nie ochrzczę. – Jego głos był władczy, a ja, mimo że go nie widziałam, wiedziałam, jak wygląda jego twarz, gdy to mówi. – A teraz wracaj do zakupów i pozdrów rodziców ode mnie.

Westchnęłam, chowając telefon do torebki, i popatrzyłam na Olo. Wsadzała sobie dwa palce do gardła, usiłując pobudzić wymioty.

– Rzygam tęczą – burknęła, przewracając oczami.

– Nie bądź zazdrosna. – Skrzywiłam się i wstałam, łapiąc ją pod ramię. – Zobacz, mamy towarzystwo, które dokumentuje wszystko, co robimy. – Skinęłam głową w stronę osiłków.

– Ja pierdolę – przeklęła. – On ma gorzej zrytą psyche niż twoja mama.

– A to fakt. – Parsknęłam śmiechem. – Chodź.

Następnego dnia, wystrojona w workowatą tunikę opinającą się tylko na biuście, legginsy i płaszcz, ruszyłam do rodzinnego domu. Postanowiłam nie uprzedzać rodziców o swojej wizycie, ciesząc się na myśl, że sprawię im niespodziankę. Wysadziłam Olgę pod blokiem, gdzie mieszkała w dzieciństwie, i pojechałam do siebie. Dom rodzinny zawsze był jedynym miejscem, o którym mówiłam „dom". Wspólnie z bratem dawno temu ustaliliśmy, że mimo iż żadne z nas nigdy nie zamieszka w nim na stałe, nie sprzedamy go. Jakuba od rodziców dzieliło prawie pięćset kilometrów, a mnie – jak mieszkałam w Warszawie – prawie sto pięćdziesiąt. Nie zmieniało to jednak faktu, że najszczęśliwsze wspomnienia mieliśmy właśnie stąd.

Mama włożyła w ogród ogromną pracę, a i dom w ciągu ostatnich kilku lat zmienił się nie do poznania. Nie wyobrażałam sobie, by ktokolwiek prócz nas mieszkał w nim.

Stanęłam przed drzwiami wejściowymi i nacisnęłam dzwonek. Po chwili otworzyły się i zobaczyłam w nich mojego tatę.

– Cześć, kochanie! – zawołał, wciągając mnie do środka. – Co tutaj robisz? Jaka jesteś piękna.

Widziałam, że do oczu napływają mu łzy, więc przytuliłam go jeszcze mocniej.

– Niespodzianka – wyszeptałam, wtulona w jego ramię.

Z salonu po chwili wyłoniła się moja zachwycająca mama, jak zawsze nienagannie ubrana i w pełnym makijażu.

– Dziecko – załkała, szeroko rozkładając ramiona.

Rzuciłam jej się w objęcia i z niewiadomych przyczyn i ja się rozszlochałam. Za każdym razem, kiedy tak emocjonalnie reagowała na mój widok, z oczu ciekły mi łzy.

– Mamusiu.

– No i czemu znowu płacz? – zapytała, gładząc mnie po głowie. – Stało się coś? Skąd ta nieoczekiwana wizyta?

Czarnowidztwo. To była ukryta pasja i talent mojej matki, uwielbiała zamartwiać się i wymyślać sobie problemy, nawet jeśli nie istniały.

– Boże, no wzruszyłam się – wybełkotałam, pociągając nosem.

– No już, kochanie, wystarczy. – Poklepała mnie po plecach. – Tomasz, zrób herbaty, a ty rozbieraj się i siadaj.

Moja zdolność szybkiego kłamania znów została wystawiona na próbę. Opowiadałam im o szkoleniu w Budapeszcie i o tym, jak to doskonale układa mi się w pracy. Snułam długą opowieść o wyimaginowanych imprezach, jakie udało mi się zorganizować, a kiedy przyszło pytanie dotyczące lekcji włoskiego, użyłam trzech znanych mi słów i zmieniłam temat.

Po półtoragodzinnym monologu przyszedł czas na zaprezentowanie działania teleskopu, który tata dostał od Czarnego, a oficjalnie ode mnie. Patrzyłam, jak miota się, trzymając w ręku okrągłą tekturę, którą obracał, mamrocząc coś pod nosem.

– To może potrwać – zauważyła mama, stawiając na stole butelkę czerwonego wina i dwa kieliszki.

– Ożeż w dupę... – zaklęłam pod nosem. Tej części wieczoru nie przewidziałam, a powinnam była.

Mama nalała wino i uniosła swoje szkło w geście toastu, oczekując na mnie. Z lekką paniką

w oczach uniosłam swój kieliszek i po stuknię-
ciu się zmoczyłam usta. O Boże, jakie to dobre,
pomyślałam, czując na wargach smak alkoholu.
Gdybym mogła, wypiłabym naraz całą tę butelkę.

Tata w dalszym ciągu usiłował namierzyć coś
więcej niż ciemność, podczas gdy mama nalewała
sobie następną kolejkę.

– Nie smakuje ci? – zapytała, patrząc na moją
niezmienną ilość wina. – To twoje ulubione moł-
dawskie pinot noir.

– Właściwie to przestałam pić. – Jej zaskoczony wzrok wbity we mnie nie zwiastował nic dobrego. – No, bo widzisz mamo, we Włoszech ciągle się pije. – Szyłam kłamstwo, zastanawiając
się, co chcę powiedzieć. – A alkohol to przecież
węglowodany – dokończyłam, uśmiechając się
głupkowato.

– No właśnie zauważyłam, że lepiej wyglądasz
– odparła mama, wskazując na mnie. – To znaczy zaokrągliłaś się, nie ćwiczysz?

Nie kurwa, jestem w ciąży, pomyślałam,
uśmiechając się do niej sztucznie.

– Eee, nie mam czasu ćwiczyć, ale niestety
mam czas jeść, zwłaszcza w pracy. Wiesz, bez
przerwy pizza, pasty i tyłek rośnie, dlatego odstawiłam alkohol, oczyszczam organizm. – W myślach modliłam się, by mi uwierzyła. Nie było
to łatwe, bo od zawsze uwielbiałam wino i nigdy go nie odmawiałam. Prędzej przestałabym

przyjmować pokarmy stałe, niż odmówiła alkoholu.

Przyglądała mi się przez chwilę podejrzliwie, obracając nóżkę kieliszka w palcach. Jej lekko zmrużone oczy wyraźnie pokazywały, że mi nie wierzy. Z niezręcznej sytuacji wyratował mnie głos ukochanego taty.

– Ha! Jest! Lauro, chodź zobacz – powiedział, kiwając do mnie.

Zerwałam się z fotela jak oparzona, popędziłam do niego i przyłożyłam oko do lunety. Faktycznie, zlokalizował księżyc, który wydawał się w takim zbliżeniu imponujący i niezwykle piękny. Przesadnie rozentuzjazmowana paplałam jak najęta, komentując to, co widzę. Ponieważ na moje szczęście tata bardzo chętnie i rozwlekle dzielił się swoją wiedzą, po piętnastominutowym wykładzie na temat astronomii moja znudzona mama poszła sobie. Nadal udawałam, że słucham, w myślach kombinując, jak by tu ustrzec się przed kolejną konfrontacją. Ale wiedza taty o ciałach niebieskich była tak szeroka, że dzielił się nią ze mną jeszcze przez godzinę.

Walcząc z powiekami, które mi z nudów opadały, kiedy już myślałam, że przegram tę nierówną walkę, do akcji wkroczyła mama i tym razem to ona uratowała mnie przed tatą.

– Kolacja, zapraszam – powiedziała, wskazując ręką kuchnię.

Oszaleję, pomyślałam, jeśli jutro stąd nie wyjadę. Tata ratuje mnie przed mamą, mama przed nim, zaraz się pogubię we własnych kłamstwach, dawno już nie miałam takiego wysiłku intelektualnego.

Moja głowa błagała o przerwę.

Usiadłam przy stole, spoglądając na przygotowane pyszności, i poczułam przemożny głód. Ponakładałam sobie po trochu każdego smakołyku, po czym zjadałam i znów dokładałam, można powiedzieć, że żarłam, bo jedzeniem bym tego nie nazwała. Po dwudziestu minutach tej uczty podniosłam oczy znad talerza, napotykając wzrok przerażonych rodziców. Ja pierdolę, zaklęłam pod nosem, chyba wyjadę już dziś. Mama spokojnie przeżuwała kęs, obserwując na zmianę to mój pusty talerz, to mnie.

– No co? – Uniosłam brwi w zdziwieniu.

– Trochę zwiększyłam swoje możliwości, jedząc ciągle makaron.

– No właśnie widzę. – Pokiwała mama z dezaprobatą.

Zamierzałam właśnie popchnąć całość jabłecznikiem z pianką, ale dałam sobie spokój, wiedząc, że ich mózgi tego nie wytrzymają. Poza tym zaplanowałam, że nawiedzę kuchnię w nocy, kiedy nikt nie będzie mi przeszkadzał ani piorunował wzrokiem.

Po kolacji wspólnie obejrzeliśmy film, po czym położyłam się w swoim dawnym pokoju na piętrze.

Mogłam co prawda spać na dole w salonie, ale oznaczałoby to graniczenie z sypialnią rodziców, więc po namyśle odpuściłam.

Rano, po przebudzeniu, przypomniałam sobie, że rodzice są w pracy i przynajmniej przez najbliższe godziny nie będę musiała przejmować się ich podejrzliwymi spojrzeniami. Znudzona pooglądałam chwilę telewizję i poszłam wziąć prysznic. Odkręciłam wodę i stanęłam pod gorącym strumieniem. Zamknęłam oczy, wspominając ostatni wspólny prysznic z Massimem. Tęskniłam za nim. Niemal czułam na sobie dotyk jego dłoni. Wiedziona tą wizją zaczęłam się dotykać, gładząc nabrzmiałe piersi i pocierając parę razy łechtaczkę. Poczułam, jak zdecydowanie zbyt szybko robi mi się dobrze. To była jedna z niekwestionowanych zalet ciąży – moje ciało było bardzo wrażliwe i silniej reagowało na dotyk.

Myślałam o tym, jak brutalny jest wobec mnie Massimo, jaki mi zadaje ból i jak bardzo to uwielbiam. Niemal czułam dotyk jego języka na sobie. Rozsunęłam szerzej nogi, jeszcze szybciej pocierając palcami nabrzmiałą łechtaczkę. Jak film przez głowę przelatywały mi sceny, kiedy chwytając mocno moje biodra, brał mnie od tyłu, jak nabijał mnie na siebie. Stłumiony krzyk wydobył się z mojego gardła, kiedy orgazm przebiegł moje ciało. Wypuściłam powietrze, czując jak uchodzi ze mnie całe ciśnienie. Uff, tego właśnie potrzebowałam.

Zakręciłam wodę, wychodząc spod prysznica, i stanęłam obok kabiny. Rozejrzałam się i nie znajdując nawet jednego ręcznika, pomyślałam, że muszę wrócić do pokoju po szlafrok.

– Zajebiście – westchnęłam, otwierając drzwi i idąc przez piętro.

Po przejściu paru kroków zastygłam w progu swojego pokoju. Przewiercały mnie na wylot wielkie jak spodki oczy mamy, która wpatrywała się w mój okrągły brzuch. Tkwiłam tak z opuszczonymi wzdłuż ciała rękami, nie będąc w stanie nawet drgnąć. Mama, nic nie mówiąc, potrząsała tylko głową, jakby chciała z niej odgonić natrętną myśl albo obudzić się, ale wciąż wlepiała oczy w mój okrągły brzuch. W końcu usiadła, westchnęła i spojrzała mi prosto w oczy. Zrobiło mi się słabo, zaczęłam rozpaczliwie oddychać, głęboko i bardzo szybko, a w uszach słyszałam gwizd.

Chwyciłam szlafrok leżący na fotelu obok i owinęłam się nim, opadając na siedzenie.

Zamknęłam oczy, usiłując uspokoić serce.

– Weź – powiedziała, wtykając mi do ust tabletkę.

– Tych nie mogę – wysapałam. – W torebce.

Usłyszałam, jak przekopuje moją torbę, po czym wyciągnęła grzechoczące pudełko z lekami i podała mi właściwą pigułkę. Wsadziłam ją pod język, czekając, aż zadziała. W mostku czułam pieczenie i ból, a dudniące serce zagłuszało wszelkie inne dźwięki. Boże, w tamtej chwili bardziej chciałam umrzeć, niż żyć i musieć stawiać czoła mojej matce.

– Wzywam pogotowie – oznajmiła, wstając.

– Mamo, nie. – Otworzyłam oczy i popatrzyłam na nią. – Zaraz mi przejdzie.

Usiadła przede mną na dywanie, mierząc puls. Ja natomiast prosiłam Boga w myślach, by jakimś cudem teleportował mnie na Sycylię. Mijały minuty, a ja mimo zamkniętych oczu nadal czułam jej karcący, wbity we mnie wzrok. Podświadomie i zupełnie bezwiednie położyłam rękę na brzuchu, po czym złapałam głęboki oddech i uniosłam powieki.

W jej twarzy widziałam zawód, rozczarowanie, troskę i smutek. Jak do tego doszło, samobiczowałam się w głowie, przecież wszystko tak doskonale zaplanowałam, ubrania, historyjkę.

– Mamuś, co ty robisz w domu?

– Chciałam spędzić z tobą dzień, więc odwołałam spotkania – odpowiedziała, podnosząc się i siadając na fotelu obok. – Jak się czujesz?

Przez chwilę zastanawiałam się nad odpowiedzią, bo fizycznie czułam się nawet nieźle, ale psychicznie – dramat!

– Już dobrze, trochę się zdenerwowałam.

– Wiedziałam, że milczy, bo nie chce mnie stresować, ale nie zmieniało to faktu, że ta rozmowa mnie nie minie. – Początek czwartego miesiąca – wyszeptałam, nawet na nią nie patrząc. – I wiem, co powiesz, więc proszę, daruj sobie.

– Nie wiem, co mam powiedzieć. – Jej dłonie uniosły się, zakrywając twarz. – Lauro, to wszystko ostatnio dzieje się za szybko. Nigdy taka nie byłaś. Najpierw ten wyjazd za granicę, później ten dziwny mężczyzna, ciągle jakieś sekrety, tajemnice, a teraz... dziecko!

Wiedziałam, że ma rację, wiedziałam też, że cokolwiek powiem, i tak już nic nie zmienię.

– Mamo, kocham go – rzuciłam bez sensu.

– Ale dziecko!? – krzyknęła, wstając. – Nie musisz sobie od razu robić z kimś dziecka, bo go kochasz. Zwłaszcza jeśli znasz go... – Tu urwała, a ja wiedziałam dlaczego.

Pospiesznie podeszłam do swojej torby i wyjęłam z niej pierwsze napotkane ubranie. Wciągnęłam je na siebie, kiedy ona liczyła w myślach, zgarnęłam rzeczy i zapięłam zamek.

– Lauro Biel, do cholery jasnej, ile ty znałaś tego człowieka, kiedy postanowiłaś, że zostaniecie rodzicami?

Zaciskałam pięści ze złości, ale tak naprawdę wkurzona byłam na siebie.

– Mamo, a co za różnica?

– Nie tak cię wychowałam. Ile go znałaś?

– Nie planowałam tego, po prostu się stało. Chyba nie sądzisz, że jestem aż tak głupia? – Chwyciłam torbę. – A znałam go jakieś trzy tygodnie.

– Dopiero kiedy to powiedziałam, dotarł do mnie idiotyzm sytuacji. Oczekiwałam, że mama zrozumie coś, co nawet mnie wydawało się bez sensu.

Zbladła i zastygła w bezruchu. Wiedziałam, że ją zraniłam, i wiedziałam, że tak będzie. Nie mogłam jednak powiedzieć jej prawdy o porwaniu, wizji umierającego Massima, mafii ani całym tym sycylijskim bałaganie.

– A co będzie, jak znudzisz się temu bogatemu chłopcu? – zapytała podniesionym głosem.

– Porzuci cię z dzieckiem, a ja chyba inaczej cię wychowałam. Pamiętasz, że rodzina to co najmniej trzy osoby? Jak mogłaś być taka nieodpowiedzialna? – Próbowała być spokojna, ale emocje brały górę. – Zastanawiałaś się nad tym, co może się przytrafić niezamężnej kobiecie z dzieckiem? Teraz to już nie chodzi wyłącznie o ciebie!

– Wyszłam za mąż tydzień po powrocie z Polski, bez intercyzy, mamo – warknęłam jej prosto w twarz. – Mam więc prawo do całego jego pierdolonego majątku. Mam tyle pieniędzy, że dziecko będzie mogło je nosić zamiast pieluchy. A Massimo kocha mnie i to maleństwo tak bardzo, że prędzej zabiłby się, niż pozwolił nam odejść. – Uniosłam rękę, kiedy zobaczyłam, że chce coś powiedzieć. – I zaufaj mi, wiem, bo uciekłam od niego. Nie oceniaj mnie, mamo, bo nie masz pojęcia o sytuacji, którą chcesz analizować! – krzyknęłam i zbiegłam po schodach.

Chwyciłam płaszcz, włożyłam buty i wybiegłam na dwór. Padał śnieg; moją twarz owionęło mroźne powietrze. Głęboko wciągnęłam je do płuc i wcisnęłam guzik na pilocie. Wrzuciłam torbę na siedzenie i ruszyłam podjazdem w stronę ulicy. Chciało mi się płakać, byłam na siebie zła, chciało mi się krzyczeć, wymiotować i umrzeć. Po chwili wyjechałam z miasta i zjechałam w leśną drogę.

Po przejechaniu kilkudziesięciu metrów zatrzymałam się, wysiadłam i zaczęłam wrzeszczeć. Krzyczałam tak długo, aż poczułam, że mam dość. Podeszłam do auta i kopnęłam kilka razy w oponę przeraźliwie drogimi kozakami od Givenchy. Potrzebowałam Czarnego jak jeszcze nigdy w życiu.

Uspokoiłam się po dłuższej chwili i wsadziłam swój ciągle rosnący tyłek do samochodu. Wybrałam numer męża, a on po trzecim sygnale odebrał. Chlipiąc i pociągając nosem, otwierałam usta, żeby coś powiedzieć, ale bezskutecznie. Kiedy usłyszałam jego głos, po prostu ryknęłam płaczem. Mieszaniną angielskiego z polskim usiłowałam wyjaśnić mu, co się stało, co jakiś czas uderzając rękoma o kierownicę i wydając z siebie dzikie wrzaski. W tle rozmowy usłyszałam, jak Massimo mamrocze coś po włosku, a chwilę później w tylnym lusterku zobaczyłam pędzącego w moją stronę czarnego volkswagena passata, z którego wyskoczyło dwóch zwalistych gości, których widziałam w galerii. Jeden z nich podbiegł do moich drzwi, otworzył je i z konsternacją wlepił wzrok we mnie i środek auta, przepatrując je, jakby kogoś szukał.

– No, co kurwa, nie można sobie popłakać?! – wrzasnęłam, zamykając mu drzwi przed nosem.

Facet przyłożył do ucha telefon, który trzymał w ręce, po czym odszedł, zabierając kolegę.

– Kochanie – usłyszałam miękki i spokojny głos w głośnikach. – Wytrzyj nos i jeszcze raz, po angielsku, powiedz, co się stało.

Opowiedziałam mu więc całą historię z ostatniej godziny i uderzyłam czołem o kierownicę, zastygając na niej.

– Nie mam siły, Massimo. Ranię ludzi, którzy mnie kochają, jestem wściekła i zdołowana, a ciebie nie ma. – Poczułam, jak rośnie we mnie furia, a ciało ogarnia wściekłość. – I wiesz co, donie? – warknęłam. – Skomplikowałeś mi życie, to przez ciebie wszystko się zjebało i generalnie, kurwa, kończę, bo zaraz znowu się popłaczę.

Rozłączyłam się i wyłączyłam telefon. Wiedziałam, że mi nie wolno, ale widziałam także passata stojącego za mną, więc Massimo miał dokładne informacje, co robię i gdzie jestem. Zawróciłam, mijając przystojniaków w czarnym samochodzie, i wzbijając chmurę świeżego śniegu, ruszyłam z powrotem.

Pojechałam pod blok Olgi, tam wysiadłam i zadzwoniłam domofonem. Kiedy odebrała, oświadczyłam, że wracamy, czym sprawiłam jej szaloną radość.

– No i co tam? – Radośnie zaćwierkała, wsiadając do samochodu.

– A, nie pytaj. Pokłóciłam się z mamą, dowiedziała się o ciąży i ślubie, a później pokłóciłam się z Massimem, bo mi odbiło. – Wybuchnęłam płaczem i padłam jej w ramiona. – Kurwa, dość mam, Olga!

Jej oczy zdradzały przerażenie, a otwarte usta kompletne zaskoczenie.

– Przesiadaj się. – Rozpięła pas i podeszła do moich drzwi, obchodząc samochód. – Wysiadaj Lari. Ale już – powtórzyła, rozpinając mi pas i ciągnąc mnie za płaszcz. – Nie będziesz prowadzić w takim stanie, wysiadaj!

Wyglądałyśmy idiotycznie, ja wrzeszcząca, zalana łzami i kurczowo trzymająca się kierownicy i ona szarpiąca mnie i wymachująca rękami. Nie mogąc oderwać mi dłoni od kierownicy, nachyliła się i ugryzła mnie w palec.

– Au! – krzyknęłam, zwalniając uścisk, i dopiero wtedy wywlekła mnie z samochodu.

– Kurwa, gdybyś nie była w ciąży, to bym cię zajebała, wsiadaj.

Pierwsze kilometry jechałyśmy w kompletnej ciszy, aż poczułam, jak cała zgromadzona we mnie złość ustępuje miejsca konsternacji i wyrzutom sumienia.

– Przepraszam – szepnęłam, wykrzywiając usta. – Ciąża to choroba umysłowa.

– No, w twoim przypadku to na pewno. Dobra, powiedz lepiej, co się stało w domu.

Opowiedziałam jej więc na nowo tę samą historię i czekałam na reakcję.

– No to grubo – skwitowała, kiwając głową. – Klara ma teraz niezłego gwoździa.

– Wydziedziczy mnie. – Wzruszyłam ramionami. – Ona nie przeżyje takiego ciosu i się mnie wyrzeknie.

– Eee tam. Przejdzie jej. – Po chwili namysłu dodała spokojnym głosem: – No wiesz, nie co dzień dowiadujesz się, że twoje dziecko jest w ciąży i niedawno wyszło za mąż. Poza tym nie jest tak źle, bo przynajmniej nie wie, że Massimo jest głową rodziny mafijnej. Nie wie także, że ktoś regularnie chce was zabić, jego albo ciebie. Patrz na pozytywy, Lari. – Patrzyłam, ale na nią, nie mogąc uwierzyć w to, co słyszę. – No, nabijam się przecież, poza tym, Laura, ciesz się, masz to z głowy. No, może sposób nie był najszczęśliwszy, ale przynajmniej koniec z kłamstwami.

Tak, zasadniczo miała rację, tylko co z tego? Sytuacja niby się już nieco wyklarowała, ale nie zmieniało to faktu, że mama pewno więcej się już do mnie nie odezwie. A że byłyśmy uparte w identyczny sposób, ja także nie zamierzałam do niej dzwonić po tym, co mi powiedziała.

Dwie godziny później byłyśmy w domu i mimo że zbliżała się dopiero czternasta, padałam na twarz. Ciąża, chore serce, kłótnia z mamą – wszystko to sprawiało, że chciałam zasnąć i przespać ten fatalny dzień. Olga zrobiła mi herbatę i oznajmiła, że umówiła się ze swoim fagasem, aby oficjalnie wszystko zakończyć i dopiąć sprawy, które powinna była zamknąć kilkanaście tygodni temu. Zgodziłam się z nią i kiedy wyszła, włączyłam telewizor, a później zasnęłam.

ROZDZIAŁ 11

– Dlaczego nie jesteś naga? – usłyszałam cichy szept tuż za moim uchem.

Otworzyłam oczy. W sypialni i salonie było zupełnie ciemno, mimo że zegar na telewizorze wskazywał godzinę jedenastą. Przekręciłam się, wtulając twarz w nagi tors mojego męża.

– Bo, po pierwsze, nie spodziewałam się obudzić obok ciebie, a po drugie potrzebowałam czuć twój zapach. – Chwyciłam za brzeg jego koszulki, którą miałam na sobie, i ściągnęłam ją, rzucając na podłogę.

Czarny objął mnie ciasno ramionami i jeszcze mocniej wcisnął w swoją klatkę.

– Przez telefon nie brzmiałaś jak tęskniąca kobieta. – Odsunął się lekko, by na mnie spojrzeć. – A skoro już mowa o telefonie, to twój od wczoraj jest wyłączony.

Spanikowana podniosłam na niego oczy; faktycznie wyłączyłam telefon i niestety przez to całe zamieszanie zapomniałam włączyć. Doskonale zdawałam sobie sprawę z tego, że jeśli za chwilę dostanę opierdol roku, będzie miał całkowitą rację. Jego spojrzenie było jednak zaskakująco łagodne, a wędrujące po moich włosach dłonie nie zwiastowały kłopotów.

– Co ty tu właściwie robisz? – zapytałam, marszcząc brwi. – Chyba miałeś być jutro, stało się coś?

– Kochanie – wyszeptał, całując moje czoło.

– Przeraził mnie telefon od ciebie, a raczej to, w jakim stanie byłaś. – Westchnął ponownie, przyciskając mnie do siebie. – Powinienem być z tobą, kiedy mama dowiedziała się o dziecku.

– Przepraszam, że tak wrzeszczałam; czasem nie panuję nad sobą. – Przekręciłam się na plecy, głośno wzdychając. – I nie dowiedziała się tylko o dziecku, w przypływie szczerości powiedziałam jej też o ślubie. Zafundowałam jej cały pakiet w kilka minut.

Massimo z gracją podniósł się z łóżka i wcisnął guzik na pilocie, a wtedy pokój zalało jasne światło. Gryzł w skupieniu dolną wargę, a jego piękne muskularne ciało na przemian to spinało się, to rozluźniało. Stał, patrząc przez drzwi na wielkie okna, wyraźnie czymś skonfundowany. Jak dla mnie, mógł tak stać do końca życia, roztaczając swoje wdzięki, ale niestety mój burczący brzuch był innego zdania.

– Lauro, muszę załatwić kilka spraw – powiedział wreszcie, znikając w łazience, gdzie umył zęby, a potem w garderobie, i po chwili wrócił ubrany w czarny garnitur. – Przygotuj się proszę do wyjazdu, wylatujemy dziś do Gdańska. Domenico z Olgą są w jej mieszkaniu, ja powinienem wrócić przed szesnastą.

Leżałam z najgłupszą miną na świecie i zastanawiałam, co takiego ważnego się nagle stało, że ubrał się w trzydzieści sekund i wychodzi.

– Massimo, dopiero co przyjechałeś, nie możesz zjeść ze mną śniadania?

– Przyjechałem wieczorem i jeśli chcesz być drobiazgowa, spędziłem z tobą całą noc. – Usiadł na skraju łóżka, całując mnie delikatnie. – Załatwię to migiem i już będę cały twój.

Zaplotłam ręce na piersiach i jak mała dziewczynka wydęłam dolną wargę.

– Musisz wiedzieć, Massimo, że jestem niezaspokojona – powiedziałam ze skwaszoną miną. – A jako mój mąż masz obowiązek zaspokajać żonę. – Zrobiłam głęboki wdech. – Poza tym jestem zła, sfrustrowana, smutna, głodna... – Wyrzucałam z siebie słowa, czując, jak ogarnia mnie przytłaczająca fala rozpaczy i nieszczęścia.

Oczy Massima pociemniały, zmrużył je lekko, patrząc na mnie. Zignorowałam ten zwierzęcy sygnał i to był mój błąd. Zauważyłam tylko, jak zsunął z ramion marynarkę i przebiegle się uśmiechnął. Podszedł do mnie i zdecydowanym ruchem wziął na ręce, po czym bez słowa przeszedł przez salon i postawił mnie przodem do wielkiego jadalnego stołu. Sam stanął z tyłu.

– Zrobimy to tak jak kiedyś – oznajmił poważnym tonem, ściągając ze mnie majtki i kolanem rozkładając mi nogi na boki.

Uklęknął za mną i popchnął lekko na blat, a jego ciepły język przesunął się po mojej cipce. Głośno jęknęłam, gdy powoli zaczął zataczać nim kółka. Położyłam się całkiem płasko, opierając dłonie o zimny stół. Massimo zachłannie lizał moją cipkę, doprowadzając na skraj rozkoszy. Kiedy stanął, wsunął we mnie dwa palce, jakby chciał przygotować na rozmiar swojego penisa. Pocierając stale prawą ręką wnętrze mojej cipki, lewą rozpinał pasek w spodniach.

– Szybko i mocno – wyszeptał, kiedy opadły na podłogę. – I nie mów mi więcej... – W tym momencie jego członek zastąpiły palce, a ręka, która jeszcze chwilę temu była we mnie, złapała za włosy, odchylając mi głowę – ...że cię nie zadowalam. – Jego biodra nabrały szaleńczego tempa, a z mojego gardła wyrwał się głośny krzyk.

Puścił mi głowę i chwycił mocno moją pupę, wbijając się we mnie w szaleńczym tempie.

– Lubisz mnie prowokować, co? – wysyczał, opuszczając jedną z dłoni tak, że palce drażniły łechtaczkę.

Jego twardy kutas ocierał się o moje wnętrze z taką prędkością, że czułam, iż nie potrwa to zbyt długo. Niemal położył się na mnie, nie przerywając pieszczoty palcami ani nie zmieniając rytmu. Lewą dłonią chwycił moją pierś, mocno przywierając klatką do moich pleców. Miażdżył niemal w palcach sutek, to obracając go, to głaszcząc na zmianę. Tego było dla mnie już za wiele.

Doszłam z głośnym jękiem, rozciągnięta na mokrym od potu blacie. Kiedy Czarny poczuł, jak szczytuję, zaciskając mięśnie wokół jego członka, ugryzł mnie mocno w ramię i dołączył do mnie, zalewając potężnym strumieniem spermy.

– Uwielbiam – wydyszał, kiedy oboje próbowaliśmy złapać oddech zlepieni ze sobą na stole.

Po chwili podniósł się ze mnie i jednym wprawnym ruchem przekręcił, tak że teraz leżałam przed nim na plecach. Popatrzył w dół na swój wciąż twardy członek i z cwaniackim uśmiechem wszedł we mnie po raz drugi. Półżywa po mijającym orgazmie nie miałam siły wydusić z siebie nawet słowa, gdy ponownie zaczął się rozpędzać.

– Mówiłaś coś o niezaspokojeniu. – Zgiął w kolanach moje zwiotczałe nogi i oparł mi stopy o blat. – Jeszcze raz, Mała – wyszeptał, kciukiem pocierając moją zmęczoną, nabrzmiałą łechtaczkę.

Po kolejnym piętnastominutowym rżnięciu modliłam się już tylko, by nie było rundy trzeciej. Jak to jest możliwe, że facet w jego wieku jest w stanie kopulować jak nastolatek?, zastanawiałam się, leżąc półprzytomna na dywanie w salonie. Massimo zapiął spodnie i uśmiechnął się z zadowoleniem, patrząc na moje zmasakrowane przyjemnością ciało. Podszedł i chwytając mnie na ręce, przełożył na kanapę, przykrywając kocem.

– Jak już mówiłem, będę koło szesnastej. – Pocałował mnie mocno w usta z zadowoleniem, po czym chwycił czarny płaszcz i wyszedł.

Ależ jestem wydymana, pomyślałam, kiedy zamknęły się za nim drzwi wejściowe. Chyba nawet bardziej, niżbym chciała, westchnęłam. Następnym razem, nim go sprowokuję, zastanowię się dwa razy.

Leżałam tak jeszcze pół godziny, gapiąc się na padający śnieg, aż w końcu wstałam i poszłam wziąć prysznic. Starannie ułożyłam włosy i wyjątkowo precyzyjnie umalowałam oczy. Po mojej cudownej włoskiej opaleniźnie nie zostało ani śladu, ale i bez niej wyglądałam nadzwyczaj dobrze. Kręcąc się w szlafroku po garderobie, w poszukiwaniu odpowiedniego stroju, usłyszałam jakiś hałas.

– Głodna jestem, chodźmy coś zjeść – dobiegło mnie wołanie mojej przyjaciółki.

Zajrzałam do salonu, ale nie było jej tam, przeszłam więc do kuchni i oto zobaczyłam Olo z wypiętą dupą, jak w obcisłych legginsach fedruje zawartość lodówki.

– Słodycze, wino bezalkoholowe, soki – wymieniała, grzebiąc wciśnięta do połowy między półki. – Kurwa, makaron bym zjadła... Albo steka... – Odsunęła się od lodówki. – Tak, chcę steka, ziemniaki, sałatkę i piwo. Rusz dupę, bo zaraz wyrzygam się z głodu.

Stałam oparta o ścianę, przyglądając się obłędowi w jej oczach.

– Nie mów, że nic dziś nie jedliście?!

– Kurwa, były ważniejsze rzeczy niż jedzenie, dawaj, Lari. Młody coś załatwia z chłopakami naprzeciwko i myślę, że jest w podobnym stanie co ja, więc ruchy.

W tym momencie drzwi wejściowe otworzyły się i zamknęły z hukiem, a do kuchni wpadł Domenico. Wbiłam w niego przerażony wzrok, zastanawiając się, co jest grane.

– Co ty taka niegotowa? – spytał zdziwiony.

Pokręciłam głową, zostawiając ich samych, i poszłam się ubrać. Miałam już wszystko przygotowane: to, co chciałam dziś na siebie włożyć, żeby podobać się mężowi. Zamszowe, czarne kozaki Casadei, krótką szarą sukienkę od Victorii Beckham i płaszczyk Chanel w kolorze butów. Złapałam torebkę i po dziesięciu minutach stanęłam w progu kuchni, gdzie Domenico i Olga zlizywali z siebie nutellę.

– Jesteście skrajnie obrzydliwi, chodźcie.

Wszyscy troje zjechaliśmy windą do garażu i zapakowaliśmy się do czarnego SUV-a. Domenico usiadł z człowiekiem z ochrony, a Olo ze mną z tyłu.

– Załatwiłaś wszystko? – szepnęłam do niej konspiracyjnie, zapominając, że nikt nie zna polskiego.

– Gówno załatwiłam – westchnęła. – Zanim Adam miał czas się spotkać, pojawili się Sycylijczycy i chuj.

Skrzywiłam się i wzruszyłam przepraszająco ramionami.

– Ale z tonu naszej rozmowy wywnioskowałam, że zdaje sobie sprawę z tego, co chcę mu powiedzieć – dodała.

Samochód zatrzymał się przed popularną restauracją znanego polskiego kucharza o medialnym nazwisku. Byłam zaskoczona, że Włosi znają takie miejsca na gastronomicznej mapie Warszawy. Weszliśmy do środka, wszystkie stoliki były zajęte. No tak środek dnia, pomyślałam. Młody Włoch podszedł do stojącego niedaleko menedżera i szepnął mu do ucha kilka słów, wkładając coś w dłoń. Na co tamten po kilku minutach poprowadził nas do niewielkiej kameralnej sali, z dala od wścibskich oczu pozostałych gości. Usiedliśmy przy okrągłym stole, wertując karty menu. Dłuższą chwilę potem złożyliśmy zamówienie, a kelner podał polskie czekadełka, ku uciesze obojga.

Kiedy odrobinę zaspokoili głód, wcinając smalec i kiszone ogórki, Olga pochyliła się w moją stronę.

– Muszę do łazienki – oznajmiła. Przeprosiłyśmy Domenica i ruszyłyśmy w stronę głównej sali.

Wnętrze restauracji urządzono w sposób minimalistyczny, lecz ze smakiem, wszędzie było dużo drewna i czarno-białe portrety na ścianach.

Do tego białe kalie w wazonach, niezobowiązująca muzyka sącząca się z głośników i cudowny zapach jedzenia. Nawet ja zrobiłam się głodna.

Nagle Olo skamieniała, wlepiając wzrok w mężczyznę siedzącego przy jednym ze stolików.

– Ożeż w dupę, jebana jej mać! – zaklęła cicho, zaciskając dłoń na mojej.

Przeniosłam wzrok w stronę, w której utkwiła oczy, i nagle zrozumiałam. Z fotela podnosił się wyjątkowo przystojny jasny blondyn: szerokie barki, doskonale skrojona marynarka, pełne usta. Tak, Adam zdecydowanie był niezłym towarem. Bogatym, atrakcyjnym i do tego inteligentnym. Gdy zobaczył Olo, przeprosił swoich gości i ruszył w naszą stronę.

Podszedł pewnym krokiem i stając zdecydowanie zbyt blisko nas, ucałował ją na powitanie, po czym pochylając ku mnie, lakonicznie powitał.

– Tęskniłem – powiedział, oblizując wargi i nie spuszczając z niej wzroku.

Jego ręce powędrowały do kieszeni, a ciało przyjęło nonszalancką pozę, kiedy oparł się na mocno rozstawionych nogach. Były to cechy wszystkich bogatych mężczyzn – nonszalancja, poczucie władzy i pewność siebie. Obydwie je kochałyśmy, a ten człowiek aż nimi emanował.

– Cześć, Adam – wydukała, nerwowo oglądając się za siebie. – Chciałam, wiesz, pogadać, ale to nie jest miejsce ani czas.

Usiłowałam wycofać się z tej niezręcznej sytuacji, ale moja przyjaciółka zacisnęła mi palce wokół nadgarstka, dając do zrozumienia, że nic z tego.

– Nigdy nie przeszkadzały ci miejsce ani czas. – Uniósł prowokująco brwi i obdarzył ją szelmowskim uśmiechem.

– Adam, zdzwonimy się – powiedziała, ciągnąc mnie za sobą.

Usiłowała minąć swojego anielskiego sponsora, ale ten ani myślał dawać za wygraną. Złapał ją w ramiona i wpakował jej język do ust. Dłoń Olgi puściła moją i obydwiema rękoma z całej siły odepchnęła napalonego bogacza. Po czym zamachnęła się i walnęła go z taką siłą, że plaśnięcie ciosu zagłuszyło muzykę, a wzrok gości skierował się na naszą trójkę. Odsunęłam się od nich i kątem oka spostrzegłam Domenica, który zdecydowanym krokiem zmierzał w naszą stronę.

– Domenico... – Zdążyłam tylko wybełkotać, nim jego zaciśnięta pięść dosięgła twarzy Adama. Blondyn padł jak długi, ale Sycylijczyk nie przestawał okładać go pięściami, póki ochrona nie podjęła interwencji.

Menedżer głośno wrzeszczał, goście powstawali z krzeseł, a pałający żądzą mordu Młody rzucał się, trzymany przez dwóch goryli. Ochrona Włochów próbowała oswobodzić Domenica, ale niestety, tych z obsługi restauracji było więcej. Nagle, nie wiedzieć kiedy ani skąd, pojawiła się policja, która skuła kajdankami Domenica. Adam tymczasem zbierał twarz z podłogi, wykrzykując pod nosem jakieś groźby i przekleństwa, a zalana łzami Olga niezrozumiale coś mamrotała. Boże, czy kiedyś przyjdzie taka chwila, że nasze życie zrobi się proste, łatwe i przyjemne?, pomyślałam.

Po chwili obaj mężczyźni zniknęli, a my zostałyśmy zupełnie same, kuląc się pod ostrzałem spojrzeń pozostałych gości. Olo skłoniła się z sarkazmem i ruszyła w stronę stolika. Nim zdążyłyśmy do niego dotrzeć, w mojej torebce zawibrował telefon.

– Nic ci nie jest? – usłyszałam spanikowany głos Massima.

– Policja zabrała Domenica.

– Wiem. Nic ci nie jest?

– Nie.

– Jedźcie do domu i czekajcie na mnie – powiedział, odkładając słuchawkę.

– No to sobie pogadaliśmy – bąknęłam, biorąc płaszcz i ciągnąc Olgę w stronę wyjścia.

Wsiadłyśmy do SUV-a, gdzie płacz Olo zamienił się w furię.

– Co za, kurwa, wstyd! Jak można być takim debilem, jak można?! – Wymachiwała z furią rękami i waliła w siedzenie kierowcy.

– Oj dobra – powiedziałam, zapinając płaszcz.

– Będzie miał nauczkę, i jeden, i drugi. Blondas, żeby nie całować cudzych kobiet, a Domenico, że nie wszędzie jest bogiem.

– Głodna jestem, kurwa! – dodała po chwili ciszy.

Wybuchnęłam śmiechem i pokierowałam kierowcę w stronę ulubionego chińczyka na wynos.

Usiadłyśmy na dywanie i rozłożyłyśmy pudełeczka z jedzeniem. Wyjęłam z lodówki butelkę wina i nalałam Olo kieliszek. Wypiła duszkiem i pokiwała, dając mi znać, że chce dolewki. Po wypiciu trzech niemal duszkiem padła na plecy i schowała twarz w dłoniach.

– Boże, a jak mu się coś stanie?! – mamrotała, niemal płacząc.

– Myślę, że złamał mu nos...

– W dupie mam Adama i jego nos, martwię się o Domenica.

– Może i miałaś jego nos w dupie, ale to już dawne dzieje – dodałam po chwili, biorąc kęs makaronu z kaczką. – Olo odsunęła ręce od twarzy i posłała mi rozbawione spojrzenie pełne dezaprobaty.

– Jesteś podła.

– A ty głodna, jedz.

Sfrustrowana Olo opróżniła butelkę do dna i sięgnęła po kolejną. Aby dotrzymać jej towarzystwa, też postanowiłam napić się swojego wina. Włączyłam kominek i usadowiłam się obok niej na kanapie. Przykryte kocami oglądałyśmy telewizję, nie zamieniając ze sobą ani słowa. Oto plus przyjaźni: czuć się komfortowo przy kimś, milcząc.

Było już po dwunastej, a ja nadal nie miałam wieści od Massima. Popatrzyłam na moją przyjaciółkę, która pijana i z rozmazanym makijażem zasnęła w opakowaniu. Postanowiłam ją rozebrać, ale gdy tylko spróbowałam, warknęła coś i szczelnie się zawinęła.

– Nie to nie – wyszeptałam, całując ją w czoło, i poszłam się umyć.

Wzięłam prysznic i wróciłam do niej na kanapę. Pomyślałam, że kiedy się obudzi, nie będzie chciała być sama. Znudzona skakałam chwilę po kanałach. Leżałam tak, bezmyślnie gapiąc się w szklany ekran. Chciałam nawet zadzwonić do Massima, żeby sprawdzić, co się dzieje, ale wiedziałam, że gdyby chciał pogadać, sam by to zrobił. Było po drugiej, kiedy zasnęłam.

W pół śnie, pół jawie poczułam, że ktoś bierze mnie na ręce i niesie w stronę sypialni. Otworzyłam oczy i ujrzałam zmęczoną twarz mojego męża.

– Która godzina? – zapytałam, kiedy kładł mnie do łóżka.

– Piąta. Śpij, kochanie.

– Co z Domenikiem? – Otworzyłam szeroko oczy, dając mu do zrozumienia, że nie spławi mnie tak łatwo.

Czarny usiadł na skraju materaca, zrzucił z siebie marynarkę i zaczął rozpinać guziki od koszuli.

– Siedzi sobie w polskim areszcie i niestety chyba trochę tam posiedzi. – Spuścił głowę i głęboko westchnął. – Tyle razy mu mówiłem, że to nie jest Sycylia. I nie byłoby problemu, gdyby wyciągnął łapy do normalnego człowieka, ale on musiał sobie obrać za cel waszego potentata, niemal dumę narodową. – Podniósł głowę i wbił wzrok w ścianę. – Karol mówi, że sankcje, które na niego nałożą, mogą być nie do ruszenia mimo jego znajomości.

– Sankcje? – zdziwiłam się.

– Trzy miesiące aresztu ze względu na możliwość ucieczki lub mataczenia. I wszystko nawet dałoby się załatwić, gdyby nie fakt, że człowiek, którego postanowił obić, to jeden z najbogatszych ludzi w mieście. Poza tym ten cały Adam ma złamany nos, czyli uszczerbek na zdrowiu powyżej siedmiu dni. W waszym kraju coś takiego ściga się z urzędu, nie musi nawet pozywać Domenica. Oczywiście jeśli chce, to może, ale nawet jak nie chce, to prokuratura i tak zajmie się tą sprawą.

Gapiłam się na niego szeroko otwartymi oczami i czułam, jak odchodzą mnie resztki snu.

– Massimo. – Przytuliłam się mocno do jego pleców. – I co teraz?

Don siedział nieruchomo, a ja czułam, jak mu galopuje serce.

– Nic. Jutro mam spotkanie z prawnikami, pewnie zobaczymy się z tym dupkiem. Może go zastrzelę, na przykład, bez świadków, i zakopię w lesie.

Obróciłam się i usiadłam na jego kolanach, tak by spojrzeć mu w oczy; chwyciłam w dłonie jego twarz.

– Nie bawi mnie to – powiedziałam, krzywiąc się.

– Jutro wylecimy, moje siedzenie tu i tak jest bezcelowe. Polecimy do Gdańska na galę, mam też kilka spotkań, a potem wracamy na Sycylię – westchnął i oparł swoje czoło o moje. – Karol się wszystkim zajmie, nie martw się, Mała. – Ucałował mój nos. – To nie jest pierwsza wizyta Domenica za kratkami. – Uśmiechnął się i unosząc mnie lekko, ułożył na miękkiej pościeli, po czym przykrył sobą. – Chyba nie sądzisz, że z jego charakterem to pierwsza odsiadka.

Byłam zdziwiona, naprawdę zdziwiona, beztroską, z jaką to mówił.

– Bo widzisz, kochanie, mój młodszy braciszek jest dość porywczy, ale to już wiesz, widziałaś próbki jego umiejętności. Jest także, mimo że na to nie wygląda, dość kochliwy. Miał epizod z jedną z naszych menedżerek w klubie w Mediolanie. Na jego i jej nieszczęście pani ta okazała się mieć męża, który wyglądał jak połączenie goryla z koniem. A że mój brat nie jest mistrzem dyskrecji, to człowiek koń dowiedział się o romansie. – W tym momencie zaśmiał się i zaczął całować moją szyję. – Niby mogłem zareagować, ale z drugiej strony on dobrze wiedział, co robi. Kiedy doszło do konfrontacji, umiejętności Domenica

302

zostały wystawione na próbę. Motał się z nim dobre piętnaście minut, aż w końcu przestrzelił mu kolano.

– Słucham? – wydusiłam osłupiała.

Massimo był rozbawiony jak dziecko, czego zupełnie nie zrozumiałam.

– No, postrzelił go, bo wiedział, że nie wygra w walce. Niefart polegał na tym, że to była policyjna rodzina. Młody odsiedział swoje, ja zapłaciłem, ile trzeba, i po sprawie. – Wzruszył ramionami. – Więc, kochanie, jak sama widzisz, nie ma się co przejmować, Domenico nie uczy się na błędach. – Zsunął się ze mnie i położył obok, wpatrując w sufit, a jego rozbawienie się ulotniło. – Problem polega na tym, że tym razem trafił na osobę majętną i wyniosłą, tak jak on. Więc pieniądze w tym przypadku to może być mało, by przekonać Adama do zmiany zeznań.

Usłyszałam hałas w salonie i oboje podnieśliśmy wzrok. W progu sypialni zawinięta w koc stała przerażona Olga. Miała oczy mokre od łez.

– Jak długo tu stoisz? – zapytałam, wstając.

– Jeśli pytasz, czy wszystko słyszałam, tak słyszałam. Ja pierdolę! – Osunęła się po ścianie i schowała twarz w dłoniach. – To wszystko przeze mnie, jak mogłam być taka głupia. – Z jej gardła dobywał się potężny szloch, a ciałem wstrząsały dreszcze.

Pochyliłam się nad nią, biorąc w ramiona.

– Kochanie, ale to nie jest twoja wina, nic nie zrobiłaś.

Jej wycie stawało się coraz głośniejsze i rozdzierało mi serce.

– Olga, jeśli ktoś tu jest winny, to Domenico i jego głupota – powiedział Massimo, podchodząc do niej. – I skoro słyszałaś rozmowę, to wiesz, że nie pierwszy raz. – Chwycił ją za barki i postawił przed sobą. – Jeśli chcesz się z nim zobaczyć jutro, pojedziesz ze mną, ale wpadanie w histerię nic nam nie da. – Zerknął na zegarek na nadgarstku. – Zwłaszcza przed szóstą rano. Nie spałem od prawie doby, więc bardzo was proszę, idźcie spać, a jutro pogadamy. – Przekręcił Olo w stronę drzwi i lekko szturchnął. – Dobranoc.

Popatrzyłam na niego z wyrzutem i ruszyłam za nią. Położyłam ją w sypialni gościnnej na piętrze i dałam tabletkę uspokajającą, po której zasnęła.

Kiedy wróciłam do Czarnego, ze zdziwieniem odkryłam, że śpi. Nie wiem czemu byłam zaskoczona faktem, że zmęczony człowiek śpi, ale pewnie dlatego, że sporadycznie to ja miałam okazję obserwować go we śnie. Nagie ciało mojego męża spoczywało na białej pościeli. Jego twarz była piękna i spokojna; miał lekko rozchylone usta i miarowo oddychał. Jedna ręka zapleciona była pod głową, a druga wysunięta na moją połowę łóżka, jakby czekał, aż się wsunę pod jego pachę.

Moje oczy wędrowały po muskularnej klatce, brzuchu, aż dotarły do złączenia ud.

– Jest... – wysyczałam, oblizując wargi. Jego piękny kutas leniwie spoczywał na prawej nodze, prowokując mnie do działania.

– Nawet o tym nie myśl – powiedział, nie otwierając oczu. – Kładź się.

Jęknęłam, westchnęłam, chwilę posapałam i grzecznie wykonałam jego prośbę.

Obudziłam się po dwunastej i co zupełnie mnie nie zaskoczyło, odkryłam, że Massima już nie ma. Poszłam do kuchni, zrobiłam sobie herbatę z mlekiem i włączyłam telewizor w salonie. Po trzynastej, zaniepokojona długim snem przyjaciółki pijaczki, poszłam do jej sypialni. Najciszej, jak to możliwe, otworzyłam drzwi i stanęłam jak wryta. Łóżko było puste.

– Co tu się, kurwa, dzieje?! – wymamrotałam, schodząc na dół i biorąc do ręki telefon.

Wybrałam numer Olo i czekałam, ale nie odbierała. Spróbowałam kolejny raz i jeszcze dwa, a później zadzwoniłam do Czarnego. Dowiedziałam się raczej niewiele – nie mógł rozmawiać i nie było z nim Oli. Kompletnie zdezorientowana usiadłam na kanapie, pocierając skronie. Gdzie ona się podziała i czemu, do cholery, nie odbiera telefonu?

Z zamyślenia wyrwało mnie burczenie w brzuchu. Spojrzałam na dół i przypomniałam sobie, że jestem w ciąży. Odkąd skończyły się poranne mdłości, czasem zupełnie o tym zapominałam. Pogłośniłam telewizor, nastawiając go wcześniej na kanał muzyczny, i poszłam do kuchni zrobić sobie śniadanie. Otwierając lodówkę, popatrzyłam na zegarek. Była prawie czternasta. Doskonały czas na pierwszy posiłek, pomyślałam.

Rihanna i jej *Don't Stop the Music* kołysały mnie, kiedy smażyłam jajka. Podrygując po kuchni, przyszykowałam sobie posiłek jak dla pięciu osób i po kilkunastu minutach ruszyłam do salonu.

Przeszłam przez drzwi, wchodząc do ogromnego pomieszczenia, i prawie dostałam zawału, gdy zobaczyłam postać siedzącą na kanapie. Olga kamiennym wzrokiem wgapiała się we mnie, nie odzywając ani słowem. Popatrzyłam na nią, odstawiłam talerz na stół i ściszyłam ryczący telewizor.

– Dlaczego jesteś tak ubrana? – zapytałam, omiatając wzrokiem jej ciało.

Sukienka, którą miała na sobie, bardziej pasowała na nasze sobotnie wyjścia niż na środek dnia, a niebotycznie wysokie szpilki do łóżka, a nie na spacer. Czarny materiał uwidaczniał jej piersi i niemal zupełnie odkrywał pośladki. Zdjęła z ramion szare futerko, które ledwo sięgało jej do pasa, i rzuciła na podłogę. Zsunęła buty, ściągnęła podarte pończochy i wybuchła płaczem.

– Ja musiałam – wydukała przez łzy. – Musiałam.

Serce niemal zatrzymało mi się w piersi, gdy patrzyłam na ten nieszczęsny obraz. Podeszłam do niej i usiadłam na dywanie, chwytając ją za kolana.

– Olga, co zrobiłaś?

Po jej sztucznych rzęsach płynęły łzy, rozmazując starannie zrobioną kreskę; wyglądała żałośnie.

– Masz wódkę?

– Ja pierdolę, serio?! – zawołałam, krzywiąc się, na co odpowiedziała przytakującym kiwnięciem głowy. – Chyba mam w zamrażarce, sprawdzę.

Poszłam do kuchni i po chwili wróciłam z kieliszkiem, puszką coli zero i butelką belvedere. Polałam jej lufkę; wypiła ją jednym tchem, nawet nie sięgając po gazowany napój.

– Srogo – powiedziałam, nalewając drugą.

Wypiła trzy, wytarła nos i twarz, po czym zaczęła mówić.

– Długo myślałam o tym wszystkim, znam Adama i wiem, że nie odpuści. – Upiła łyk coli z puszki. – I tu nie chodzi o to, że on tak strasznie mnie kocha, bo nie kocha, tylko o dumę. O tę pierdoloną męską dumę, którą Domenico uraził. Wiesz, kto siedział z nim przy tym stoliku? – Pokręciłam głową. – Ci jego koledzy, te bogate dupki, właściciele połowy klubów, ruchacze i pseudokozaki. Więc możesz sobie wyobrazić, jaka to była dla niego potwarz dostać wpierdol – i to taki na oczach kolegów. Adam ma złamany nos, pęknitą kość szczęki i wygląda jak Mongoł. – Kiwnęła, bym raz jeszcze jej polała. – No więc poszłam do niego, pogadać.

– Co zrobiłaś? – wrzasnęłam, rozlewając wódkę.

– A co miałam innego zrobić? Czekać na proces, który Młody przegra, a później czekać, aż wyjdzie? Kurwa, Lari, oni nie są niezniszczali, a już na pewno nie tu. Sam Massimo wczoraj powiedział, że może być ciężko i trudno, więc chciałam ułatwić.

– Co zrobiłaś? – Ponowiłam pytanie trochę ciszej, ale nadal zbyt głośno.

– Nie drzyj się, kurwa, tylko słuchaj. – Wypiła lufkę i wzdrygnęła się. – Wstałam rano i kiedy Massimo wyszedł, ubrałam się, pojechałam do siebie i przebrałam się w to. Adam zawsze miał słabość do ekskluzywnych prostytutek. Później wsiadłam w samochód i pojechałam do niego. Stanęłam w drzwiach, złapałam głębszy oddech i zapukałam. Wcale nie był zdziwiony tym, że przyszłam. Otworzył drzwi i bez słowa wrócił do salonu, gdzie oglądał telewizję. Poszłam za nim, siadłam na fotelu i podałam mu kartę papieru. Poprosiłam, by napisał na niej, że to nie była napaść, tylko obrona ze strony Domenica.

– Co? – krzyknęłam, tym razem prawie dusząc się ze śmiechu. – Jaja sobie ze mnie robisz?

– Jego reakcja była podobna. Chciałam mieć na piśmie to, że jeśli dostanie, czego chce, a dobrze wiedziałam, co to będzie, wypuszczą Domenica.

– No i...?

– Zadzwonił do prawnika, wypytał go o szczegóły. Co miałby napisać, powiedzieć i zrobić, by człowiek, który siedzi teraz w areszcie, został wypuszczony, a następnie napisał to wszystko i się podpisał. – Wyjęła z torebki kopertę i rzuciła ją na stół. – Później to samo miał powiedzieć policji i teoretycznie powinno się udać. Złożył kartkę, zakleił kopertę i wsadził mi ją do torebki.

Patrzyłam na nią i na papier na zmianę, zastanawiając się, czy chce słuchać dalszej części. Wzięła głęboki oddech i popatrzyła na mnie smutnymi oczami.

– I...?

– Powiedział, bym poczekała chwilę, wyszedł z pomieszczenia i nie było go kilka minut. Kiedy wrócił, oznajmił, że mam iść do łazienki, bo tam wszystko jest przygotowane, i mam na to pięć minut. Oczywiście zrobiłam, co kazał, nie rozstając się z torebką. Kiedy tam dotarłam, na toaletce obok wanny leżał skórzany komplet, kozaki, pejcz... Przebrałam się, wróciłam i... Cóż ci mogę powiedzieć, Lari, dałam się zerżnąć jak dziwka. Nie raz, nawet nie dwa; pierdolił mnie dwie godziny, aż mu się znudziło. Uśmiechnął się, kiedy wychodziłam, i stwierdził, że kurwa zawsze będzie kurwą.

Zabiła mnie tą opowieścią. Czułam się jak w filmie sensacyjnym, tyle tylko, że to działo się naprawdę.

– Ja pierdolę, Olo – wyszeptałam, kręcąc głową. – No dobra i co teraz? Tak po prostu go wypuszczą? Nie sądzisz, że to będzie trochę dziwne i Sycylijczycy nie uwierzą w jego dobre serce?!

– Pomyślałam o tym. Prawnik Adama skontaktuje się z nimi, żądając jakiejś kwoty pieniędzy za ugodę i niekierowanie sprawy do sądu. Pewnie, jak znam życie, Adam dorzuci sobie przeprosiny, Massimo sterroryzuje brata i wszystko się skończy, nim jeszcze zdąży się zacząć. A, i najlepsze... Wiesz, dlaczego policja była na miejscu tak szybko? – Pokręciłam ponownie głową. – Przyjechali po kasę od jednego z jego kolegów, fajnie co? Ten debil pochwalił mi się, jakie ma znajomości.

Schowałam twarz w dłoniach i głośno wypuściłam powietrze, patrząc w jej zamglone oczy.

– A jak ty się czujesz?

– Średnio – powiedziała, wzruszając ramionami. – Najgorsze było to, że zanim wyszłam do łazienki, Adam zapowiedział mi, że nie ma zamiaru posuwać worka, więc ma mi być dobrze, a dowodem na to mają być osiągane przeze mnie orgazmy. Mało tego, stwierdził, że mam w trakcie mówić do niego po angielsku, skoro ze swoim nowym chłoptasiem tak gadam. – Wytrzeszczyłam na nią oczy. – No właśnie, i weź tu człowieku skup się, tak by dojść, pałając żądzą mordu, i jeszcze dogadzać mu werbalnie angielszczyzną. – Wzruszyła ramionami. – Więc wyobraziłam sobie, że to Domenico, i w sumie, gdyby nie fakt, że był to ten śmieć, powiedziałabym ci, że czuję się zajebiście. Zaspokojona, wydymana, zeszmacona i do granic usatysfakcjonowana. Ale to był Adam, a ja miałam sześć orgazmów, więc czuję się jak gówno, bo zdradziłam pierwszego faceta, którego kocham. – Pokręciła głową. – Idę się umyć, bo śmierdzę tym bydlakiem.

Siedziałam na kanapie, analizując to, co usłyszałam. Nie miałam pojęcia, co myśleć. Z jednej strony podziwiałam ją za upór i poświęcenie, z drugiej karciłam, że nie dała się Czarnemu tym zająć. Zastanawiałam się, czy ja postąpiłabym podobnie i kiedy doszłam do wniosku, że tak – rozgrzeszyłam ją w duchu.

Popatrzyłam na stojący na stole talerz zimnego jedzenia. Tkwił tam od dobrej godziny i raczej to, co było na nim, nie nadawało się do jedzenia. Nie byłam głodna, byłam zdenerwowana, ale wiedziałam, że dziecko nie jest niczemu winne i trzeba zjeść. Poszłam do kuchni i wyciągnęłam resztki chińszczyzny, podgrzałam je i zjadłam, nie odchodząc od blatu.

Gdy skończyłam, Olga siedziała na kanapie zawinięta w szlafrok i przerzucała kanały. Wtedy drzwi wejściowe otworzyły się i stanął w nich Massimo, a zaraz za nim Domenico. Olo rozpłakała się i z dzikim szlochem popędziła w jego stronę, wskakując na uradowanego Włocha.

– No już – powtarzał, niosąc ją przez pokój. – Jestem tu, nic się nie dzieje, my jesteśmy Torricelli, nas się nie da tak łatwo pozbyć. – Usiadł na kanapie i nadal głaskał plecy uczepionej niego Oli.

Podeszłam do Czarnego i objęłam go ramieniem. Delikatnie pocałował moje czoło i uśmiechnął się.

– Za dwie godziny lecimy. Jak się czuje mój syn? – Pogłaskał dół brzucha.

– To córka! – krzyknęła Olo, odwracając się w naszą stronę.

Massimo ucałował moje czoło i po odwieszeniu płaszcza usiadł przy stole, uruchamiając komputer. Podeszłam do niego i przytuliłam się do pleców, nadal wpatrzona w tę scenę miłości. Po dziesięciu minutach przestała płakać i zaczęła wrzeszczeć na niego, tłukąc go pięściami po klatce i wyrzucając mu jego wczorajsze idiotyczne zachowanie. Młody ze śmiechem unikał jej ciosów i łapał za ręce, aż w końcu powalił ją na miękki dywan i mocno pocałował. Odwróciłam wzrok, czując się jak intruz albo podglądacz. Po chwili ciszy Massimo po włosku powiedział coś do Domenica, na co ten wstał, raz jeszcze całując moją przyjaciółkę, i po chwili obaj zniknęli na górze. Weszłam do garderoby i zaczęłam wkładać rzeczy do walizek.

– A jak on będzie chciał się bzykać? – powiedziała konspiracyjnie Ola, siadając obok. – Kurwa, myślisz, że faceci czują takie rzeczy, że on zauważy?

Wytrzeszczyłam na nią oczy, składając kolejną sukienkę.

– Pytasz mnie o coś, na czym się zupełnie nie znam, ale może dla pewności wymyśl coś. Zatrucie pokarmowe albo ból głowy, może okres?

– Okres nie jest dla niego przeszkodą. – Skrzywiła się. – Ale gadka o czułości i przytulaniu zawsze działa.

Uniosłam rękę w geście solidarności i pokiwałam wyprostowanym wskazującym palcem. Kiedy nie wiedziałam, jak powiedzieć Massimo o ciąży, też wcisnęłam mu taką ściemę i przeszło.

Po godzinie byłyśmy gotowe. Ochrona zabrała nasze bagaże i przed osiemnastą byliśmy już w samolocie. Czułam się dziś wyjątkowo dobrze, nawet przez chwilę nie myślałam o tym, by wziąć tabletkę. Ale kiedy posiedziałam chwilę w metalowej puszce, przestałam już być taka twarda. Sięgnęłam po torebkę, by odszukać leki, a wtedy mój mąż chwycił mnie za rękę, wyprowadził z pomieszczenia i zabrał do sypialni.

– Lot trwa niecałe trzydzieści minut, zorganizuje ci czas tak, byś zapomniała o tym, co się dzieje – powiedział, popychając mnie na materac i ściągając z siebie koszulę.

ROZDZIAŁ 12

Faktycznie lot był bardzo krótki, a ja mając Massima między nogami, nawet nie zauważyłam, kiedy się zaczął i skończył. Wysiedliśmy na lotnisku w Gdańsku, skąd ochrona odebrała nasze bagaże, podstawiając Czarnemu jego ferrari. Boże, jakiś biedak musiał nim tu przyjechać, żeby książę panicz mógł hasać po Trójmieście swoją zabawką. Pokręciłam głową na tę myśl, wsiadając do środka. Rozejrzałam się po wnętrzu i skonsternowana stwierdziłam, że to nie jest ten sam samochód.

– Ktoś przywiózł go z Warszawy? – zapytałam, kiedy silnik ryknął.

Czarny zaśmiał się i ruszył, zostawiając wszystkich za sobą.

– Kochanie, to zupełnie inny samochód. W domu stoi ferrari italia, ale on nie nadaje się do jazdy zimą z uwagi na tylny napęd. To ferrari FF, ma napęd na cztery koła i jest zdecydowanie lepsze na taką pogodę.

W tym momencie poczułam się jak głupia; nie rozróżniałam dwóch teoretycznie różnych samochodów, a w mroku czarny statek kosmiczny wygląda jak czarny statek kosmiczny. Usprawiedliwiona tą myślą wbiłam wzrok w szybę. Przez szybką akcję z wyjazdem zupełnie zapomniałam zdziwić się tym, że wypuścili Młodego. Odwróciłam się więc w stronę męża, łapiąc go za kolano.

– Jak udało ci się wyciągnąć Domenica tak szybko?

– Nie mi się to udało, w tym dupku odezwała się chciwość. Jego adwokat skontaktował się z naszymi i po ustaleniu odpowiedniej kwoty sprawa przestała być aktualna.

– Aha – powiedziałam lakonicznie, nie chcąc ciągnąć tematu.

– A swoją drogą to dziwne – zaczął Czarny, zerkając na mnie. – Facet ma tyle pieniędzy, że byłem przekonany, iż nie dojdzie do ugody. Już nawet przygotowałem się nieco z jego bogatej historii, ale nie musiałem wykorzystywać nabytej wiedzy.

– Jak to bogatej?

Czarny zaśmiał się, zjeżdżając z obwodnicy miasta.

– Pamiętaj, kochanie, że nie ma na świecie bogatego człowieka, który robi wyłącznie legalne interesy. Adam także do nich nie należy, zdecydowanie bliżej mu do mnie niż do Matki Teresy.

– Czyli Domenico i tak by wyszedł? – zapytałam skonsternowana i przerażona jednocześnie, że poświęcenie Olo nie było konieczne.

– Mała, są dwie rzeczy, na których się znam: zarabianie pieniędzy i szantaż.

Było mi niedobrze na samą myśl o tym, co zrobiła, i że może wyjść to na jaw. Z drugiej jednak strony myślała, że nie ma wyjścia, i działała z altruistycznych pobudek.

– Jesteśmy – powiedział Massimo, podjeżdżając pod Sheraton w Sopocie.

Obarczona tą wiedzą, zatopiona w ponurych myślach ruszyłam za nim, kiedy przeszedł przez główne wejście i wsiadł do windy.

Apartament był niezwykle przestronny i usytuowany na ostatnim piętrze w skrzydle z widokiem na morze. Niestety, nie miałam zbytnio szansy delektować się widokiem, bo było ciemno i sypał śnieg. Usiadłam na fotelu w przeszkolonej werandzie, tępo gapiąc się na widok za oknem. Nie wiedziałam, co mam myśleć, czy się martwić, czy zignorować całą sytuację, która na nasze szczęście już się zakończyła.

– O czym myślisz? – zapytał Massimo, stając za mną i delikatnie masując mi barki. – Coś bardzo cię dziś pochłania, chciałbym, żebyś powiedziała mi, co to, bo skoro rozbija cię od tylu godzin, musi być istotne.

W głowie tasowałam wszelkie możliwe kłamstwa, jakich mogę użyć, by ustrzec się przed jego ciekawością, ale niezbyt dobrze mi szło.

– Myślę o mamie – powiedziałam, krzywiąc się na myśl o tym, co zaszło w moim domu rodzinnym.

Czarny okrążył fotel i ukląkł przede mną, lekko rozchylając mi kolana na boki. Jego ciało wsunęło się w moje, a wargi zamarły kilka

316

milimetrów od moich ust. Gładził moją twarz kciukiem, obserwując spod półprzymkniętych oczu.

– Czemu moja żona mnie okłamuje? – Jego wzrok pociemniał, a na czole pojawiła się zmarszczka.

Westchnęłam i opuściłam ramiona w geście rezygnacji.

– Massimo, są rzeczy, o których nie mogę i nie chcę z tobą rozmawiać. – Chwyciłam w dłonie jego twarz i mocno pocałowałam. – Twoja córka jest głodna – powiedziałam, odrywając się od niego i mając nadzieję, że zmiana tematu odwróci jego uwagę. – Więc zrób coś z tym.

– Już zamówiłem kolację, zjemy ją w pokoju – powiedział, łapiąc mnie za biodra i lekko zsuwając z fotela w swoją stronę. – A teraz słucham, co się takiego dzieje?

Kurwa mać! Wykrzykiwałam w duchu miliony przekleństw, sfrustrowana do granic, że nie pozbędę się tego człowieka ani jego ciekawości, postanowiłam jednak milczeć. Z jednej strony wiedziałam, że nie ma to zupełnie sensu, z drugiej zaś uznałam, że przecież nie jest w stanie wyciągnąć ze mnie siłą tej wiedzy. Mój mąż klęczał, badawczo wpatrzony we mnie, a jego wzrok stopniowo zaczynał płonąć gniewem.

– Skoro nie chcesz mówić, pozwól, że zgadnę – syknął, wstając z kolan i odwracając się w stronę okien. – Chodzi o Olgę? – W tym momencie przekręcił głowę, a jego przepełnione złością spojrzenie napotkało moje spanikowane oczy.

– A więc trafiłem – stwierdził, zaplatając ręce na piersiach. – Podzielę się z tobą swoją wiedzą, jeśli ulży ci świadomość, że wiem.

Modliłam się w duchu, by blefował, ale skoro tak łatwo mnie rozgryzł, nie powinnam być zaskoczona, jeśli już o wszystkim wiedział.

– Massimo, o co ci chodzi? – zapytałam najbardziej obojętnym tonem, jaki udało mi się wyczarować. – Co znowu zrobiła ci moja przyjaciółka? – Zawsze warto spróbować kłamstwa, pomyślałam, albo chociaż przypalić głupa, że nie mam o niczym pojęcia.

Czarny zaśmiał się, rozplótł ręce, które wsadził do kieszeni, i oparł się plecami o ramy okien sięgające od podłogi do sufitu.

– Mnie nic, ale poświęcenie wobec sprawy mojego brata było godne podziwu, szkoda tylko, że niepotrzebne – powiedział sarkastycznie. Moje oczy zrobiły się wielkie, okrągłe i nienaturalnie wytrzeszczone, gdy to usłyszałam. – Tak, kochanie, wiem o tym, co zrobiła, żeby ten gnój wycofał zeznania. Najpierw byłem na nią zły, bo nie posłuchała, kiedy mówiłem, że to załatwię. Ale później uświadomiłem sobie, jak daleko posunęła się dla Domenica. I wiesz co? – Podszedł i pochylił się nade mną, opierając o boki fotela. – To doskonała cecha dla kobiety w takiej rodzinie jak nasza. Zaimponowała mi. – Pocałował moje czoło i poszedł w kierunku drzwi, do których rozległo się pukanie.

Siedziałam skonsternowana, wbita w fotel i zastanawiałam się, czy mogę liczyć choć na jeden dzień bez żadnych rewelacji.

Kelner wwiózł jedzenie, rozstawił je na stole, uprzednio zdejmując kwiaty, i postawił cooler z winem. Przygotował wszystko, zostawił i po chwili zniknął. Wstałam z miejsca i usiadłam przy stole, kładąc na kolanach lnianą serwetkę. Don w tym czasie zdążył się rozebrać i usiadł naprzeciwko w lekko rozpiętej koszuli i czarnych spodniach, boso. Chciałam coś powiedzieć, ale generalnie nic nie przychodziło mi do głowy.

– Zamówiłem gęś...

– Też bym tak zrobiła – przerwałam mu, a sztućce brzęknęły o talerz Massima. – To normalne, gdy się kogoś kocha.

– Dość! – wrzasnął, z impetem wstając od stołu. – Nawet nie mów takich rzeczy, Lauro.

– No, podobno ci to zaimponowało? – mamrotałam, a on stał, patrząc na mnie wzrokiem pełnym niedowierzania.

– Tak, w przypadku Olgi, która jest lekkoduchem. Miałem wielkie wątpliwości, czy jej uczucie do mojego brata jest prawdziwe, teraz już wiem.

– Aha, czyli jak ona daje dupy za uratowanie ukochanego, to dobrze, a jak ja bym tak zrobiła, to źle.

Podszedł do mnie i gwałtownie chwycił mnie za ramiona, stawiając do pionu.

– Jesteś moją żoną, nosisz w sobie moje dziecko, zabiłbym jego, a później siebie, wiedząc, że tak poświęciłaś się dla mnie. – Ściskał mnie wiszącą w powietrzu, a jego płuca nie nadążały pompować powietrza. – Niech ci nigdy do głowy nie przyjdzie takie rozwiązanie, Mała. Kurwa! – wrzasnął, puszczając mnie, a później zaczął bełkotać coś po włosku, chodząc w tę i z powrotem po pokoju.

No tak, moje wyznanie nie było konieczne, pomyślałam, patrząc na jego reakcję. Co nie zmieniało faktu, że aby go ratować, postąpiłabym identycznie.

– A właściwie to skąd o tym wiesz? – zapytałam, siadając na swoim miejscu i zatapiając widelec w soczystym mięsie.

Massimo zatrzymał się i popatrzył na mnie skonsternowany i zapewne zaskoczony moim spokojem.

– Z nagrania. – W tym momencie moje sztućce brzęknęły o talerz.

– Z czego? – Odwróciłam głowę w stronę męża, który zajmował na powrót swoje miejsce.

– Jedz, a kiedy skończysz, wszystko ci wyjaśnię.

Zachęcona tymi słowami i mając świadomość, że mój sprzeciw i dąsy nie mają sensu, dosłownie wrzucałam w siebie dania. Gęś, ziemniaki, sałatkę, buraczki, które nie wyglądały ani nie smakowały jak buraczki, deser, drugą porcję deseru, aż wyhamowałam na herbacie z cytryną, lekko zemdlona ilością jedzenia.

Czarny z zadowoloną miną obserwował ucztę, wpatrując się we mnie znad kieliszka wina.

– Już – powiedziałam, opierając się. – Słucham.

– Na początku byłem skonfundowany, bo cała sytuacja wyglądała tak, jakby Olga tego chciała. – Wziął głęboki wdech i nalał sobie wina. – Scena wygląda tak, że ona przychodzi do pomieszczenia przebrana w całkiem przyjemny strój. – Jego kąciki ust uniosły się w szyderczym uśmiechu. – A później on ją pieprzy, jakieś dwie godziny, sądząc po tym, co wskazuje zegar, po czym ona wychodzi i to wszystko.

– To skąd pewność, że to jest nagranie z teraz?

– No, bo widzisz, kochanie, Adam ma rozwaloną twarz, a na stole, na którym ją wziął, leżała wczorajsza gazeta. – Rozłożył ręce i wzruszył przepraszająco ramionami.

– A skąd ty masz nagranie?

– Nie było przeznaczone dla mnie, miał je dostać Domenico. Ten złamas chciał w ten sposób zadrwić z niego, a jak sadzę, przy okazji zniszczyć życie Oldze. Jego prawnik przekazał płytę policjantom w areszcie, ale ci debile pomylili nas i kiedy wychodziliśmy, to ja otrzymałem przesyłkę dla niego.

Nagle wszystko, co mówił on i Olo, zaczęło mieć sens. Adam od początku uknuł intrygę, która miała na celu poniżyć jego przeciwnika i rozbić jej związek. To, że chciał, by miała orgazmy i mówiła po angielsku, stało się teraz jeszcze logiczniejsze, na filmie musiało być widać, że jej dobrze, że ona tego chce. Ubranie przyszykował w łazience, tak by mieć czas nastawić kamerę, a dodatkowo, by to wyglądało jeszcze bardziej naturalnie. I z tego, co mówił Massimo, film zaczynał się po scenie podpisania zeznań gwarantujących wolność, więc zasadniczo przedstawiał tylko dobre, ostre, dwugodzinne rżnięcie.

– Skąd wiedziałeś, że Olga po prostu nie zdradziła Domenica?

– Nie wiedziałem – powiedział, wstając. – Trochę blefowałem, dopiero twoja reakcja upewniła mnie w moich przypuszczeniach. Już w samochodzie podpuszczałem cię do rozmowy, ale chyba po podróży ciężko było ci się skupić.

– I co teraz? – Stanęłam obok niego, wtulając głowę w jego klatkę.

– Nic, nagranie zniszczyłem, Domenico jest wolny, a jutro idziemy na galę. – Uśmiechnął się, lekko mnie od siebie odsuwając. – A jeśli pytasz o dzisiejszy wieczór, to zamierzam cieszyć się ciężarną żoną.

Następnego dnia rano, ku mojemu zdziwieniu, obudziłam się koło męża. Zgłupiałam do tego stopnia, że kiedy otworzył oczy, zapytałam, co się stało, powodując w nim nerwowy śmiech. Razem nawet zeszliśmy na śniadanie, czym kolejny raz wprawił mnie w osłupienie, że nie jemy w pokoju, a do tego nigdzie się nie spieszył. Weszliśmy do restauracji i kiedy zobaczyłam Olgę siedzącą przy stoliku z Domenikiem, zamarłam. Czarny mocniej zacisnął swoją dłoń na mojej, pociągając w ich stronę.

Po trzydziestu minutach wspólnego posiłku nasza rodzinna idylla dobiegła końca.

– O dwunastej mamy pierwsze spotkanie – powiedział Massimo, zwracając się do mnie. – Później jeszcze jedno, wrócimy po was koło szesnastej. Sebastian jest na miejscu, wystarczy, że zadzwonisz do recepcji i powiesz, że potrzebujesz samochód. – Pocałował mnie w głowę i pogładziwszy ramię Olgi, oddalił się.

Mina, jaką zrobiła po tym geście, była bezcenna. Przerażenie zmieszane z obrzydzeniem i przejęciem.

– O chuj mu chodzi?! – zapytała, pocierając miejsce, w którym była dłoń Czarnego.

Przez chwilę usiłowałam na nią nie patrzeć, zastanawiając się, czy wyznać jej prawdę, ale w tej kwestii moja przyjaciółka była jak Massimo. Nieustępliwa, natarczywa, ciekawska i trudno było się jej pozbyć.

– Laura! – warknęła. – Mówię do ciebie.

O Boże, znowu czułam się osaczona. Zapowiadał się kolejny dzień ze zbyt dużą ilością informacji, ciekawostek i sytuacji, których wolałabym uniknąć.

– On wie – wydusiłam, spoglądając w jej stronę. – Wie o Adamie. – Złapała głęboki wdech i zrobiła się purpurowa na twarzy. – Zanim zaczniesz wrzeszczeć, nie ode mnie wie. – Po tych słowach jej twarz dla odmiany zrobiła się zielono-biała. – Zacznij oddychać Olo, wszystko ci opowiem.

Jej czoło rytmicznie uderzało o stół, na którym podskakiwały, dzwoniąc, szklanki i spodki. Podłożyłam dłoń w miejsce, w które stukała, aby zamortyzować uderzenia.

– Przestań, kurwa, nic się nie dzieje. – Rozejrzałam się, konspiracyjnie szepcząc do niej. – Ale lepiej, żebyś wiedziała, co twój jebnięty kochanek planował.

Uniosła wzrok i zamarła, zaciskając powieki.

– No dawaj, już chyba gorzej nie będzie.

Opowiedziałam jej wszystko, co wiem od Czarnego, wyjaśniając tym samym jego dziwaczne zachowanie w stosunku do niej. Dziwaczne i dość osobliwe o tyle, że don nigdy nie darzył Olgi szczególną miłością. Szanował ją i wiedział, że nie potrafię bez niej żyć, ale wydaje mi się, że odczuwał także irracjonalną zazdrość, która nie pozwalała mu na sympatię. Te czasy już minęły, po tym, co zrobiła dla Domenica. Jego stosunek do niej zmienił się o sto osiemdziesiąt stopni.

– Dzień dobry – usłyszałam za plecami i po-patrzyłam na przerażoną twarz Olo.

– I co, kurwa, jeszcze? – warknęła, wpatrując się w mojego przystojnego brata, stojącego za mną.

Wstałam i rzuciłam mu się na szyję, zapominając o tym, że kiedyś posuwał moją przyjaciółkę.

– Cześć, Młoda – powiedział, tuląc mnie do siebie. – Twój facet zerwał mnie z łóżka, a jeden z jego goryli przywiózł tu przez zaspy. – Usiadł obok mnie i zwrócił się w lewo. – Cześć, Olciu, kochanie, jak się masz? – Delikatnie przesunął dłonią po jej udzie, głupkowato się uśmiechając.

– Jakub, uspokój się! – burknęłam na niego.

Wbił oczy w mój brzuch.

– O kurwa, mama nie kłamała. – Usiadłam na fotelu, krzywiąc się nieco. – Ja pierdolę, będę wujkiem, ale to jeszcze chuj. Ty będziesz matką, coś niebywale pokręconego.

Też spojrzałam na miejsce, w które patrzył. Faktycznie, w bardzo wąskiej koszulce, którą miałam na sobie, mój idealnie płaski brzuch nie wydawał się już tak płaski.

– Idę na siłownię, pobiegam – oznajmiła Olga, odchodząc od stołu.

– I czemu kłamiesz? – odezwał się mój brat. – Powiedz prawdę, że idziesz opierdolić komuś gałę po mistrzowsku.

Boże, zaczyna się, pomyślałam, przewracając oczami.

– Zgadłeś. – Klasnęła w dłonie z sarkastyczną miną. – Ale niestety, nie ty doświadczysz mojego mistrzostwa.

Po wymianie złośliwości Olga poszła biegać, co faktycznie nijak do niej nie pasowało, a Jakub skupił uwagę na mnie.

– A więc ciąża, mąż, wyprowadzka... Coś jeszcze? – Zaczął, mieszając kawę. Krzywiłam się nerwowo, pocierając brzuch. – A, no i cosa nostra, zapomniałem o najciekawszym.

Podniosłam wzrok, wbijając w niego przerażone spojrzenie, on natomiast spokojnie popijał ciemny napój, uśmiechając się uroczo. Jego szerokie od pływania ramiona trzęsły się od śmiechu. Odstawił kubek i zaplótł ręce za głową.

– Siostra, przecież od początku to było widać, poza tym mam Google'a, a twój mąż nie jest anonimowy.

– Jezu Chryste – szepnęłam, chowając twarz w dłoniach. – Rodzice wiedzą?

– Głupia jesteś? Oczywiście, że nie. Może coś podejrzewają. Poza tym od jakiegoś czasu wdrażam się w finanse jednej ze spółek Massima, tak że zauważyłem już co nieco.

– Słucham?! – powiedziałam odrobinę zbyt głośno, skupiając na sobie uwagę gości przy sąsiednich stolikach. – Pracujesz dla niego?

– Doradzam mu, ale nie gadajmy o tym. Powiedz lepiej, jak się czujesz i co stało się w domu.

Rozmawialiśmy długo, a że w tym czasie skończyło się śniadanie, przenieśliśmy się do apartamentu. Tematów było zbyt wiele, czasu zbyt
mało, a mój uroczy brat okazał się bardzo opiekuńczy w stosunku do ciężarnej siostry.

– Zjemy razem lunch? – zapytałam, kiedy
robiło się późno.

– Kolację raczej, bo teraz musisz się szykować. Będę po was koło dziewiętnastej. Gala startuje o dwudziestej. – Wytrzeszczyłam na niego
oczy, kiedy skończył zdanie.

– Jak to: będziesz po nas?

– Massimo powiedział, bym was zabrał, a on
dojedzie, bo ma spotkanie.

Zrobiło mi się przykro, nie pierwszy raz i zapewne nie ostatni. Znowu spotkanie i znowu to
ktoś inny zabiera mnie w miejsce, w które miałam iść z nim. Tak naprawdę te walki mnie nie
interesowały bez niego, bo to Czarny zainspiro-
wał mnie do tego, by poświęcić temu więcej
uwagi.

Mój brat poszedł, a ja zadzwoniłam po Olgę,
dowiadując się, że w ramach zabijania czasu za-
mówiła nam fryzjera i wizażystów. Miałam godzinę na kąpiel i przekopanie bagaży w poszukiwaniu kreacji na wieczór. Usiadłam przed
walizkami, wyrzucając z nich zawartość. Nigdy
nie byłam na takiej gali, więc nie miałam pojęcia,
czy ma to być suknia na kole z piórami, czy wy-
starczą dżinsy. W pewnym momencie olśniło

mnie – czerń. Nieważne, co będę miała na sobie, jeśli to będzie czarne, będzie idealnie.

Wygrzebałam z walizki wysokie czarne kozaki od Manolo Blahnika, dobrałam do tego skórzane spodnie w tym samym kolorze, które bardziej przypominały legginsy, i czarną luźną koszulę Chanel, która idealnie maskowała ciążę. Zadowolona z szybkiej decyzji poszłam wziąć prysznic, a potem nałożyłam komplet z czarnej koronki i włożyłam szlafrok.

Wizażystki i fryzjerzy skończyli po osiemnastej. Kiedy wyszli, stanęłam przed lustrem. Wyglądałam świetnie; doczepione włosy zgrabnie przerodziły się w dobierany gruby warkocz, a przydymiony szary makijaż idealnie pasował do wybranych ciuchów. Zrzuciłam z siebie biały szlafrok i sięgnęłam po bluzkę, po chwili odkładając ją, słysząc głos mojej przyjaciółki.

– Zadzwoń do mnie, jak twój brat dupek się zjawi – powiedziała Olga, wychodząc z pokoju. – I odziej się, paradujesz w tym komplecie, jakbyś chciała kogoś zwabić!

– Ubieram się! – warknęłam. – Poza tym jestem w ciąży, a to nie jest sexy.

Olga popukała się w głowę i chwytając za klamkę powiedziała:

– Debilu, przecież po tobie prawie tej ciąży nie widać, jesteś szczuplejsza niż ja, a z tego, co wiem, ja nie spodziewam się potomka. Ubieraj się i zadzwoń do mnie.

Zamknęłam za nią drzwi i wyłączyłam światła, po czym nastawiłam w telefonie Delerium – *Silence* – i wsadziłam słuchawki do uszu. Miałam czas, a właściwie to po prostu nigdzie mi się nie spieszyło. Stałam w ciemnościach, patrząc za okno na padający śnieg, tak gęsty, że niemal całkowicie zasłaniał zatopione w morzu molo.

Piosenka leciała już kolejny raz, kiedy jedna ze słuchawek wysunęła się, zastąpiona gładkim, brytyjskim akcentem.

– Moje – powiedział Massimo, przesuwając dłonie od bioder aż do brzucha i ocierając się o materiał. – Nie przeszkadzaj sobie – wyszeptał, ponownie wkładając mały głośniczek do mojego ucha.

W głowie rozbrzmiewał mi cudowny damski głos, ale nie mogłam się na nim skupić, zdezorientowana sytuacją. Nagle poczułam, jak delikatna apaszka zakrywa mi oczy, i oparłam dłoń o szybę, przytrzymując się. Byłam ślepa i głucha, zdana na jego łaskę. Cały czas stojąc za moimi plecami, wyciągnął z ręki telefon i wsunął mi go między piersi, zawieszając na staniku. Po czym przekręcił mnie energicznie i uniósł moje ręce nad głowę, łapiąc obie jedną dłonią. Przygryzał mi wargi delikatnie i niespiesznie, wsuwając język pomiędzy nie. Rozchyliłam usta i czekałam, aż wedrze się do środka, ale nic takiego się nie stało. Poczułam, jak jego zęby kąsają moją brodę, szyję, obojczyk, aż dotarły do sutka. Massimo drażnił go przez koronkę stanika, przygryzając i liżąc na zmianę. Jęknęłam, usiłując się oswobodzić, ale jego uścisk na nadgarstkach przybrał na sile. Wolną ręką powoli gładził wewnętrzną stronę ud, rozsuwając mi je na boki. Muzyka grała, dezorientując mnie, kiedy na zmianę atakował moje piersi, palcami wdzierając się do środka.

W pewnym momencie czułam już tylko jego rytmiczne pocieranie mojej nabrzmiałej łechtaczki, kiedy niespodziewanie głęboko wcisnął język do moich ust, jednocześnie uwalniając ręce. Całował mnie, a ja zachłannie przyciskałam jego twarz do swojej. Zsunęłam dłonie na jego barki, były nagie, nie przerywając tańca naszych języków, przesuwałam je niżej i z zaskoczeniem odkryłam, że był zupełnie rozebrany. Podłożył dłonie pod moje pośladki i wprawnie uniósł mnie, niosąc przez pokój.

– Massimo – powiedziałam, nie słysząc dźwięku własnych słów, które zagłuszała muzyka.

– Chcę...

– Wiem, czego chcesz – wyszeptał kolejny raz, uwalniając jedno moje ucho. – Ale nie dostaniesz tego i nie skupiaj się na tym. – Wsuwając ponownie słuchawkę do ucha, ułożył mnie na miękkim materacu.

Wyjął telefon spomiędzy piersi i odłożył na bok. Po czym zsunął jedno ramiączko, potem drugie, aż w końcu obie piersi były wolne. Gryzł je coraz mocniej i brutalniej, ssał, pieścił, obracał

w palcach. Dudniąca muzyka zaczynała mnie iry-
tować, jednocześnie wzmagając czucie w każdym
milimetrze ciała. Wiedziałam, że dyszę i jęczę
głośniej niż zwykle, ale nie słysząc siły własnego
głosu, zupełnie się tym nie przejmowałam. Usta
Massima wędrowały w dół po moim brzuchu, docierając do koronki maleńkich stringów. Rozłożyłam szeroko nogi, dając mu wyraźny sygnał, że
już koniec drażnienia i powinien zająć się mną na
serio. Niestety, jedyne, co poczułam, to jego gorący oddech. Wstał, co poznałam po uginającym
się materacu.

Chciałam ściągnąć opaskę i słuchawki, ale
wiedziałam, że pożałuję tego. Nie dlatego, że mój
mąż mnie ukarze, ale dlatego, że zepsuję sobie
niespodziankę. Leżąc, zdezorientowana poczułam, jak jego dłoń delikatnie przekręca moją
twarz na bok, a nabrzmiała męskość wsuwa się
w moje rozchylone usta. Jęknęłam z rozkoszy
i chwyciłam go mocno ręką, ssąc i oblizując jak
szalona. Jego smak był idealny, a zapach sprawiał, że brakowało mi tchu. Nie miałam pojęcia,
czy mu dobrze ani co robi, póki jego dłonie nie
oparły się o moje włosy. Lubiłam, kiedy mną ste-
rował, posuwał moje usta tak, jak lubił, a ja miałam pewność, że doprowadzam go do szaleństwa.

Po chwili puścił tył mojej głowy i przesunął ją,
opierając tak, że leżałam zupełnie płasko. Poczułam, jak po obu jej stronach materac zapada się,
a jego członek trąca moje wargi. Rozchyliłam je,

posłusznie biorąc go do buzi. Biodra Czarnego powoli wytyczały rytm, a on sam zsuwał się ustami od brzucha coraz niżej, po chwili docierając do pulsującej łechtaczki. Jego długie ręce zsunęły mi majtki niemal aż do kostek, a kiedy pozbyłam się ich, rozchyliły mi mocno uda na boki. Zduszona jego potężną erekcją krzyczałam, kiedy łapczywie zaczął lizać mnie, jednocześnie wsuwając dwa palce do środka. Wtedy przekręcił się na plecy, pociągając mnie za sobą tak, że teraz to ja leżałam na nim. Oparłam się łokciem o jego udo i mocno chwyciłam twardy członek. Szybko i brutalnie zaczęłam poruszać dłonią w górę i w dół, czując, jak robi się coraz twardszy. Massimo nie pozostawał mi dłużny, gryzł i ssał mnie, jednocześnie zwiększając tarcie, dokładając kolejny palec. Pieprzył mnie językiem i palcami, doprowadzając na skraj rozkoszy. Uwielbiałam tę pozycję. Sześć na dziewięć zawsze dawało mi dwa odczucia, które uwielbiałam: władzę i rozkosz.

Poczułam, jak w dole brzucha robi mi się gorąco, a wszystkie mięśnie zaczęły się miarowo zaciskać. Mój oddech przyspieszył, a ruchy Massima we mnie przybrały na sile, kiedy poczuł, że dochodzę.

– Nie! – krzyknęłam, zrywając z oczu szal, a z uszu słuchawki. Poczułam, jak orgazm odchodzi, a Czarny z zaskoczeniem patrzy na mnie, lekko się uśmiechając. – Chcę cię poczuć.

Nie musiałam tego dwa razy powtarzać; don zrzucił mnie z siebie i po chwili przywarł, wsuwając się w mój gotowy, mokry środek.

– Zerżnij mnie, błagam – wyszeptałam, łapiąc go za włosy i mocno przyciskając jego usta do moich.

Lubił to. Massimo uwielbiał brutalny seks, kochał, kiedy byłam wyuzdana i wulgarna. Wyprostował się, klękając, po czym chwycił moją nogę, kładąc ją sobie na barku, lekko skręcił biodra i natarł na mnie z ogromną siłą. Jego kutas sięgnął najdalszej części mojej kobiecości, a lewa dłoń powoli zacisnęła się na szyi. Wsunął mi wskazujący palec do ust i gdy poczuł, jak zaczynam go ssać, z dzikim rykiem zaczął mnie pieprzyć.

Po kilku minutach poczułam, że mój orgazm wraca i zaraz we mnie eksploduje. Za oknem sypał śnieg, w pokoju było ciemno, a ja słyszałam tylko własny urywany oddech i stłumione dźwięki Delerium, wydobywające się ze słuchawek leżących obok. Szczytowałam długo i mocno, wbijając paznokcie w jego uda. I kiedy myślałam, że przyjemność już odchodzi, Massimo doszedł, opadając na moje ciało, i raz jeszcze doprowadził mnie do rozkoszy, ocierając się o moją nabrzmiałą kobiecość.

Leżeliśmy tak zdyszani i spoceni przez kilka minut, usiłując dogonić oddechy.

– Byłam uczesana – powiedziałam ze smutkiem, kiedy niemal doszłam do siebie. – I umalowana...

– I niezaspokojona. – Pocałował mnie w czoło, wciąż nieco dysząc. – Poza tym na pewno wyglądasz doskonale. Późno już, musimy się zbierać. – I zniknął w łazience.

Ty hipokryto, pomyślałam, ledwo idąc na miękkich nogach w stronę lustra. Kiedy przed nim stanęłam, ogarnęła mnie furia. Tak jak myślałam – o ile makijaż, powiedzmy, wciąż znajdował się na swoim miejscu, o tyle włosy zdecydowanie nie. Chwyciłam za telefon, modląc się, by hotelowy fryzjer miał miejsce. Miał. Pięć minut później ponownie zaplatał warkocz, dziwnie mi się przyglądając.

Massimo w międzyczasie skończył się myć i rozmawiał przez telefon, chodząc po pokoju i pokrzykując coś po włosku. Podziękowałam mojemu wybawcy, a Czarny, nie przerywając rozmowy, wcisnął mu w rękę banknot, zanim zamknął drzwi, niemal wypychając go na korytarz.

ROZDZIAŁ 13

– Zapraszam państwa! – krzyknęła dziewczyna przy bocznym wejściu do hali, podnosząc rękę w górę.

Sypiący śnieg prawie zupełnie ją zasłaniał. Miała na sobie dres, kurtkę, a w uchu słuchawkę od radia, do którego co jakiś czas krzyczała. Rozejrzałam się i zobaczyłam potężne kolejki ludzi czekających na wejście. Ucieszyłam się, że nie muszę tam stać. Massimo chwycił moją rękę i pociągnął w stronę drzwi. Za nami przez śnieg przedzierali się Domenico, Olga i mój brat – wyraźnie swoją obecnością irytując oboje zakochanych.

Młoda kobieta zawinęła mi na ręce papierową opaskę z napisem VIP i wskazała drogę. Weszliśmy do środka wąskim korytarzem, który po chwili zmienił się w większe pomieszczenie. Stali tam kelnerzy z tacami pełnymi kieliszków z szampanem, kilka butelek chłodziło się w coolerach. Przekąski, dania ciepłe i mnogość deserów. Przez chwilę myślałam, że pomyliliśmy imprezy, ale kiedy w moje ręce trafiła rozpiska walk, wiedziałam, że jesteśmy tam, gdzie powinniśmy.

Olo nonszalancko wtoczyła się do środka, chwytając dwa kieliszki szampana i od razu wypijając jeden.

– Co tam masz? – zapytała, wyciągając mi z rąk kartę zawodników. – Zobaczmy te ciacha.

Odstawiła kieliszek i pomrukując co chwilę, z zadowoleniem przerzucała kartki. Obróciłam się w stronę męża pogrążonego w rozmowie z Jakubem i Domenikiem. Usiłowałam dosłyszeć, o czym tak konspiracyjnie szepczą, ale niestety, skutecznie ściszali głosy, tak że nie rozumiałam ani słowa. Wtedy dobiegł mnie pisk Olgi i wszyscy czworo spojrzeliśmy na nią stojącą w osłupieniu przy stoliku koktajlowym. Moja przyjaciółka zrobiła najgłupszą minę na świecie, usiłując udawać, że ten przerażający dźwięk to nic szczególnego.

– No co? – Podnieciłam się tym, że są takie dobre walki.

Wzruszyła ramionami i podeszła do mnie, odciągając w stronę innego stolika.

– Patrz, kurwa. – Wskazała palcem na przedostatnią stronę.

Wbiłam oczy w zdjęcie zawodnika i zamarłam. Fotografia przedstawiała Damiana, mojego byłego faceta. Chwyciłam broszurę i wpatrywałam się w nią, nie wierząc, że widzę to, co widzę. Niestety, obojętnie czybym chciała to zobaczyć, czybym nie chciała, niezaprzeczalnie walczył dziś mój eks. Widząc, że Ola świdruje mnie radosnym spojrzeniem, przełknęłam rosnącą w gardle gulę, tak że zdołałam w końcu wydobyć z siebie głos:

– I z czego się cieszysz, larwo? – zapytałam, wypłacając jej liścia kartkami. – Przyznaj się, wiedziałaś o tym?

Olga odsunęła się lekko i asekuracyjnie stanęła po przeciwnej stronie stolika, upijając łyk z kieliszka, który zdążyła sobie przynieść.

– Coś mi się obiło o uszy – wymamrotała, szczerząc zęby.

– A czemu nie zaszczyciłaś mnie tą wiedzą? – Zmrużyłam oczy i utkwiłam w niej gniewny wzrok.

– Bo w życiu byśmy tu nie przyjechali, a ja chciałam to zobaczyć. – Podeszła do mnie i położyła mi dłoń na ramieniu. – Poza tym, Lari, tu jest kilka tysięcy ludzi, nie ma szans, żebyś go spotkała.

Pochyliłam głowę i raz jeszcze popatrzyłam na zdjęcie Damiana, tym razem skupiając się na wartości wizualnej i merytorycznej. Notatki opisywały jego dotychczasowe osiągnięcia, rekordy, zawodowe sukcesy na międzynarodowych ringach. Zrobiło mi się ciepło, kiedy tak się temu przyglądałam, a do głowy mimo woli napłynęły wspólne wspomnienia. Niestety, nie mogłam powiedzieć o nim nic złego, bo wszystko, co pamiętałam, było dobre i fajne. Niestety, bo dużo łatwiej byłoby mi w tej chwili go nie lubić.

– Typujesz, że wygra? – usłyszałam głos tuż obok ucha i zesztywniałam. – Jego przeciwnik jest mocny w parterze, może mieć z nim kłopot.

Jezu, w parterze? Jak mnie sprowadzał w tamte rejony, też miałam kłopoty. Potrząsnęłam głową, jakby chcąc odgonić zbędne myśli, i z głupkowatym uśmiechem odwróciłam się do Czarnego.

– Myślę, że wygra – odparłam z przekonaniem, delikatnie go całując. – Skończy go albo gilotyną, albo balachą. To grappler, więc będzie szukał rozstrzygnięcia na ziemi. – Wzruszyłam ramionami, mając na wargach szelmowski uśmiech.

Massimo stał z otwartymi ustami i wpatrywał się we mnie ze zdziwieniem.

– Co powiedziałaś? – Roześmiał się, kręcąc głową. – Kochanie, czy ja powinienem o czymś wiedzieć?

Trzymałam go przez chwilę w niepewności, napawając się własnym intelektem.

– Powinieneś wiedzieć, że umiem czytać. – Popukałam palcem w trzymane kartki, wskazując notatkę profilową. – Podobno tak robi.

– Podobno testował to na tobie – powiedziała po polsku Olga z kamienną twarzą, patrząc na mnie.

Zignorowałam jej uwagę i chwyciłam szklankę soku, którą Massimo postawił obok mnie. Upiłam łyk, udając obojętność, choć w środku aż mnie telepało na wspomnienie wojownika, którego walkę miałam dziś oglądać.

Dziewczyna z obsługi przyszła po nas, wskazując drogę w głąb hali. Rozbawieni szliśmy szerokimi korytarzami, aż w pewnym momencie, przechodząc przez metalową bramkę, weszliśmy na płytę. Rozejrzałam się wokół i zamarłam – środek budynku był ogromny, piętrowe trybuny okalały całość, niżej na podłodze stały krzesła zgrupowane w kilka sektorów, a na środku klatka. Poczułam, jak żołądek podchodzi mi do gardła, a dłoń bezwiednie mocniej się zaciska na ręce Massima – ta klatka. Była zdecydowanie większa niż ta, którą mieliśmy w rezydencji, ale nie to było istotne. Wspomnienie siatki i tego, ile możliwości daje, sprawiało, że zapomniałam, jak bardzo jestem zaspokojona, i poczułam nagle niezdrową potrzebę bycia ordynarnie zerżniętą. Jezu, przez tę ciążę w końcu wydymam go na śmierć, pomyślałam, patrząc na męża zmrużonymi oczami.

Massimo przyglądał mi się ze spokojem, przenikając każdą brudną myśl kołaczącą w moim umyśle. Uśmiechnął się i delikatnie przygryzł dolną wargę, jakby dokładnie wiedział, co mi chodzi po głowie. Przysunął wargi do moich i nie zwracając uwagi na stojącą obok kobietę, wślizgnął się językiem w moje usta. Zarzuciłam mu ręce na szyję, pozwalając, by głębiej i mocniej rozsadzał mnie pocałunkiem.

Tkwiliśmy tak przez chwilę, aż mój brat przewrócił oczami i ruszył za kobietą usiłującą wskazać nam miejsca. Wszyscy troje zniknęli, zostawiając nas samych, a gdy moja potrzeba ostentacyjnej miłości została zaspokojona, poszliśmy w stronę klatki.

Nie było dla mnie niczym zaskakującym, że siedzimy w pierwszym rzędzie. Dziwniejsze byłoby, gdybyśmy usiedli gdzie indziej. Zaskoczył mnie natomiast fakt, że Olo zajęła miejsce obok mnie, a Domenico i Jakub obok Massima. Znów pochłonęła ich jakaś konspiracyjna konwersacja, więc doszłam do wniosku, że nie do końca jest to spotkanie towarzyskie, i nawet nie próbowałam nadsłuchiwać.

Pierwsze dwie walki były długie i fascynujące; brutalność sportu, jakim jest MMA, była wręcz podniecająca. Mimo że dyscyplina ta miała wyraźnie opisane zasady, czasami zdawać się mogło, że nie ma ich wcale. Po trzecim starciu ogłoszono piętnastominutową przerwę, którą postanowiłam wykorzystać na wizytę w toalecie. Chwyciłam Olgę i posłusznie meldując mężowi, gdzie się wybieram, ruszyłyśmy w poszukiwaniu łazienki. W pierwszej chwili Massimo chciał się z nami wybrać, ale niczym ratunek pojawił się prezydent federacji organizującej walki i zatrzymał go. Zostałyśmy tylko kulturalnie przedstawione i pomknęłyśmy w stronę przejścia, którym wchodziliśmy na halę.

Kiedy ochrona widziała kolor mojej opaski, przepuszczała nas przez wszystkie wejścia, aż z przerażeniem odkryłam, że nie mam pojęcia, gdzie jesteśmy.

– Lari, gdzie ty mnie wleczesz? – zapytała Olo, rozglądając się na boki. – To chyba nie jest kibel.

Popatrzyłam we wszystkie strony i krzywiąc się ze złości, przyznałam jej rację. Stałyśmy na korytarzu, który był zupełnie pusty, więc nawet nie było kogo spytać o drogę. Złapałam za klamkę drzwi, którymi tu trafiłyśmy, i z rozczarowaniem odkryłam, że były zatrzaskowe. Aby otworzyć je od naszej strony, potrzebna jest karta magnetyczna.

– Chodź – powiedziałam, ciągnąc przyjaciółkę. – No przecież gdzieś dojdziemy.

Po chwili tułaczki i minięciu kolejnych drzwi trafiłyśmy na tyły całego wydarzenia. Ekipa organizująca przedsięwzięcie biegała ze słuchawkami w uszach, krzycząc coś do radia. Ktoś siedział na podłodze i gapił się w monitor, jedząc kanapkę, inni palili. Zafascynowana zwolniłam, obserwując ten zaplanowany chaos. Przeszłyśmy obok mężczyzn ubranych w identyczne koszulki z logo firm i organizatora. To chyba trenerzy, pomyślałam. Dalej były garderoby artystów występujących na otwarciu i dziewczyn, które w przerwach pokazywały numer rundy. „Oktagon Girls", bo taki napis widniał na drzwiach ich szatni, były zjawiskowe: zgrabne, wysportowane, długowłose piękności zanosiły się perlistym śmiechem. Aż miło było na nie popatrzeć, kiedy pudrowały noski i malowały usta, wykorzystując piętnastominutową przerwę. Ich menedżerka albo opiekunka biegała wokół nich z dzikim krzykiem, ale one miały ją najwyraźniej w głębokim poważaniu, nic sobie nie robiąc z jej ataku szału. Co za podłe babsko, pomyślałam, patrząc na nią, powinny ją spacyfikować, zwłaszcza że jest ich więcej; wredna sucz.

– Jest! – krzyknęła Olo, widząc napis WC.

– Idę pierwsza, bo mnie gniecie po tym szampanie.

Kiedy obydwie załatwiłyśmy potrzebę, postanowiłyśmy poradzić się kogoś z ekipy, jak trafić z powrotem na miejsce. Rozejrzałam się wokół, napotykając znaki kierujące do biura. Tam na pewno ktoś nam pomoże, pomyślałam, odwracając się. Kiedy zrobiłam krok, drzwi obok mnie się otworzyły i wyrósł przed nami ogromny facet z wielką brodą. Z przerażenia niemal odskoczyłyśmy. Drzwi od szatni, z której wyszedł, zamykały się, kiedy moje oczy napotkały znajomy wzrok. Sparaliżowało mnie.

– O, kurwa! – wyszeptałam wrośnięta w ziemię, kiedy trzasnęły z hukiem. – To...

Urwałam, a wejście raz jeszcze otworzyło się i stanął w nich zdezorientowany Damian.

– Nie wierzę... – powiedział, kręcąc głową. – Nareszcie jesteś.

Chwycił mnie na ręce i mocno przytulił, a ja jak kukła zwisałam z jego potężnych ramion. Moją przyjaciółkę wmurowało w ziemię: zamiast mnie ratować, stała z otwartymi ustami, a ja

modliłam się tylko, by za chwilę z tyłu nie zobaczyć Massima.

– Pisałem do ciebie tyle razy, prosząc o spotkanie, i jesteś. – Wziął głęboki oddech, stawiając mnie
na ziemię. – Zmieniłaś się... I te włosy. – Jego
obandażowane dłonie błądziły po mojej twarzy.

– Cześć – wydusiłam z siebie, bo nic mądrzej-
szego nie przychodziło mi do głowy. – Dobrze
wyglądasz.

Kiedy skończyłam to mówić, mocno jebnęłam
się w głowę – Jezu, chciałam to tylko pomyśleć,
choć faktycznie wyglądał bosko. Olo chichotała
obok, aż w drzwiach stanął jej były kochanek.

– O, kurwa... – jęknęła jak rażona gromem.

Staliśmy tak we czworo w wejściu do jego szatni, a ja zastanawiałam się, czy bardziej mam
ochotę umrzeć tu i teraz, czy może zabić Olo.
Chwilę krępującej ciszy przerwał chłopak ze słuchawkami krzyczący:

– Trzy minuty do wejścia na antenę!

– Musimy iść – oznajmiła Olga, pociągając
mnie za sobą.

Przyjaciel Damiana także chwycił go, wciągając do środka.

– Powodzenia – wyszeptałam, kiedy znikał za
ścianą.

Obie niemal biegłyśmy, ignorując biuro, które
pierwotnie było naszym celem. Oszołomione bez
słowa pędziłyśmy korytarzem, aż wybiegłyśmy
na płytę główną.

Oparłam się o ścianę, usiłując uspokoić oddech i popatrzyłam na Olgę, która sapała przede mną.

– Kilka tysięcy ludzi, tak? Nie spotka nas, tak? Moja przyjaciółka usiłowała okazać skruchę, ale bez efektu. Zamiast tego wybuchnęła śmiechem.

– Ależ jest, kurwa, kotem – jęknęła, oblizując się. – Widziałaś, jaki jest wielki, a Kacper jak dobrze wygląda...?

– A my jakie jesteśmy przypałowe. – Zaśmiałam się.

Nie wierzyłam w to, co się stało chwilę temu, ale z drugiej strony zgadzałam się z nią w stu procentach. Obaj wyglądali nieziemsko.

Zajęłyśmy swoje miejsca, napotykając pełne dezaprobaty spojrzenie Massima.

– Gdzie byłaś tyle czasu? Ochrona cię szuka – wycedził przez zęby.

– To duża hala, zgubiłyśmy się. – Popatrzyłam na niego przepraszająco i pocałowałam delikatnie. – Twoja córka chciała do toalety. – Chwyciłam jego rękę, kładąc sobie na brzuchu.

To był mój sposób na niego, cokolwiek się działo. Zawsze kiedy wspominałam o dziecku, łagodniał i jakby zapominał o gniewie. Tak też stało się i tym razem; jego wściekłe spojrzenie roztopiło się jak lody na słońcu, a na wargach zatańczył nieśmiały uśmiech.

Następne walki pamiętam jak przez mgłę, gdyż byłam skupiona na zapętlonym żołądku, oczekując na przedostatnie starcie wieczoru. Kiedy wreszcie wyczytano jego imię i nazwisko, prawie podskoczyłam. Światła zgasły i rozbrzmiała dobrze mi znana muzyka Carmina Burana *O Fortuna*. Całe moje ciało przeszedł dreszcz, a mięśnie w podbrzuszu napięły się. Dobrze pamiętałam ten utwór i sytuacje, w których go słyszałam.

Kątem oka zerkałam na Czarnego; wpatrywał się w wyjście zawodnika niczego nieświadomy. Popatrzyłam na Olgę i jej wbite we mnie radosne oczka z uniesionymi brwiami. Dobrze znałam ten szyderczy wzrok i świetnie zdawałam sobie sprawę, że ona dokładnie wie, o czym teraz myślę. Światła rozbłysły i na drodze wiodącej do klatki pojawił się Damian. Szedł pewnie, co jakiś czas poruszając rozluźniająco barkami, za nim Kacper i reszta trenerów. Rozebrali go i po chwili mogliśmy podziwiać tego gladiatora okrążającego oktagon. Uniósł rękę, pozdrawiając tłum, i ustawił się przy jednej z belek klatki.

Dłoń Olgi zacisnęła się na mojej, kiedy usiłowałam możliwie beznamiętnie obserwować tę górę mięśni stojącą kilkanaście metrów ode mnie. Reflektory ponownie przygasły i zabrzmiał kolejny utwór. Damian rozgrzewał się w miejscu, czekając na swojego przeciwnika, a ja miałam wrażenie, że jego błądzące po tłumie oczy szukają właśnie mnie. Przez całą tę sytuację nawet nie miałam okazji wytłumaczyć mu, co tu robię, ani oznajmić, że wyszłam za mąż i spodziewam się dziecka.

Jedna z pięknych dziewczyn okrążyła klatkę, pokazując tabliczkę z napisem „Runda pierwsza", i gong oznajmił rozpoczęcie starcia. Denerwowałam się i chyba było to widać, bo Massimo delikatnie pogładził moje opięte skórzanymi spodniami udo. Dwaj mężczyźni najpierw wymienili kilka ciosów, a później Damian chwycił przeciwnika i uderzył nim o podłogę klatki. Tłum wiwatował, kiedy usiadł na nim i zaczął okładać pięściami z zabójczą prędkością. Po chwili, gdy głowa tamtego rytmicznie uderzała o podłoże, sędzia rzucił się na Damiana, blokując mu ruchy i tym samym ogłaszając koniec pojedynku. Niemal wszyscy poderwali się wówczas z krzeseł, oklaskując zwycięzcę, który w ferworze radości wskoczył na bok klatki i wznosząc triumfalnie ręce w górę, usiadł na jej skraju.

Raptem jego wzrok dostrzegł mnie siedzącą na widowni i zatrzymał się na kilka sekund, ponownie paraliżując mi ruchy. Siedziałam, wgapiając się w niego, kiedy zeskoczył z przęsła i przebiegając przez otwarte drzwi oktagonu, w sekundę się przy mnie znalazł. Massimo zajęty rozmową o wyjątkowo szybkim nokaucie nawet nie zauważył, kiedy ten osiłek w mgnieniu oka teleportował się kilkanaście centymetrów od niego. Damian stał, dysząc, a ja coraz głębiej zapadałam się w krzesło. Wtedy Czarny odwrócił się i podniósł, a za nim Domenico i Jakub. Skonsternowany wojownik patrzył na przemian to na mnie, to na Massima, aż po kilku długich sekundach człowiek z ochrony dał mu sygnał, by wrócił do klatki na ogłoszenie wyniku. Damian uniósł rękawicę do ust i przenosząc wzrok na mnie, posłał mi niemy pocałunek, po czym raz jeszcze z wrzaskiem uniósł ręce w geście zwycięstwa. Rozległy się gromkie brawa, a góra mięśni stojąca przede mną wróciła do oktagonu, nie spuszczając ze mnie oczu.

Siedziałam wbita w krzesło i bałam się popatrzeć w prawą stronę, czując na sobie palący wzrok męża.

– Wyjaśnisz mi, co tu przed chwilą zaszło? – wydusił przez zęby, siadając.

– Nie – rzuciłam krótko, nie chcąc prowokować kłótni. – Jestem zmęczona, możemy już iść?

– Nie możemy. – Obrócił się do Domenica i powiedział coś, na co ten wstał i poszedł w stronę wyjścia.

Przekręciłam się do Oli, oczekując wsparcia, ale napotkałam tylko głupkowatą minę, po której było widać, że próbowała powstrzymać śmiech.

– Olka, kurwa!

– No co? – Nie wytrzymała i zaczęła się nerwowo śmiać. – Przecież to nie moja wina, że siedzimy w pierwszym rzędzie, a twój były facet usiłował pocałować cię przy twoim mężu gangsterze. – Wyszczerzyła się jeszcze szerzej. – A swoją drogą dobra akcja i coś czuję, że będzie z niej niezła jazda.

Wpatrywałam się w nią wzrokiem pełnym nienawiści, ale ona gapiła się na coś za mną, ignorując mnie.

– Twój mąż za chwilę spopieli mnie wzrokiem. Nie za bardzo wiem, co mam zrobić.

Odkręciłam głowę, spoglądając w płonące żywym ogniem oczy Massima, tak że aż trząsł się ze złości. Przełykał ślinę tak głośno, że mimo huku na hali dobrze to słyszałam. Jego rytmicznie zaciskające się szczęki prawie rozrywały mu boki twarzy, a zaciśnięte w pięści dłonie odcinały dopływ krwi do palców.

– Kręcisz mnie, kiedy się wściekasz – powiedziałam, pochylając w jego stronę i gładząc go po kolanie. – Ale nie robisz na mnie wrażenia i nie boję się ciebie, więc już możesz przestać. – Uniosłam brwi i skinęłam kilka razy głową.

Czarny beznamiętnie patrzył na mnie przez chwilę, po czym nachylił się i zacisnął dłoń na moim udzie.

– A gdy przyniosę ci jego lewą rękę, którą posłał ci pocałunek, to będziesz pod wrażeniem czy nie? – Jego usta ułożyły się w cwaniacki uśmiech, a ja zesztywniałam. – Tak też sądziłem, Mała. – Pogłaskał kciukiem mój policzek. – To już ostatnia walka, a później after party. Mam nadzieję, że nie planujesz więcej podobnych ekscesów. – Odwrócił się ode mnie, oparł o krzesło i wpatrywał w schodzącego z ringu Damiana.

Masowałam skronie rękami, zastanawiając się nie pierwszy raz, czy mówi poważnie, czy tylko chce mnie wystraszyć. I kolejny raz doszłam do wniosku, że lepiej nie sprawdzać, gdzie leży granica mego męża. Nawet nie zerknęłam w stronę mojego eks.

Ostatniej walki prawie nie oglądałam, myśląc o tym, co czeka mnie jeszcze dzisiejszego wieczora. Nie miałam ochoty na tę imprezę i zastanawiałam się, jak jej uniknąć. I wtedy mnie olśniło.

– Kochanie – zwróciłam się do męża, kiedy szliśmy przez halę w stronę wyjścia po zakończonej gali. – Nie czuję się najlepiej.

Czarny zamarł i z przerażeniem przyglądał mi się badawczo.

– Co się dzieje?

– Nic. – Przyłożyłam delikatnie dłoń do podbrzusza. – Ale jakoś zrobiło mi się słabo, chciałabym się położyć.

Skinął głową i mocno chwycił mnie za rękę, zdecydowanie szybciej przesuwając w kierunku auta.

Wsiedliśmy. Po chwili dołączył do nas Domenico, rozsiadając się ostentacyjnie obok Olgi, jakby zaznaczając teren.

Zaczęli z Czarnym dyskusję, która wyraźnie nie podobała się donowi, bo po chwili wrzasnął coś, uderzając pięścią w siedzenie, aż cała limuzyna się zatrzęsła. Młody Włoch jednak nie dawał za wygraną, ewidentnie naciskając na Massima.

– Muszę na chwilę tam pojechać – powiedział, kiedy samochód ruszył. – Olga pojedzie z tobą, Domenico już wezwał lekarza.

– Na chuj ci lekarz? – wrzasnęła Olga po polsku. – Źle się czujesz, co się dzieje?

– Jezu, udaję. – Przewróciłam oczami, wiedząc, że i tak nas nie rozumieją. – Nie chcę tam jechać i natknąć się na Damiana.

– Wiedziałem, że znam skądś typa – włączył się rozbawiony Jakub. – No, może faktycznie będzie lepiej, jak nie pojedziesz na imprezę.

– Dzięki – warknęłam, spoglądając na brata.

– Po angielsku – powiedział Massimo, nie odrywając wzroku od telefonu, w którym coś pisał. – Za godzinę powinienem być przy tobie, niech do tego czasu posiedzi z tobą Olga. A jeśli będzie się coś działo, dzwoń. – Popatrzył na nią, a moja przyjaciółka z poważną miną pokiwała głową.

Boże, co za farsa, westchnęłam w duchu i niestety znów to ja byłam prowodyrem i centrum afery.

Po chwili podjechaliśmy na koniec uliczki, za którą znajdowała się główna imprezowa część miasta. Czarny pocałował mnie, z troską spoglądając w oczy, i wszyscy trzej mężczyźni opuścili samochód.

– No, kurwa, nareszcie. – Olga rozparła się na siedzeniu obok mnie. – Sebastian – zwróciła się do kierowcy. – Proszę, zajedź do McDonaldsa, chce mi się syfiastego jedzenia.

– Tak. – Z aprobatą uniosłam w górę palec wskazujący. – Mnie też.

Nie wiem, ile zjadłyśmy, ale siedząc w środku trzydzieści minut, trzy razy domawiałyśmy śmieciowe, ociekające tłuszczem pyszności. Pani, która nas obsługiwała, podziwiała szczególnie mój apetyt, zwłaszcza że w dzisiejszej kreacji absolutnie nie było widać, że jestem w ciąży.

Kierowca zaparkował pod hotelem i otworzył nam drzwi. Przeszłyśmy przez korytarz, uroczo machając do siedzącego w lobby ochroniarza Massima, który poderwał się na nasz widok. Niemal chórem wykrzyknęłyśmy mu „dobranoc", więc usiadł z powrotem i ponownie zaczął grzebać w laptopie.

Stanęłyśmy przy windzie i wcisnęłyśmy przywołujący ją guzik; oparłam się głową o ścianę i czekałam, aż przyjedzie. Byłyśmy zmęczone, najedzone i popadałyśmy w węglowodanową śpiączkę.

Drzwi otworzyły się i kiedy podniosłam wzrok, zobaczyłam wysiadającego z niej Kacpra i zaraz za nim opartego o lustro Damiana. Kiedy zorientował się, że stoję półtora metra od niego, wypchnął zdezorientowanego kolegę, który poleciał wprost na zdumioną Olgę, i wciągnął mnie do środka. Drzwi ponownie się zamknęły i ruszyliśmy w górę.

– Cześć – wydyszał, opierając się rękami po obydwu stronach mojej głowy.

– Hej – jęknęłam słabo, nie do końca wiedząc, co się dzieje.

– Tęskniłem. – W tym momencie jego dłonie chwyciły moją twarz i przyssał się do mnie, odbierając oddech.

Machałam rękami, usiłując wyswobodzić się z jego żelaznego uścisku, ale nie miałam szans. Odpychałam go od siebie, nie dawał jednak za wygraną. Jego język w znajomy sposób rozsadzał mi usta, a wargi pieściły moje. Mimo całej brutalności był czuły i niesłychanie namiętny. Boże, dopomóż mi, bym nie zaczęła odwzajemniać pocałunku, powtarzałam w głowie. I wtedy usłyszałam dźwięk otwierających się drzwi. Poczułam, jak mój napastnik odsuwa się ode mnie, a za chwilę ląduje na podłodze. Obróciłam głowę i zobaczyłam Massima, który trzymając się poręczy w windzie, wypłacał siarczyste kopniaki przeciwnikowi.

Wtedy Damian podniósł się i z impetem ruszył na niego, wypychając na korytarz. Przerażona pobiegłam za nimi; zupełnie nie zwracali na mnie uwagi. Okładali się pięściami, kopali, aż w końcu wylądowali na podłodze, gdzie rozpoczęli zapasy. Raz jeden był na górze, raz drugi, przepychali się i tłukli po twarzach, korpusach, kopali kolanami. Z pewnością nie chodzili w tej samej wadze, ale nie zmieniało to faktu, że pojedynek był mocno wyrównany.

Byłam wściekła i przerażona, nie zamierzałam jednak interweniować, zdając sobie sprawę z tego, że w ferworze walki mogą zrobić krzywdę mnie albo co gorsza dziecku.

Wtedy z drzwi na końcu korytarza wybiegł Domenico, pokrzykując coś, a za nim nasza ochrona. Oderwali od siebie obu mężczyzn, rozdzielając ich. Czarny krzyczał coś, a Domenico, jak ściana, stał przed nim, spokojnie coś tłumacząc. Po chwili kolejną windą dojechała ochrona hotelu, a z pokojów zaczęli wyglądać zaniepokojeni goście.

Ochroniarze wypuścili Damiana, który rzucając w moją stronę spojrzenie pełne furii, wsiadł do windy i po chwili zniknął.

Domenico podszedł i szerokim gestem wskazał mi drogę do pokoju, popychając lekko w plecy. Ruszyłam w stronę drzwi, mijając całe zamieszanie, a w ślad za mną podążył mój mąż.

– Co to miało, kurwa, być?! – wrzasnął, trzaskając drzwiami. – Podobno źle się czułaś! – Zaczął chodzić po pokoju w tę i z powrotem, wycierając krew z twarzy. – Zrywam się z ważnego spotkania i jadę tu, bo się martwię, a moja żona... – Zatrzymał się przede mną. – Moja ciężarna żona liże się w windzie z jakimś frajerem.

Z jego gardła wydobył się gniewny ryk, a zaciśnięte w pięści dłonie zaczęły rytmicznie uderzać o ścianę, aż spłynęła czerwoną strużką.

– Kto to, kurwa, jest?! – Podszedł i chwycił moją brodę, palcem unosząc ją do góry. – Pytam o coś!

Bałam się. Pierwszy raz od wielu miesięcy bałam się tego mężczyzny. Pierwszy raz, także od bardzo dawna, dotarło do mnie, kim jest i jaki ma charakter ten człowiek. Czułam, jak serce mi przyspiesza, a oddech staje się cięższy. W głowie słyszałam pisk, a przed oczami robiło mi się ciemno. Chwyciłam poszarpaną połę jego marynarki i nim osunęłam się na ziemię, poczułam, jak łapie mnie w ramiona.

Otworzyłam oczy. Massimo siedział na fotelu obok łóżka. Na dworze było jasno, a przez niezasłonięte zasłony widać było padający śnieg.

– Przepraszam – wyszeptał, klękając przy mnie. – Olga wszystko mi opowiedziała.

– Nic ci nie jest? – zapytałam, patrząc na jego siniec na policzku i rozcięty łuk brwiowy.

Pokręcił przecząco głową i chwycił moją dłoń, którą usiłowałam dotknąć jego twarzy. Przyłożył do niej usta i całował, nie patrząc mi w oczy.

– On nie wiedział, że ja kogoś mam – westchnęłam, próbując się podnieść. – Ja też przepraszam, nie wiem, jak do tego doszło. – Zamknęłam oczy, ponownie wbijając głowę w poduszkę. – Co robiłeś w hotelu?

Kiedy skończyłam ostatnie zdanie, zorientowałam się, jak bardzo źle zabrzmiało. Czarny usiadł obok i lekko zmrużonymi oczami popatrzył na mnie.

– Gdybym nie wiedział dokładnie, co się wczoraj wydarzyło, bardzo opacznie odebrałbym twoje pytanie. – Głęboko wciągnął powietrze i przegarnął włosy ręką. – Pojechałem do klubu i spotkałem się z kim trzeba, ale nie mogłem się skupić na interesach, wiedząc, że coś ci grozi, i wróciłem. W pokoju cię nie było, więc zadzwoniłem do kierowcy, bo twoja komórka nie odpowiadała. – Popatrzył z wyrzutem. – Powiedział, że właśnie wysadził was pod hotelem, bo wcześniej pojechaliście coś zjeść. – Pokręcił głową. – Wyszedłem z pokoju, żeby wyjść ci na spotkanie, i wtedy na was trafiłem. – Jego poranione ręce zacisnęły się ponownie w pięści. – Dlaczego mnie okłamałaś?

Wytrzeszczyłam na niego oczy, szukając w głowie dobrego wyjaśnienia, a nie znalazłszy go, uznałam, że w tej sytuacji lepiej powiedzieć prawdę.

– To był jedyny sposób, żebyś nie kazał mi iść na imprezę. – Wzruszyłam ramionami. – A ponieważ wiedziałam, że na imprezie mogę go spotkać, więc nie chciałam niczego prowokować. – Przykryłam głowę kołdrą, którą za chwilę Czarny ze mnie ściągnął. – Jak widać, wyszło jeszcze gorzej. Obiecaj, że go nie zabijesz. – Do moich oczu napłynęły łzy. – Błagam.

Massimo wpatrywał się we mnie, nie kryjąc irytacji.

– Dobrze, że lekarz był na miejscu. – Pogładził mój policzek. – Chyba zatrudnię go na etat.

355

– Obiecaj! – Ponowiłam, kiedy próbował zmienić temat.

– Obiecuję – odparł, wstając. – Poza tym i tak bym tego nie zrobił, bo to człowiek Karola, a na domiar złego jego kuzyn. – Pokiwał rozczarowany głową i zniknął, przechodząc do salonu.

Przeciągnęłam się i spojrzałam na zegarek; dochodziło południe. Czarny wrócił i z laptopem położył się obok mnie, nakrywając moje nogi swoją.

– Spałeś? Jakoś źle wyglądasz – zapytałam, obracając się w jego stronę.

Pokręcił głową przecząco, nie odrywając wzroku od monitora.

– Dlaczego? – Przysunęłam się bliżej, obejmując go w pasie.

Przewrócił oczami i westchnął, odkładając na bok komputer.

– Może dlatego, że moja ciężarna żona straciła przytomność i martwiłem się o jej stan. – Popatrzył na mnie uważniej i dodał: – Albo może dlatego, że moja żona, całując się z innym facetem, tak podniosła mi ciśnienie, że nie zasnę do przyszłego weekendu. – Zacisnął usta w cienką linię. – Wymieniać dalej? – Chwycił laptopa i ponownie wrócił do czytania.

– Jesteś taki seksowny, kiedy się złościsz. – Po tych słowach moja ręka sięgnęła w głąb jego szarych dresów. – Chcę ci obciągnąć. – Gdy usłyszał, co mówię, napiął mięśnie i mimo woli

356

zagryzł dolną wargę. – Proszę donie, pozwól mi zrobić ci laskę.

Moje palce pocierały jego budzący się do życia członek, a wargi całowały nagi posiniaczony bark.

– Jeszcze kilka godzin temu umierałaś. Skąd taki nagły przypływ energii? – zapytał, kiedy powoli obsuwałam w dół jego spodnie.

– Dostaję dobre narkotyki – odparłam rozbawiona, szarpiąc za nogawki. – Nie pomagasz mi.

– Wydęłam dolną wargę i usiadłam na piętach, opuszczając ręce z rezygnacją.

Biodra Massima uniosły się, lecz on sam nawet na sekundę nie oderwał wzroku od monitora; ignorował mnie. Nie przeszkadzało mi to jednak i po chwili leżał nagi od pasa w dół, prezentując swego grubego, sterczącego fiuta i prowokując mnie. Jak bardzo Czarny starałby się nie okazywać podniecenia, anatomii nie mógł oszukać.

Kiedy przesuwałam się wzdłuż jego nogi, szykując do oralnego natarcia, z gardła Massima wydobyło się kilka słów po włosku i nieoczekiwanie, odkładając komputer, wstał. Wytrzeszczyłam oczy i zamarłam w kuszącej pozycji na środku materaca. Obserwowałam go z lekkim grymasem zdziwienia, gdy wkładał czarną koszulę wiszącą na krześle.

– Muszę odbyć wideokonferencję – powiedział, przysuwając do łóżka stolik pod laptopa.

Zapiął koszulę i wciąż nagi od pasa w dół ułożył się wygodnie, po czym ustawił kamerę w monitorze tak, że widać było tylko kawałek jego klatki, szyję i głowę. Wcisnął kilka klawiszy i po chwili usłyszałam męski głos po drugiej stronie. Usiadłam na łóżku i przyglądałam się tej osobliwej prowokacji. Mój mąż mafioso spoczywał na materacu ubrany jedynie w czarną koszulę i załatwiał interesy ze sterczącym kutasem proszącym się o dobre obciąganie.

Czarny wziął do ręki dokumenty leżące na nocnym stoliku i przekręcając kartki, co jakiś czas pokazywał je rozmówcy; po chwili obaj zatopili się w konwersacji.

Pochyliłam się, wciąż ubrana w czarną koronkową bieliznę i jak kocica z mocno wygiętym kręgosłupem ruszyłam w stronę jego krocza. Massimo rzucił okiem na moje wypięte pośladki i lekko odchrząknął, kontynuując rozmowę. Wolno przesunęłam się w okolice jego stóp i zaczęłam całować i lizać jego palce, eksponując mu pośladki niemal tuż przy twarzy. Wspinałam się coraz wyżej przez wewnętrzną stronę łydek, z każdym centymetrem szerzej rozkładając jego nogi na boki. Nie widział mnie, komputer zasłaniał całą dolną część jego ciała, które teraz było w moim władaniu.

Kiedy dotarłam nad jego buzującą erekcję, delikatnym dmuchnięciem oznajmiłam mu swoją pozycję. Jego wolna dłoń zacisnęła się na prześcieradle, jakby napinał się w oczekiwaniu na atak, który nie przychodził. Dmuchałam, trącałam go językiem niemal niewyczuwalnie i gładziłam skórę wokół penisa. Po kilku chwilach Czarny odłożył dokumenty na stolik i przesunął komputer, tak żeby kątem oka obserwować moje poczynania. Pochyliłam się nad nim, patrząc w jego rozszerzone źrenice, i zamarłam w bezruchu, czekałam. On także czekał i chyba nie pasował mu fakt, że wciąż się nic nie dzieje. Odsunęłam się nieco, zmieniając pozycję i po upewnieniu się, jak szeroki kąt ma kamera i jak dużo widzi, położyłam się wzdłuż jego ciała. Chwyciłam jego zaciśniętą na prześcieradle dłoń i wsunęłam pod koronkę majtek. Wbite w rozmówcę oczy dona rozszerzyły się, kiedy poczuł, jak jestem wilgotna dla niego. Wsuwałam jego palce coraz głębiej, pocierając nimi najpierw łechtaczkę, a później wkładając je do środka. Pieściłam się nimi, co jakiś czas wyciągając je z siebie, oblizując i na powrót umieszczając we właściwym miejscu.

Jego klatka zaczęła rytmicznie unosić się i opuszczać, a palce przestały słuchać moich poleceń, wchodząc we mnie głębiej i mocniej. Oparłam głowę o poduszkę i zamknęłam oczy, czując, jak fala przyjemności ogarnia moje ciało. Chciałam jęczeć i wiedziałam, że w końcu zacznę wydawać z siebie jakieś dźwięki, chwyciłam go więc za nadgarstek, uwalniając się z sideł rozkoszy.

Czarny, nie przerywając rozmowy ani nie odwracając uwagi od rozmówcy, udał, że pociera usta wilgotną ręką, jakby się nad czymś zastanawiał. Kiedy zapach mojej cipki znalazł się na jego wargach, oblizał je, a jego penis napiął tak, że niemal wygiął w drugą stronę. Osunął dłoń i pomału zbliżył ją do mojej głowy, chwytając za włosy. Delikatnie szarpnął mną w stronę swojego krocza, dając ewidentny sygnał, że już dość udręki. Pozwoliłam, by jego ręka doprowadziła mnie do miejsca, w którym miałam się znaleźć, i zbliżając się do niego, posłusznie otworzyłam usta. W momencie, gdy poczułam, jak jego pierwsze centymetry wsuwają mi się do ust, a do nozdrzy wdarł się zapach mojego władczego mężczyzny, oszalałam. Pochłonęłam go całego, brutalnie łapiąc nasadę, poruszałam dłonią w górę i w dół, a tuż za nią szły moje usta. Dłoń Massima mocno zaciskała się na moich włosach, by spowolnić atak, ale niestety, skupiony na dwóch czynnościach naraz, nie miał ze mną szans. Ciągnęłam mocno i do końca, co jakiś czas zasysając się na jego delikatnych jądrach.

Jego biodra zaczęły się nerwowo wiercić, a całe ciało napinało się, kiedy głos wiązł mu w gardle. Uniosłam oczy i popatrzyłam na mojego męża; był spocony i najwyraźniej żałował, że mi na to pozwolił. Rozmowa musiała być naprawdę ważna, inaczej już dawno by ją skończył. Podobało mi się to męczenie go w ten sposób, było czymś, co podniecało mnie do granic. Ponownie sięgnął po dokumenty i obsunął je tak, by rozmówca myślał, że patrzy na nie, podczas gdy wzrok miał wbity we mnie. Cały płonął; jego czarne źrenice całkowicie zalały oczy, a lekko rozchylone usta ledwo łapały oddech. W pewnym momencie poczułam najpierw pierwszą kroplę, a później potężny potok spermy zalał moje gardło. Massimo wciąż słuchał człowieka mówiącego do niego z komputera i udawał, że patrzy na papiery. Finiszował długo, zdecydowanie dłużej niż zwykle, i myślę, że akurat w tej chwili nie był z tego powodu zadowolony. Gdy skończył, jego ciało rozluźniło się, a on odchrząknął i wrócił wzrokiem do rozmówcy. Klęknęłam przed nim i ostentacyjnie wytarłam usta, oblizując się, po czym wstałam i ruszyłam do łazienki.

Wzięłam prysznic i wróciłam do sypialni, gdzie Massimo, tkwiąc dokładnie w tej samej pozycji, nadal rozmawiał. Stanęłam przy wielkim oknie i wycierałam włosy ręcznikiem, gapiąc się na morze, kiedy w pomieszczeniu zapadła cisza. Nie zdążyłam odwrócić się do męża, by zobaczyć, czy skończył, kiedy przycisnął mnie twarzą do szyby.

– Jesteś nieznośna – powiedział, zrywając ze mnie szlafrok i zrzucając ręcznik na podłogę. – Twoja mała dupka poniesie za to karę. – Uniósł mnie i przeniósł na kanapę. – Lubisz sprawdzać, gdzie są moje granice, klękaj.

Oparta piersiami o zagłówek kanapy szeroko rozstawiłam nogi, kiedy trącił je swoim kolanem. Złapałam rękami za oparcie i czekałam na to, co za chwilę miało nastąpić. Massimo stał obok sofy, pocierając kciukiem moje tylne wejście.

– Lubię cię w tej pozycji – powiedział, popychając mnie w głąb siedziska tak, że kolanami dotykałam zagłówka. – Rozluźnij się. – Posłusznie wykonałam polecenie i poczułam, jak jego kciuk brutalnie wdziera się do środka. Krzyknęłam. – Nie słuchasz mnie, Lauro – powiedział i wsadził w moją pupę kolejny palec. Chciałam wyrwać się z jego uścisku, ale przytrzymał mnie i złapał ręce, którymi wymachiwałam.

– Oboje wiemy, że będzie ci się podobało, jak tylko mnie posłuchasz.

Jego usta dotknęły moich nagich pleców i poczułam, jak wzdłuż kręgosłupa przebiega mi dreszcz. Puścił moje ręce, a jego palce wolnej ręki przesunęły się na nabrzmiałą łechtaczkę i zaczęły zataczać na niej miarowe koła. Jęknęłam, opierając policzek o oparcie kanapy.

– Sama widzisz – powiedział, wzmagając siłę i prędkość ruchów we mnie. – Mam przestać?

– Zerżnij mnie – wyszeptałam.

– Nie słyszę – warknął, jeszcze mocniej wbijając we mnie palce.

– Zerżnij mnie, donie!

– Jak sobie życzysz... – Jednym wprawnym ruchem zastąpił palce swoim gotowym kutasem i zaczął szaleńczy pęd.

Jego biodra obijały się o moje pośladki, a dłoń nawet na chwilę nie przestawała pieścić cipki.

Wiedziałam, że nie zajmie mu to dużo czasu, zwłaszcza że już robiąc mu laskę, byłam bliska szczytowania. W pewnym momencie jego ruchy ustały, chwycił mnie w talii i przekręcając, usiadł, sadzając sobie na kolanach. Rozłożył szeroko moje uda i wdarł się palcami w moją drugą dziurkę.

Głośno krzyczałam, zupełnie nie przejmując się akustycznością salonu, kiedy jego druga dłoń zaczęła rytmicznie ugniatać moje wrażliwe sutki. Teraz to ja miałam władzę i nadawałam swoimi ruchami tempo sytuacji. Oparłam dłonie o siedzisko i wspierając się na nich, zaczęłam doprowadzać się do orgazmu, poruszając coraz szybciej. Wiedziałam, że długo tak nie dam rady, kiedy ręce zaczęły mi z wysiłku drżeć po kilku minutach podtrzymywania własnego ciężaru. Czarny chwycił mnie obiema rękami w pasie mocno i ponownie nabił na siebie.

– Pieść się – wydyszał wprost do mojego ucha.

Kiedy moje palce zaczęły zataczać koła, obejmując łechtaczkę, poczułam, jak wszystkie mięśnie napinają się, a głos niknie w szaleńczym tempie oddechu. Czarny podnosił i opuszczał mnie na siebie, aż orgazm zawładnął każdą częścią mojego ciała. Szczytując, poczułam, jak Massimo wylewa się we mnie, głośno krzycząc, co spotęgowało moje doznania. Po kilkunastu sekundach oboje skończyliśmy, a Massimo przekręcił się i ułożył nas na boku.

Kiedy próbowaliśmy uspokoić oddechy, zadzwonił telefon. Don sięgnął ręką po słuchawkę i odebrał, łapiąc głęboki wdech. Przysłuchiwał się przez chwilę, a później zaniósł się śmiechem.

– Hałasy? – zapytał ze swoim cudownym brytyjskim akcentem i znowu chwilę milczał, słuchając. – Chciałbym zatem wynająć wszystkie pokoje sąsiadujące z moim. Proszę przenieść gości i zrekompensować im niedogodność na mój rachunek, dziękuję. – Odłożył słuchawkę, nie czekając na ripostę, i przycisnął mnie do siebie. – Purytanie – wydusił ze śmiechem. – We Włoszech wzięliby z nas przykład, zamiast donosić recepcji. – Całował mój kark i policzki. – A ja będę pierdolił swoją żonę tak głośno, jak będzie miała na to ochotę.

ROZDZIAŁ 14

Niestety nie zdążyliśmy skorzystać z wykupionej przestrzeni ani możliwości hałasowania, gdyż już o siedemnastej, po czułym pożegnaniu z Jakubem i zjedzeniu bardzo późnego lunchu, wsiedliśmy do samolotu i wróciliśmy na Sycylię.

Dopiero gdy się tam znaleźliśmy, dotarło do mnie, że za tydzień są święta. Obsługa przygotowywała dom, przystrajała go i dekorowała. W ogrodzie stanęła wielka choinka z milionami światełek, a na korytarzach piękne świeże kwiaty zastąpił ostrokrzew. Do tej całej wspaniałej atmosfery brakowało mi tylko dwóch rzeczy: śniegu i rodziców.

– Boże Narodzenie spędzimy w gronie rodziny – powiedział Massimo, odstawiając filiżankę z kawą. – Dlatego, kochanie, mam do ciebie prośbę. – Zwrócił się w moją stronę. – Dopilnuj, by wszystko było tak, jak sobie tego życzysz. Chciałbym, żeby obecne były także polskie potrawy, ściągnąłem kucharza z twojego kraju, będzie tu za trzy dni.

Olga odłożyła gazetę, którą czytała, i popatrzyła na dona pytająco.

– Czyjej rodziny to będzie grono? – zapytała, wyjmując mi to z ust. – Mafijnej, jak sądzę?

Massimo zaśmiał się ironicznie i ponownie utkwił wzrok w monitorze komputera, który przed nim stał. Kiwałam się na krześle przy stole, wpychając w siebie kolejne śniadaniowe naleśniki, i patrzyłam na Czarnego siedzącego na fotelu przy niewielkim stoliku obok. Od czasu powrotu z Polski był jakiś dziwny, wyciszony, spokojny i jakby skupiony. Nie chciał się ze mną kłócić i był prawie miły dla Olgi. Coś się stało, tylko nie miałam jeszcze pojęcia co.

Po południu, kiedy Domenico i Massimo omawiali coś w bibliotece, wzięłam komputer i poszłam na taras. Nawet nie wiem, kiedy pojawiła się przy mnie Olga z butelką wina i szklanką soku.

– Co robimy? – zapytała, siadając.

– Ty to, co zwykle. – Kiwnęłam głową, wskazując alkohol. – A ja chciałam sprawdzić, co słychać u rodziców. – Skrzywiłam się smutno. – Nie wiem, co mam zrobić. Z jednej strony wiem, że mama miała rację, ale z drugiej nie powinna mówić mi takich rzeczy. – Wcisnęłam guzik uruchamiający laptopa. – Poza tym też ma telefon, może zadzwonić.

– Jesteście obie tak samo idiotycznie uparte. – Upiła łyk wina. – Kurwa, ale dobre, Domenico dał mi spróbować świątecznych trunków.

– Nie wkurwiaj mnie – warknęłam, popijając sok. – Zobaczmy, co tam słychać na Facebooku.

Przez kilkadziesiąt minut przeglądałam profile rodziców, znajomych, brata. Sprawdzałam, co się dzieje u ludzi z byłej pracy, i odpisywałam na zalegające w skrzynce od tygodni wiadomości.

Kiedyś portale społecznościowe były tym, co kochałam najbardziej na świecie, i byłam totalnie od nich uzależniona. Teraz miałam tyle innych, lepszych rzeczy do roboty, że stały się zbędne.

Już miałam zamykać komputer, kiedy w oczy rzucił mi się post jednej z koleżanek. Otworzyłam link, który zawierał, i aż mnie zatkało.

– Ja pierdolę, no, zabiję go za chwilę, słuchaj tego – powiedziałam wściekła do Olgi. – Piszą o Damianie i jego „wypadku".

Olo wytrzeszczyła oczy.

– „W nocy po gali, na której odbył swój kolejny zwycięski pojedynek, młody zapaśnik z Warszawy uległ poważnemu wypadkowi samochodowemu. Jego życiu nie zagraża niebezpieczeństwo, ale połamane nogi i ręce wykluczyły go z walk na wiele miesięcy". – Trzasnęłam monitorem. – Przecież, kurwa, widziałam, jak wchodził o własnych siłach do windy, a do klubu chyba mieli transport. Nie wytrzymam! – wrzasnęłam i rzuciłam się biegiem przez taras, sypialnię, aż wybiegłam na korytarz, pędząc w stronę biblioteki.

Przeleciałam przez drzwi jak burza, nic sobie nie robiąc z tego, że don nie był sam.

– Co jest z tobą nie tak, człowieku?! – Widząc moją furię i wymachujące ręce, Mario złapał mnie w pół, zanim zdążyłam dosięgnąć dona. – Massimo, do cholery, niech on mnie puści.

Czarny powiedział coś do zgromadzonych mężczyzn, którzy rzucając mi po kolei rozbawione spojrzenia, opuścili pomieszczenie. Wtedy Mario postawił mnie na ziemi i zamknął drzwi, po czym zniknął za nimi.

Don stał oparty plecami o ścianę, a jego długie ręce splotły się złowrogo na klatce piersiowej.

– Mogę wiedzieć, czemu zawdzięczam ten napad szału? – zapytał z płonącymi gniewnie oczami.

– Dlaczego Damian jest w szpitalu?

– Nie wiem. – Wzruszył ramionami. – Może źle się poczuł?!

– Massimo, nie rób ze mnie kretynki – warknęłam. – Ma połamane nogi i ręce.

– Ale przecież to był wypadek. – Po jego twarzy przemknął cwaniacki uśmiech.

– A więc wiesz, co się stało. – Podeszłam do niego i uderzyłam w twarz tak mocno, że aż zapiekła mnie ręka. – Po co była ta rozmowa po gali? Obiecywałeś, że nic mu nie zrobisz!

Głowa Czarnego powoli wracała na miejsce po ciosie, jaki otrzymał, a jego zupełnie już czarne oczy płonęły żywym ogniem.

– Obiecałem, że go nie zabiję – wycedził przez zęby, chwytając mnie za ramiona i usadzając siłą na kanapie. – Poza tym, moja droga, nasza rozmowa odbyła się po fakcie i pamiętaj, że nie wszystko jest takie, jak ci się wydaje.

Wymachując rękami, próbowałam podnieść się z miejsca, ale usiadł mi na nogach okrakiem i unieruchomił ciało.

– Przede wszystkim uspokój się, bo znowu
będę musiał wzywać lekarza, a po drugie posłuchaj mnie przez chwilę.

– Nie mam zamiaru z tobą rozmawiać – odparłam najspokojniej, jak to było możliwe. – Puść
mnie.

Czarny przyglądał mi się przez chwilę, po
czym zastosował się do mojej prośby.

Podniosłam się i rzucając mu gniewne spojrzenie, wyszłam, trzaskając za sobą drzwiami,
najmocniej jak umiałam. Wróciłam do sypialni,
wzięłam torebkę, klucze od nowego domu
i wściekła wyszłam na zewnątrz, kierując się
w stronę garażu. Ku mojej radości, o ile wtedy
taką byłam w stanie odczuwać, wszystkie kluczyki od aut wróciły do skrzynki wiszącej na ścianie.
Wzięłam komplet od bentleya i już po kilku minutach wyjeżdżałam z posiadłości.

Nie uciekałam, przecież Massimo i tak dobrze wiedział, gdzie się znajduję, zwłaszcza że
gdy tylko opuściłam mury rezydencji, ochrona
ruszyła za mną. Chciałam po prostu skorzystać
z możliwości nieoglądania go i zaszycia się
w miejscu, w którym mogłabym na spokojnie
się powściekać.

Droga do naszego nowego domu nie zajęła mi
zbyt dużo czasu. W międzyczasie zajechałam na
stację i nakupiłam sobie napojów, chipsów,
ciastek, lodów i trzy torby syfiastego jedzenia
na pocieszenie. Podjechałam pod same drzwi

i wysiadłam z samochodu, targając za sobą rekla-
mówki. W kilka sekund jeden z ludzi wyskoczył
z czarnego SUV-a i odebrał je ode mnie bez słowa. Nie było sensu szarpać się z nim ani kazać
mu kulturalnie wypierdalać, bo i tak by nie po-
słuchał, więc po prostu weszłam do środka.

– Będziemy na zewnątrz – powiedział, stawiając zakupy na blacie i wychodząc.

Rozpakowałam wszystko i uzbrojona w łyżkę,
lody, chrupki i ciastka usiadłam w salonie, włączając kominek. Wyciągnęłam z torebki telefon i zadzwoniłam do Olgi. Odebrała po trzecim sygnale.

– Gdzie ty, do cholery, jesteś, Lari?

– Oj, w nowym domu. Wkurzyłam się i nie
chcę z nim gadać.

– A ja? – zapytała poirytowana. – Ze mną też
nie chcesz?

– Chcę pobyć sama – odparłam po chwili za-
stanowienia. – Mogę?

W słuchawce zapadła cisza, która trwała kilka
sekund.

– Dobrze się czujesz? – wydukała w końcu.

– Tak, mam leki ze sobą, wszystko jest okej,
ochrona stoi pod domem. Jutro wrócę.

Rozłączyłam się i nadal gapiłam w ogień. Myślałam o tym, co zrobić, czy zadzwonić do Damiana, przeprosić go. A może nie miałam za co. Po
tym jak złość mi odeszła, zaczęłam się zastanawiać nad tym, że nie dałam Massimowi dokończyć zdania i wyszłam. Nie do końca znałam

obraz sytuacji, snując tylko domysły i przypuszczenia. Taki już miałam charakter, byłam porywcza i moim zachowaniem często kierowały emocje. Jedyne usprawiedliwienie, jakie miałam, to fakt, że jestem w ciąży i nie całkiem panuję nad tym, co robię.

Następnego dnia obudziłam się i spojrzałam na telefon; było po dziewiątej, a Massimo ani razu nie zadzwonił. Leżałam, zastanawiając się, czy dobrze zrobiłam, wyjeżdżając wczoraj, ale wyrzuty sumienia szybko zastąpiła furia związana z jego ignorowaniem mnie. Mam chore serce i jestem w ciąży, a tego dupka nawet nie obchodzi, czy żyję. Ochrona jest na dworze i nie ma pojęcia, czy ze mną wszystko w porządku, pomyślałam.

Zeszłam do kuchni i usiadłam na blacie z kubkiem herbaty w ręce, bez mleka niestety, bo nie wpadłam na to, by je kupić. Odpakowałam ostatnią paczkę czekoladowych ciastek i gdy powoli wkładałam je do ust, moją uwagę przykuł czerwony punkt przy suficie. Zeskoczyłam i podeszłam bliżej.

– Dlatego nie dzwonisz – powiedziałam, kiwając głową.

W całym domu były kamery. Dopiero kiedy zaczęłam przyglądać się otoczeniu, zobaczyłam, że są niemal wszędzie, łącznie z łazienką. Czarny doskonale wiedział, co robię, bo prawdopodobnie cały czas mnie obserwował. Dojadłam ciastka i biorąc głęboki oddech, ruszyłam do sypialni, by zebrać swoje rzeczy i wrócić do domu.

Wjechałam przez szeroki podjazd na teren rezydencji i zobaczyłam stojące przed domem BMW z rozbitą szybą. Niepewnie wysiadłam z bentleya i rozejrzałam się wokół, nikogo nie było, mojej ochrony także. Poczułam, jak ogarnia mnie przerażenie i panika. Ruszyłam przed siebie i po przejściu kilku kroków zobaczyłam, że drzwi do siłowni są otwarte, a z poziomu niżej dobiegają jakieś krzyki i hałas. Zeszłam po schodach, trzymając się blisko ściany i wychyliłam głowę.

Moim oczom ukazał się półnagi Domenico roztrzaskujący kolejne sprzęty i Massimo spokojnie stojący w otoczeniu kilku ludzi. Widać było, że Młody ewidentnie chce opuścić pomieszczenie, a pozostali mu to uniemożliwiają. Biegał, wrzeszcząc coś, i walił pięściami w ściany. Nie widziałam go jeszcze w takim stanie. Nawet sytuacja, kiedy prawie zabił moją ochronę w dzień, kiedy ktoś próbował mnie staranować, była niczym przy tym, co teraz wyprawiał.

Wyszłam zza ściany, a na mój widok Domenico wpadł w jeszcze większy szał. Massimo popatrzył w moją stronę, podążając za wzrokiem brata, i sekundę później stał już obok.

– Idź na górę! – powiedział rozkazująco, przepychając mnie w kierunku schodów.

– Co się dzieje?

– Powiedziałem coś! – wrzasnął tak, że aż podskoczyłam, a do oczu napłynęły mi łzy.

Pobiegłam na górę wprost do sypialni Olgi i przebiegając przez drzwi, zamarłam. Pokój był kompletnie zdewastowany, łóżko połamane, poprzewracane komody, rozbite szyby. Znieruchomiałam, wyciągnęłam z torebki telefon i trzęsącymi rękami wybrałam numer Olo. Wtedy usłyszałam wśród tych zgliszczy dźwięk dzwonka. Rozejrzałam się raz jeszcze, upewniając, że jej tu nie ma, i poszłam do biblioteki, eskortowana już od pokoju Olgi przez jednego z ochroniarzy.

– Czemu mnie pilnujesz? – warknęłam do niego po kilkunastu minutach, które spędził wewnątrz pomieszczenia, gapiąc się na mnie.

– Nie pilnuję pani, tylko tego, jak się pani czuje.

Zmarszczyłam czoło, ale nie odezwałam się.

Po zdecydowanie zbyt długiej chwili drzwi się otworzyły i do pomieszczenia wszedł Massimo. Miał obdrapane ręce i wyglądał, jakby ktoś siłą zerwał go z łóżka.

Kiedy stanął przede mną, do oczu ponownie napłynęły mi łzy i mimo usilnych starań moja twarz zrobiła się mokra. Czarny usiadł obok i posadził mnie sobie na kolanach, mocno tuląc.

– Nic się nie dzieje, nie płacz.

Oderwałam od niego zapłakaną twarz i popatrzyłam głęboko w jego zatroskane oczy.

– Nic się nie dzieje? Pokój Olgi jest w ruinie, ona zniknęła, Domenico wygląda jak obłąkany, a ty mi mówisz, że nic się nie dzieje?

Don wziął głęboki oddech i wstał, zostawiając mnie na kanapie. Podszedł do kominka i oparł o niego.

– Domenico zobaczył nagranie. – W pierwszym momencie zupełnie nie załapałam, o co mu chodzi. – Wpadł w szał, zaczęli się kłócić, nie dał Oldze dojść do słowa, tylko wyżywał się na meblach. Uciekła z pokoju i przybiegła do mnie. A jak zszedłem do niego, próbował się zastrzelić.

– Słucham? – wypaliłam zaskoczona.

– Mój brat, wbrew pozorom, jest bardzo wrażliwy, wiesz, artysta malarz i tak dalej, nie był w stanie drugi raz przeżyć zdrady.

– Ja pierdolę... to nagranie... – wyszeptałam, chowając głowę w dłonie, kiedy wreszcie dotarło do mnie, o czym mówił. – Gdzie jest Olga?

– Wyjechała.

– A to rozbite BMW na podjeździe?

– No właśnie nim próbowała wyjechać, wtedy on wpadł w jeszcze gorszy szał i próbował ją zatrzymać. Chłopaki zawlekli go do piwnicy, bo jest wygłuszona, i tam dopiero mogłem go zamknąć. Olga jest bezpieczna, nie martw się o nią, jak wszystko się uspokoi, zabiorę cię do niej.

Kręciłam głową, słuchając tego wszystkiego, i nadal nie mogłam nic pojąć.

– Możesz mi to spokojnie raz jeszcze wyjaśnić? – zapytałam, wycierając twarz i skupiając się na nim.

– Dziś rano kurier dostarczył paczkę, Ola jeszcze wtedy spała. Domenico jak zawsze od szóstej jest już na nogach, więc kiedy zjawił się kurier, sam odebrał przesyłkę. Poszedł do gabinetu, włączył nagranie i wpadł w szał, oglądając, jak jego ukochaną pierdoli ktoś inny. Pobiegł do niej, ona do mnie, ja zbiegłem na dół, szarpaliśmy się trochę i zabrałem mu broń.

– Pokręcił głową. – Olga wtedy wkroczyła do akcji, wrzeszcząc, że zrobiła to dla niego, on niestety nie miał pojęcia, o co jej chodzi, więc rozjuszony jeszcze bardziej jej słowami popędził za nią, kiedy oznajmiła, że wyjeżdża. Ganiali się po domu, on rzucał czym popadnie, a wtedy ona dobiegła na podjazd i wsiadła do BMW, które było szykowane dla mnie. – Zerknął na mnie i rzucając mi spojrzenie pełne rozczarowania, dodał: – Chciałem pojechać po moją nieposłuszną żonę, jak tylko się obudzi. Kiedy chciała odjechać, Domenico wskoczył na maskę, a nie mogąc otworzyć drzwi, zaczął okładać szybę pięściami, później kopał, a wtedy już stwierdziłem, że dość, i zawlekliśmy go do piwnicy. Olę wsadziłem w inny samochód i z ochroną odesłałem do hotelu, tego samego zresztą, w którym mieszkałaś, kiedy przyleciałaś na wyspę. Jest najbliżej.

– Powiedziałeś: „Drugi raz nie przeżyje zdrady"? To kiedy był pierwszy? – zapytałam skonsternowana.

Massimo usiadł obok i przeciągnął się, wbijając mocno plecy w oparcie sofy.

– Ale mam intensywny poranek. – Zakrył oczy dłońmi i cicho ziewnął. – Możemy iść na śniadanie i tam porozmawiamy. Chcę, żebyś coś zjadła. Dieta złożona z lodów, chipsów i ciastek nie służy mojemu synowi. – Wziął mnie za rękę i pociągnął w stronę jadalni.

Siedzieliśmy przy wielkim stole uginającym się od jedzenia, a ja czułam pustkę. Nie pamiętałam, kiedy ostatnio nie widziałam przy śniadaniu Olo i Domenica.

– Pogodzą się? – zapytałam, skubiąc bekon.

Czarny podniósł na mnie wzrok i wzruszył ramionami.

– Jeśli on posłucha i da sobie wytłumaczyć, to pewnie tak, ale czy ona zechce wrócić po tym, co zobaczyła? – Odsunął się od stołu i przekręcił do mnie. – Wiesz, kochanie, żadna normalna kobieta nie będzie chciała być z facetem, który dewastuje meble, samochody, próbuje zabić siebie i ją.

– Ach tak? – zapytałam z przekąsem. – A z takim, który zabija ludzi, strzela im w ręce albo łamie nogi z zazdrości?

– To zupełnie inna sprawa – powiedział, kręcąc głową. – A jeśli chodzi o jego reakcję, to

376

Domenico był już kiedyś zakochany. Olga nie jest jego pierwszą miłością, pierwsza była Katja. – Upił łyk kawy i zamyślił się. – Kilka lat temu pojechaliśmy w interesach do Hiszpanii, tam zatrzymaliśmy się w hotelu u jednego z bossów. Dzień przed wyjazdem zaprosił nas do swojego domu i ugościł tak, jak umiał najlepiej. Kokaina, alkohol i kobiety; jedną z dziewczyn była właśnie Katja, śliczna ukraińska blondynka. Była ulubienicą tego Hiszpana, który okazywał to dość osobliwie, traktując ją jak gówno. Nie wiem, co miała w sobie takiego, że Domenico oszalał na jej punkcie. Pod koniec wieczoru nie wytrzymał i zapytał ją, dlaczego pozwala się tak traktować. Wtedy usłyszał, że nie może od niego odejść, bo nie ma jak ani dokąd. No i rycerski Domenico oświadczył, wyciągając do niej rękę, że może właśnie w tej chwili, z nim. Zrobił na niej wrażenie, ale nie zdecydowała się, została, a my wróciliśmy na Sycylię. Po kilkunastu dniach zadzwoniła, powiedziała, że tamten chce ją zabić, więzi ją i wybił jej zęby, a ona nie ma do kogo zadzwonić – westchnął ze śmiechem. – I mój głupi brat wsiadł w samolot, poleciał tam i wjechał mu do domu z kopytem w dłoni, sam. Hiszpan go wpuścił, bo przecież go znał – wtedy Domenico wybił mu zęby rękojeścią, związał go i narobił mu krępujących zdjęć.

– To znaczy? – przerwałam mu.

– Kochanie. – Zaśmiał się, gładząc moje kolano. – Jak by ci to wyjaśnić, tak żebyś zrozumiała... – Przez chwilę zastanawiał się i widać było, jak z rozbawieniem znajduje rozwiązanie. – Wsadził mu kutasa do ust i narobił zdjęć, które wyglądały, jakby mu obciągał. A później zapowiedział, że jeśli będzie go ścigał czy prześladował, rozwiesi je w całej Hiszpanii. Po czym zabrał Katję, wsadził w samolot i przywiózł na Sycylię. Wpadłem w szał, ale co mogłem zrobić, już i tak było po fakcie. Kilka miesięcy był spokój, Hiszpan co prawda nie chciał robić z nami interesów, ale też nie ścigał Domenica. I wtedy, latem, wszystko się skończyło. Byliśmy na bankiecie w Paryżu, byli tam też Hiszpanie. – Pochylił głowę i parsknął śmiechem, z dezaprobatą kręcąc głową. – Kurwa zawsze będzie kurwą, Domenico nakrył ją, jak się pierdoliła ze swoim eks w kiblu. Nie trafił tam przypadkiem, ale to było nieistotne, istotny był fakt, co ona tam robiła. Wtedy Domenico rozpadł się na kawałki, ćpał, pił, ruchał co popadnie – jakby jej to robiło różnicę i jakby miała się o tym dowiedzieć.

– A nie wiedziała?

– Hiszpan zabrał ją ze sobą, a tydzień później znaleźli ją martwą po przedawkowaniu. – Głośno westchnął. – Tak że widzisz, Mała, sytuacja jest raczej trudna i bardziej złożona, niż myślisz.

– Chcę z nim pomówić. – Oczy Massima zrobiły się wielkie, zdradzając przerażenie. – Ja mu to wyjaśnię.

– Dobrze, ale nie każ mi go rozwiązywać.

– Słucham?! Związałeś go?

Pokiwał głową z przepraszającym uśmiechem.

– Jesteście wszyscy chorzy. Chodźmy.

Schodząc po schodach, poprosiłam Massima, by został na górze i nie schodził ze mną. Przystał na to, ale oznajmił, że i tak zostanie na półpiętrze, żeby słyszeć, co się dzieje.

Wyszłam zza ściany i popatrzyłam na zdewastowane pomieszczenie. Domenico siedział na środku przywiązany rękami i nogami do metalowego krzesła z oparciem. Ten widok prawie rozerwał mi serce; podeszłam do niego i klękając przed nim, ujęłam jego twarz w dłonie. Był spokojny albo zwyczajnie wykończony, podniósł na mnie zapłakane oczy i nie był w stanie wydusić słowa.

– Boże, Domenico, coś ty zrobił... – wyszeptałam, gładząc go po twarzy. – Jeśli mnie posłuchasz, wszystko stanie się jasne, ale musisz przyswoić to, co ci powiem.

– Zdradziła mnie! – warknął, a jego oczy zalał gniew. Odsunęłam się. – Kolejna dziwka mnie zdradziła! – wrzeszczał, rzucając się na krześle, a ja z przerażenia aż odskoczyłam pod ścianę. Usiłował rozerwać więzy, które go krępowały, ale Massimo był mistrzem skutecznego sznurowania, wiedziałam to z autopsji.

– Kurwa, Domenico! – krzyknęłam, kiedy nie wiedziałam już, co zrobić. – Ty pierdolony egoisto, to, że jesteś debilem, to jedno, a to, że nie wszyscy tacy są, to inna sprawa. – Wstałam i energicznie chwyciłam jego twarz obiema rękami. – A teraz posłuchaj mnie przez pięć minut i cię rozwiążę.

Wpatrywał się we mnie przez chwilę i kiedy już myślałam, że mogę zacząć mówić, z jego gardła wydobył się kolejny potężny ryk. Szarpiąc się, wywrócił krzesło, a razem z nim siebie.

Czarny wyszedł z ukrycia i podniósł brata, podszedł do jednej z szafek obok klatki, skąd wyciągnął czarną taśmę klejącą. Urwał kawałek i wcześniej wycierając ręcznikiem mokrą twarz Młodego, na siłę zakleił mu usta.

– Teraz ty milczysz, ona mówi, a potem wszyscy zjemy lunch – stwierdził i usiadł na zerwanym z sufitu worku do boksowania.

Wzięłam spod ściany krzesło i usadowiłam się naprzeciw zrezygnowanego Domenica, po czym zaczęłam mówić.

Po dwudziestu minutach monologu i opowieści o tym, jak Olo poświęciła się dla niego, jak Adam to wszystko zaplanował i jak na koniec wysłał mu z zemsty paczkę, a następnie gdy Massimo potwierdził moją opowieść, odkleiłam mu taśmę z ust, a Czarny rozwiązał ręce i nogi. Ciało Domenica opadło z hukiem na ziemię, a on sam zalał się łzami.

Don podszedł i zebrał brata, przytulając go do siebie – to była najbardziej wzruszająca scena pojednania, jaką do tej pory oglądałam. Mimo to postanowiłam w niej nie uczestniczyć, bo z każdą sekundą coraz bardziej czułam się jak intruz. Weszłam na schody i usiadłam na nich tak, by nie było mnie widać. Obaj tkwili tak przez dłuższą chwilę w żelaznym uścisku i rozmawiali w języku, którego wciąż nie rozumiałam.

– Jedźmy do niej – powiedział Domenico, stając przede mną. – Muszę ją zobaczyć.

– Najpierw może umyj się – wtrącił Massimo – a lekarz opatrzy ci rany, bo z tego, co widzę, kilka trzeba będzie szyć. – Poklepał go po plecach. – Doktor czeka już od godziny, myślałem, że będzie konieczny zastrzyk uspokajający – dodał ze śmiechem.

– Przepraszam – jęknął młody Włoch, opuszczając głowę. – Ona mi tego nie wybaczy.

– Wybaczy. – Wstałam z miejsca, kierując się na górę. – Nie takie rzeczy w życiu oglądała.

Stanęłam przed drzwiami do pokoju hotelowego Olo i wsadziłam klucz w drzwi. Kiedy jechaliśmy, postanowiłam, że pierwsza z nią porozmawiam, zanim Domenico skutecznie lub nie zacznie się przed nią płaszczyć. Przeszłam przez próg i korytarz, aż dotarłam do salonu, ale nigdzie jej nie było. Minęłam więc salon i wyszłam na taras, gdzie zobaczyłam ją siedzącą z butelką wódki w ręce.

– Dobra? – zapytałam, siadając obok.

– Chujowa, jak to wódka – odparła, nawet na mnie nie patrząc.

– Przyjechał tu, jest na dole.

– Niech się pierdoli – warknęła. – Chcę wracać do Polski. – Obróciła się do mnie, odstawiając alkohol. – Czy ty wiesz, że on rzucił we mnie wazonem?

Patrzyła na mnie wściekłymi oczami, a ja czułam, jak ogarnia mnie głupkowaty chichot. Zanim zdążyłam się powstrzymać, parsknęłam jej prosto w twarz.

– Przepraszam – jęknęłam, zasłaniając usta, z których szły już dzikie salwy śmiechu.

Olga siedziała skonsternowana i patrzyła na mnie z wyraźną irytacją, kiedy usiłowałam się uspokoić.

– Lari, on chciał mnie zabić!

– Ale czym, wazonem...? – Kolejny raz nie wytrzymałam i rechotałam jak szalona, podnosząc ręce w geście poddania. – Olo, wybacz, ale to jest śmieszne.

Jej twarz pomału rozpogadzała się, a wściekłość ustępowała miejsca konsternacji. Z głupkowatym wyrazem twarzy, po dłuższej chwili walki samej ze sobą, dołączyła do mnie.

– A nie wkurwiaj mnie – powiedziała ze śmiechem. – Próba zabójstwa wazonem to wciąż próba zabójstwa.

– Zniszczył samochód, zdewastował siłownię, sypialnię, a na koniec Massimo związał go w piwnicy.

– I bardzo mu tak dobrze. – Zaplotła ręce na piersiach. – Powinien go tam zostawić.

Obróciłam się do niej i położyłam rękę na jej dłoni.

– Olka, on miał prawo do takiej reakcji i obie doskonale o tym wiemy. – Wpatrywała się we mnie, lekko mrużąc oczy. – Sama wiesz, jak to wyglądało, co on miał pomyśleć? – Puściłam ją i wstałam. – Moim zdaniem potrzebna wam jest rozmowa. – Ruszyłam w kierunku drzwi. – Teraz.

Już chciałam wziąć telefon i zadzwonić do męża, gdy obaj z hukiem wpadli do pokoju. Podniosłam ręce i z rezygnacją je opuściłam, kiedy Olga z wściekłością trzasnęła drzwiami od tarasu, pozostając na zewnątrz. Zanim zdążyłam zacząć wrzeszczeć na nich obu, Massimo chwycił mnie wpół i wyniósł do przedpokoju, robiąc miejsce bratu. Domenico przebiegł przez pokój i już po chwili klęczał u stóp obrażonej Olo.

– Daj im teraz chwilę – powiedział don, całując mnie w czoło z szelmowskim uśmiechem.

Popatrzyłam na zewnątrz i zamarłam: Młody z wyciągniętym w dłoniach pierścionkiem oświadczał się mojej przyjaciółce; aż jęknęłam. Mina Olgi zdradzała przerażenie, przejęcie i totalne zaskoczenie. Policzki miała ukryte w rękach, a całe ciało wciśnięte w siedzisko. Domenico mówił i mówił, a kolejne sekundy mijały jak godziny.

Wtedy stało się coś, czego zupełnie się nie spodziewałam: Olo wstała, bez słowa przeszła obok nas i wyszła. Puściłam Massima i poszłam za nią korytarzem. Wsiadłyśmy do windy i zjechałyśmy na poziom zero.

– Wyjeżdżam, kochanie – powiedziała ze łzami w oczach. – To wszystko nie jest dla mnie, sorry.

Objęłam ją i zaczęłam płakać. Nie mogłam naciskać, by została. Już nieraz robiła coś wbrew sobie, tylko dla mnie.

Wsiadłyśmy do auta i wróciłyśmy do rezydencji, gdzie spakowała swoje rzeczy. Po godzinie Massimo stanął w drzwiach jej pokoju, oznajmiając, że samolot czeka i zabierze ją do Polski.

Po drodze, na lotnisku, przy samolocie ciągle wyłam. Nie wyobrażałam sobie, co się teraz stanie, kiedy zostałam zupełnie sama.

Olo odleciała.

ROZDZIAŁ 15

Za dwa dni Wigilia; w dupie mam takie święta bez rodziny, bez przyjaciół, bez Olgi. Domenico zniknął w dniu, kiedy wyjechała, a Massimo zachowywał się, jak gdyby nigdy nic. Pracował, przyjmował jakichś ludzi i wynajdował mi najprzeróżniejsze zadania, bylebym nie myślała o tym, co się dzieje. Jeździłam z Marią, wybierając ozdoby do domu, testowałam z kucharzem potrawy świąteczne. Wysłał mnie nawet do Palermo na zakupy, ale bez Olo nawet to mnie nie cieszyło. Co noc i dzień kochał się ze mną, jakby miało mi to dać ukojenie w tęsknocie, niestety nic z tego. Wtedy uświadomiłam sobie swoje położenie – byłam totalnie, absolutnie i beznadziejnie sama. Normalni ludzie, pobierając się, tracą jedynie wolność seksualną, ja natomiast straciłam całe życie.

Dzwoniłam do mojej przyjaciółki, ale gadała ze mną jak zombie albo była pijana, próbowałam rozmawiać z Jakubem, ale i on miał własne życie. Jedynym pocieszeniem był fakt, że dziecko rozwijało się prawidłowo i nic mu nie dolegało. Pozorna idylla mojego jestestwa nie dawała mi jednak szczęścia, dlatego dzień przed Wigilią poczułam przemożną chęć samotności.

– Massimo, jadę na jeden dzień do Messyny – powiedziałam, kiedy jedliśmy razem śniadanie. Czarny odłożył sztućce i odwrócił się powoli w moją stronę. Przez chwilę patrzył, jakby w mojej głowie przeglądał zakładki myśli.

– O której chcesz jechać? – zapytał, nie odrywając wzroku.

Zgłupiałam. Byłam zła, zadowolona i skonfundowana jego odpowiedzią. Spodziewałam się kłótni, pytań albo zwyczajnej troski, natomiast mój mąż po prostu przyjął to do wiadomości.

– Zaraz – burknęłam, wstając od stołu.

– Poproszę Marię, by zapakowała ci jedzenie, nie chcę, żeby mój syn znowu jadł tylko ciastka i lody.

Wsiadłam do bentleya, podczas gdy moja ochrona ładowała do SUV-a tony jedzenia. Patrzyłam na nich w tylnym lusterku, zastanawiając się, kto będzie to wszystko jadł.

Po niecałej godzinie wjechałam na podjazd naszego domu; smutni panowie wyładowali wszystko, pozostawiając w kuchni, a ja bezczynnie rozłożyłam się na kanapie w salonie. Gapiłam w sufit, w kominek, w choinkę, aż uznałam, że jestem sfrustrowana do tego stopnia, iż muszę się tym z kimś podzielić. Wyciągnęłam laptopa i uruchomiłam go, przepatrzyłam znajomych, z którymi ewentualnie chciałabym zamienić słowo, i z bólem przyznałam, że nikogo takiego nie ma.

I już miałam trzasnąć monitorem, gdy przyszła mi do głowy jeszcze jedna osoba, z którą nie tyle mogłam, co powinnam była pogadać. W wyszukiwarkę na Facebooku wrzuciłam imię i nazwisko warszawskiego wojownika. Pojawiło się od razu, pokazując mi, że jesteśmy znajomymi. Myślałam przez chwilę, zastanawiając się, jakim cudem, ale nie mogąc na nic wpaść, wcisnęłam guzik wiadomości. Popukałam palcem w komputer, zastanawiając się, co napisać i dlaczego właściwie mam napisać do niego. Czy to kwestia mojej podświadomej złośliwości w stosunku do męża popychała mnie do tej rozmowy, a może zwyczajnie miałam ochotę z nim pogadać? W pewnym momencie mój palec omsknął się i w wiadomości jako wysłane pojawił się bezsensowny znak.

– Kurwa jego mać – zaklęłam, waląc rękami w komputer.

Kilka sekund później na monitorze komputera pojawiła się informacja, że Damian dzwoni, a aplikacja zaczęła wydawać dziwne pискliwe dźwięki. W panice zaczęłam rozglądać się, jak to wyłączyć i... o losie, odebrałam.

– Wszystko w porządku? – zapytał Damian, patrząc wprost na mnie.

Siedziałam otępiała, gapiąc się na niego i nie mając pojęcia, co powiedzieć. Właściwie to chyba ja powinnam zapytać, czy wszystko jest okej.

Mimo sińców na twarzy wyglądał ponętnie, a jego duże usta były jeszcze większe od opuchlizny, która na nich widniała. Leżał z głową na białej poduszce i przyglądał mi się bacznie.

– Laura, wszystko okej? – Ponowił, kiedy milczałam.

– Cześć, wojowniku – wydusiłam po chwili.

– Jak się czujesz?

Uśmiechnął się i wzruszył ramionami, lekko wykrzywiając wargi.

– Gdyby to była zdobycz w walce, pewnie czułbym się lepiej, ale w obecnej sytuacji... – westchnął i odwrócił wzrok od kamery.

– Powiesz mi, co się stało?

– Nie mogę. – Popatrzył wprost w kamerę i zacisnął usta w cienką linię.

– Kurwa, Damian – warknęłam zirytowana jego odpowiedzią. – Co to znaczy, że nie możesz? Jeśli mój mąż cię straszy, chciałabym to wiedzieć, bo...

– Mąż? – Przerwał mi. – Massimo Torricelli jest twoim mężem?

Pokiwałam głową, potwierdzając jego słowa, a on na chwilę zamarł.

– Dziewczyno, w co ty się wpakowałaś? – Uniósł się wyżej i objął głowę dłońmi. – Lauro, czy ty wiesz, że ten człowiek jest ...

– Dobrze wiem, czym się zajmuje. – Tym razem to ja mu przerwałam. – I serio, nie potrzebuję teraz lekcji moralności, a zwłaszcza od ciebie. Podobno też nie jesteś święty. Poza tym co za różnica, wyszłam za mąż i jestem w ciąży. Usiłowałam ci to powiedzieć na tej gali, gdzie walczyłeś, ale jakoś nie było okazji.

Jego oczy zrobiły się nienaturalnie duże i okrągłe, kiedy z otwartymi ustami patrzył na mnie. Mijały kolejne sekundy, a ja zastanawiałam się, czy mam coś powiedzieć, rozłączyć się, a może uderzyć głową w monitor. W końcu przemówił.

– Będziecie mieli dziecko?

Pokiwałam głową z lekkim uśmiechem, słysząc to pytanie.

– Ja pierdolę, no to teraz wszystko jasne.

Rzuciłam mu pytające spojrzenie.

– Gdybym wiedział to wszystko, nigdy bym się nie zachował w ten sposób, nie jestem samobójcą – odpowiedział na moje bezgłośne pytanie. – A za to, w jakim stanie teraz jestem, mogę podziękować wyłącznie sobie.

Ponownie spojrzałam na niego szeroko otwartymi oczami, czekając na wyjaśnienia.

– No, bo widzisz, Lauro, po tym, jak zjechałem na dół, po chwili zjawili się ludzie Karola, który wezwał mnie do siebie na rozmowę. Pojechałem tam i nie mając pojęcia, z kim kilkadziesiąt minut wcześniej tłukłem się na korytarzu, kolejny raz w obecności kuzyna wyzwałem przeciwnika na pojedynek, uważając, że nie załatwiliśmy sprawy do końca. Karol był tak wściekły, że zadzwonił do Massima, a ten z chęcią przystał na moją propozycję dokończenia tego, co zaczęliśmy. Spotkaliśmy się w posiadłości mojego kuzyna i jak dzieciaki tłukliśmy się na dworze – westchnął i pokręcił głową. – Było ślisko, padał śnieg, poślizgnąłem się bardzo niefartownie i upadając, skręciłem nogę i złamałem rękę, co za wstyd – wycedził przez zęby. – Twój mąż to wykorzystał i oprawił mnie do końca, darowując życie, za co jestem mu szczerze zobowiązany od momentu, w którym dowiedziałem się, z kim miałem przyjemność stoczyć bójkę. W normalnych okolicznościach zwyczajnie by mnie zastrzelił.

Siedziałam oparta o miękką kanapę, rozumiejąc coraz wyraźniej znaczenie słów dona, kiedy mówił, że nie wszystko jest takie, jak mi się wydaje. W tym momencie nie wiedziałam, czy jestem zła na jednego, czy na drugiego, a może zupełnie nie miałam powodów do zdenerwowania. Z rozmyślań wyrwał mnie spokojny głos mojego eks.

– A jak ty się czujesz? – zapytał z przesadną troską.

– Świetnie, nie licząc tego, że mój totalitarny mąż stale chce kogoś zabić z mojego powodu. – Roześmiałam się, widząc jego rozbawienie. – Mieszkam teraz na Sycylii w Taorminie, ale aktualnie musiałam trochę odetchnąć w drugim domu. – Wzruszyłam ramionami. – Siedzę tu sama i chciałam z kimś pogadać.

– Oprowadzisz mnie? – zapytał, splatając ręce za głową i uśmiechając się szeroko.

Był taki śliczny, że nie byłam w stanie mu odmówić. Chwyciłam komputer i obróciłam tak, żeby kamera obejmowała obraz przede mną.

Przechodziłam przez kolejne pomieszczenia i piętra, aż w końcu dotarłam do ogrodu, gdzie usiadłam na jednym z ogromnych białych foteli. Wsadziłam na nos okulary przeciwsłoneczne i otworzyłam butelkę musującego wina bez alkoholu, którą wcześniej zabrałam z kuchni.

– I tak tu właśnie mieszkam. Właściwie tutaj tylko uciekam, ale...

– Pijesz alkohol? – warknął, kiedy przykładałam kieliszek do ust.

Roześmiałam się.

– To wino bez alkoholu, smakuje identycznie, ale to wszystko. Żadnego innego działania – niestety. Gdyby Massimo zobaczył, jak piję, resztę ciąży przesiedziałabym w piwnicy.

– Nie masz go czasem dość? – zapytał niepewnie. – Nie chciałabyś wrócić do normalności, do kraju?

Myślałam przez chwilę nad jego pytaniem. W odniesieniu do ostatnich kilku dni faktycznie było to coś, nad czym po cichu zastanawiałam się kilka razy. Teraz jednak, kiedy ktoś oczekiwał ode mnie zdiagnozowania tego, co czułam i chciałam, słowa więzły mi w gardle.

– Wiesz, Damian, to nie jest takie proste. Abstrahując od tego, że jestem żoną potężnego człowieka, który nie puści mnie tak łatwo, to noszę w sobie jego dziecko. A żaden normalny facet nie zdecyduje się na związek z kobietą, która ma tak wiele bagaży.

– Normalny może i nie, ale taki, który da sobie za nią połamać ręce... – Po tym zdaniu nastała krępująca cisza. – Wiem, że to trochę zaskakująca propozycja, ale...

– Kocham go – przerwałam, bo zdawało mi się, że za chwilę za dużo powie. – Ja jestem do szaleństwa zakochana w tym człowieku i to jest chyba największy problem. – Wzruszyłam ramionami i upiłam kolejny łyk. – No dobra, mój drogi, teraz porozmawiajmy o tobie. A raczej o tym, co robisz dla Karola.

Wbiłam w niego pytające spojrzenie, zaplatając ręce na piersiach, i czekałam. Sekundy mijały, a on tylko wiercił się w pościeli.

– Zasadniczo już nic dla niego nie robię. – Skrzywił się. – Wiesz, jak to jest, byłem młody, kiedy zaproponował mi, żebym stanął na bramce w jednym z jego klubów. Trenowałem, byłem duży i głupi, więc się zgodziłem. Pieniądze były dobre, praca raczej niezbyt wymagająca. Później się okazało, że jestem jednak dość bystry, więc zacząłem nadzorować pracę innych. I gdyby nie kontrakt w Hiszpanii, pewnie znałbym Massima od trochę innej strony niż teraz.

– Czekaj... – Podniosłam dłoń. – To kiedy byliśmy razem, ty byłeś ...

– Byłem, jak to mówisz „niegrzeczny", owszem.

– Jakim cudem nigdy tego nie zauważyłam?

Roześmiał się, uderzając przez przypadek w głowę zagipsowaną ręką.

– Au. – Potarł miejsce, w które trafiła twarda masa. – Laura, kochanie. – Zaczął ze śmiechem. – No przecież nie mogłem zacząć znajomości od „cześć, jestem w grupie przestępczej, ale w środku dobry ze mnie gość".

– Poczekaj sekundę – powiedziałam, kiedy do ogrodu wbiegły klony, Rocco i Marco, moi ochroniarze. Rozejrzeli się nerwowo, a ja popatrzyłam na nich jak na idiotów, popijając kolejny łyk. – Nie odzywaj się teraz – powiedziałam konspiracyjnie, przekręcając monitor tak, by kamera widziała ich konsternację. – Zobacz, przez co ja tu muszę przechodzić – szepnęłam, po czym płynnie przeszłam na angielski. – Co się dzieje, panowie? Zgubiliście się? – Mój sarkazm rozśmieszył mojego eks, który szybko ucichł.

– Pani Lauro, kamery w ogrodzie jeszcze nie są podłączone, czy może pani wrócić do środka?

Popatrzyłam na nich z niedowierzaniem i parsknęłam z dezaprobatą.

– Czy na linii masz mojego męża? – zapytałam, wskazując gestem głowy telefon, który trzymał w ręce. Mężczyzna przytaknął, spoglądając na ziemię. – Daj mi go zatem proszę.

– Massimo, nie przesadzaj – powiedziałam, zanim zdążył się odezwać. – Dzień jest wyjątkowo ciepły, a ja potrzebuję pooddychać. – Olśniło

393

mnie. – Twój syn chce pooddychać, dlatego odwołaj swoich goryli.

W słuchawce nadal panowała cisza, aż w końcu w telefonie rozległ się spokojny głos mojego męża:

– Tam nie będą wiedzieli, czy wszystko w porządku, może niech Rocco zostanie z tobą.

Popatrzyłam na monitor z ukrytą konwersacją z moim eks i już wiedziałam, że goryl troglodyta na pewno będzie zainteresowany męskim głosem wydobywającym się z komputera.

– Kochanie – zaczęłam łagodnie, mając nadzieję, że właśnie to na niego podziała. – Gdybym chciała mieć towarzystwo, wybrałabym twoje, więc proszę okiełznaj swoją paranoję i daj mi pobyć samej ze sobą. Czuję się świetnie, nic mi nie jest, zaraz zamierzam zjeść lunch. Jeśli chcesz, mogę dzwonić co godzinę.

– Za chwilę zaczynam spotkanie, które może potrwać do wieczora. – W słuchawce zaległa cisza, a później słychać było ciężkie westchnienie. – Twoja ochrona co jakiś czas zajrzy, by upewnić się, że nic ci nie jest.

Słysząc to, niemal klasnęłam w dłonie z radości.

– Kocham cię – wyszeptałam, kiedy kończyliśmy rozmowę, uradowana jego względną elastycznością.

– Ja ciebie też, do jutra. A teraz daj mi, proszę, Rocca.

Westchnęłam z rozmarzeniem i podałam telefon ochroniarzowi, obdarzając go jednocześnie promiennym uśmiechem. Ten popatrzył na mnie ponuro i zniknął, rzucając kilka słów do słuchawki.

– Już jestem – powiedziałam, na nowo otwierając okienko z konwersacją. – I tak tu właśnie mam. – Rozłożyłam ręce i wzruszyłam ramionami. – Kontrola, kontrola i jeszcze więcej kontroli.

Damian roześmiał się i z niedowierzaniem pokręcił głową.

Kolejna godzina, a może dwie, minęła nam na wspominkach i rozmowach dotyczących wspólnych miejsc, sytuacji i znajomych. Opowiadał mi o życiu w Hiszpanii i miejscach, które odwiedził dzięki temu, że walczył coraz lepiej i dla coraz większych organizacji. Mówił o ludziach, których spotykał, i o treningach w Tajlandii, Brazylii i Stanach Zjednoczonych. Słuchałam tego jak zaczarowana, w duchu ciesząc się, że zrządzeniem losu wysłałam mu bezsensowną kropkę. Z jednej strony bardzo współczułam mu kontuzji, której nabawił się z mojego powodu, ale z drugiej dzięki temu znów mogłam z nim porozmawiać.

– Muszę kończyć – powiedział, kiedy w jego pokoju rozległ się jakiś hałas. – Sebastian przyjechał z wałówką. – Uśmiechnęłam się do niego czule. – Lauro, obiecasz mi coś? – zapytał nieśmiało.

– Wiesz, że nienawidzę takich pytań, nie wiedząc, co będzie zawierała prośba.

– Obiecaj, że będziesz odzywać się czasem, ja mam zakaz. – Skrzywił się i z rezygnacją pokręcił głową. – Karol połamie mi resztę zdrowych kości, jeśli się do ciebie odezwę. Albo twój mąż mnie w końcu zastrzeli.

– Uwielbiam cię, wojowniku, i akurat to ci mogę obiecać. Smacznego.

Damian ucałował kamerę w swoim komputerze i po chwili znów byłam sama.

Od musującego napoju zrobiło mi się delikatnie niedobrze i przypomniałam sobie, że od rana nic nie jadłam. Poszłam w stronę domu i na dobre piętnaście minut utknęłam w kuchni, szykując sobie obfity lunch. Po kolei wynosiłam wszystko na dwór, aż po półgodzinie wszystko było gotowe. Usiadłam przy stole, gryząc oliwkę, i ponownie zatopiłam się w otchłani internetu.

– Pani Torricelli. – Na ten dźwięk aż podskoczyłam, łapiąc się dłonią za mostek. – Przepraszam, nie chciałem pani wystraszyć.

Podniosłam oczy, osłaniając je od słońca i zobaczyłam stojącego przede mną mężczyznę, który przesunął się odrobinę, wychodząc z blasku. Szczęka mi lekko opadła, kiedy zobaczyłam uśmiechającego się do mnie wesoło gościa. Był kompletnie łysy i miał niemal kwadratową twarz. Ostre rysy zdobił kilkudniowy jasny zarost, a duże usta dopełniały całości. Zielone oczy z rozbawieniem świdrowały mnie, kiedy wyciągnął dłoń.

– Jestem państwa ogrodnikiem, Nacho. Miło mi.

– Mało włoskie imię – powiedziałam bez sensu, ale jedynie to przyszło mi do głowy.

Wyciągnęłam rękę, która była lekko zwiotczała, i uścisnęłam silną dłoń mojego rozmówcy.

– Jestem Hiszpanem. – Uniósł brwi z jeszcze większym rozbawieniem, niemal zupełnie przesuwając się w cień, dzięki czemu mogłam dokładnie go obejrzeć.

O mój Boże, jęknęłam w myślach, kiedy zobaczyłam, że całe jego ciało pokrywały kolorowe tatuaże. Wszystkie rysunki tworzyły coś na kształt koszuli z długim rękawem. Zaczynały się w nadgarstkach i kończyły tam, gdzie zaczynała szyja. Widać było, że dużo pracuje fizycznie, bo jego smukłe umięśnione ciało nie miało ani grama tłuszczu; nie był ogromny czy jakoś nad wyraz muskularny, raczej smukły jak piłkarz albo lekkoatleta. Koszulka na ramiączkach ledwo zakrywała mu zupełnie ogoloną klatkę, a jasne dżinsy lekko zsuwały się z pośladków, odsłaniając jasną bieliznę. Gdyby nie pasek z narzędziami, zapewne spadłyby z niego, pokazując najciekawsze miejsce. W pewnym momencie zauważyłam z niepokojem, że ślinię się na widok tego przystojnego faceta i mentalnie wypłaciłam sobie siarczystego placka w twarz.

– Może jesteś spragniony? – zapytałam, przewracając wymownie oczami, i zaraz znów się skarciłam za tę próbę flirtu. Spragniony, spragniony – moja podświadomość pukała się w głowę, kręcąc nią z poirytowaniem. Sama jesteś spragniona, mimo że pić ci się nie chce, pomyślałam.

Mężczyzna wyjął zza paska ciemną chustę i zanim usiadł na fotelu obok, wytarł nią głowę.

– Chce mi się pić, dzięki – odparł, nalewając sobie wody.

Byłam zaskoczona jego otwartością, bo ludzie w rezydencji raczej byli mocno powściągliwi wobec mnie.

– Jak długo pracujesz dla mojego męża? – zapytałam, przegryzając oliwkę i popychając w jego stronę paterę z jedzeniem.

– Od niedawna. Będę zajmował się tylko tym domem – oznajmił, sięgając po kawałek melona. – Don życzył sobie konkretnych rozwiązań w ogrodzie. Czy będę mógł to dzisiaj z nim przedyskutować?

– Szczerze wątpię. – Wzruszyłam ramionami i parsknęłam zrezygnowana. – Po pierwsze, pracuje do późna, a po drugie, uciekłam tu przed nim. – Sarkastycznie wzniosłam toast nalanym wcześniej kieliszkiem wina. – Bezalkoholowego szampana?

Moja odpowiedź wyraźnie ucieszyła mężczyznę, a może tak mi się tylko wydawało. W każdym razie rozluźnił się i popatrzył na zegarek, po czym chwycił kolejną porcję melona.

– No trudno, porozmawiam z nim przy następnej okazji. – Wstał i jakby zaczął szukać czegoś na pasku narzędzi. Nie odrywając wzroku od tego, co robił, zapytał: – Czemu pijesz wino bezalkoholowe?

— Bo jestem w ciąży — odparłam bez namysłu.

Melon z jego ust niemal wypadł, a wzrok zdawał się lekko spanikowany. Grzebiące przy pasku ręce opadły, wcześniej zapinając suwak przy saszetce, którą miał z boku.

— Massimo Torricelli będzie miał dziecko?

Jego zachowanie stawało się coraz dziwniejsze, a dociekliwość i bezpardonowość denerwujące.

— Nacho, a jakie ma to znaczenie dla ogrodu?

— Żadne, Lauro, ale dla ciebie ma. No i trochę dla mnie, moja siostra też jest w ciąży. To sporo zmienia. Miłego popołudnia. — Ucałował mnie w rękę i zniknął, wcześniej zerkając na wejście do posiadłości.

Po kilkunastu sekundach w drzwiach wejściowych pojawił się Rocco, który popatrzył na mnie, rozejrzał się, skinął głową i wszedł do środka.

Dziwny typ z tego ogrodnika, pomyślałam, jadąc dalej i odpisując na świąteczne życzenia znajomych. Na milion procent bierze narkotyki albo rośliny, które hoduje, są jakieś narkotyczne. Normalni ludzie nie są aż tacy weseli, a już na pewno nie gadają od rzeczy do tego stopnia, co on.

ROZDZIAŁ 16

W wigilijny poranek obudziłam się po jedenastej, kiedy słońce zaglądało do głównej sypialni. Sama siebie skarciłam za niezasłonięcie okiennic i w ramach kary zwlekłam się z łóżka, nie mając świadomości, że zrobiło się tak późno. Włosi nie obchodzili Wigilii, tylko Boże Narodzenie, ale ze względu na moją kulturę Massimo postanowił się dostosować.

Zeszłam na dół i dostrzegłam w kuchni wielkie pudło stojące na blacie. Otworzyłam je i z zaciekawieniem zaczęłam przeglądać zawartość. Na górze była mała czerwona koperta, a w niej liścik: „Samochód będzie po ciebie o piętnastej". Pokręciłam głową i dalej fedrowałam zawartość paczki. „Chanel" – ten napis utwierdził mnie całkowicie co do tego, co miałam znaleźć na dnie: czarny kombinezon z satyny połączonej z jedwabiem, a do tego cudowne szpilki z małym czubkiem. Klasnęłam w dłonie, wyciągając wszystko i przykładając do siebie. Dekolt był wycięty na prosto, ukazując całe ramiona, a szerokie rękawy zakończone ciasnym ściągaczem trzymały wszystko na swoim miejscu. Góra nie była opięta, raczej powiedziałabym, że luźna, odcięta w talii przewężeniem. Dzięki temu spodnie seksownie oblewały pośladki, nie opinając ich, ale uwidaczniając wszystkie krągłości; idealne. Wyciągnęłam telefon i wybrałam numer fryzjera, umawiając się na godzinę trzynastą. Rozwiesiłam strój, zjadłam śniadanie i poszłam wziąć prysznic.

Piętnaście minut przed czasem byłam już gotowa i z zaskoczeniem odkryłam, że samochód, który miał po mnie przyjechać, także już jest na miejscu. Wsiadłam do podstawionej limuzyny i wyciągnęłam telefon. Chciałam zadzwonić do mamy i złożyć jej życzenia, ale nie miałam pojęcia, co niby jej powiedzieć. Na początek przeprosić, a może oczekiwać, że to ona zacznie? Gapiłam się w wyświetlacz, ale po kilkunastu sekundach schowałam go do małej kopertowej torebki.

Samochód zatrzymał się na podjeździe posiadłości, a ja zobaczyłam Massima stojącego w progu i opierającego się o ścianę. Dzień, mimo że słoneczny, nie był już tak ciepły jak wczorajszy, pokusiłabym się nawet o stwierdzenie, że było po prostu zimno. Termometr pokazywał jedenaście stopni w cieniu, ucieszyłam się więc, kiedy na widok auta Massimo ruszył w jego stronę. Gdy otworzył drzwi i podał mi rękę, by pomóc wysiąść, dziwnie stęskniona rzuciłam się w jego objęcia. Z twarzą wtuloną w czarny sweter, który miał na sobie, czułam, że się uśmiecha, kiedy gładził mi włosy i całował w szyję.

– Wesołych świąt, kochanie – wyszeptał, odrywając mnie od siebie. – Chodźmy, bo zmarzniesz.

Uniosłam oczy, żeby na niego popatrzeć, i nogi się pode mną ugięły; był taki piękny. Delikatnie i powoli wsadziłam dłoń w jego włosy i przyciągnęłam do siebie, a nasze usta spotkały się w namiętnym pocałunku. Całowałam go tak mocno i łapczywie, jakby miał być to nasz ostatni raz.

– Olejmy kolację. – Ugryzłam jego wargę i złapałam za krocze zupełnie niezaskoczona tym, że jego kutas sterczy jak armata. – Zerżnij mnie świątecznie, donie Torricelli.

Czarny jęknął i z wielkim trudem wyswobodził się z mojego uścisku.

– Bardzo bym chciał, ale goście czekają, chodź – powiedział, poprawiając spodnie w newralgicznym miejscu i wlokąc mnie korytarzem w głąb domu.

Z głównej jadalni, w której sporadycznie bywałam, dobiegały głosy, śmiechy i dźwięki polskich kolęd. Zdziwiłam się, ale zdawałam sobie sprawę, że mimo włoskich gości mój mąż bardzo chciał oddać klimat moich świąt. Na tę myśl mocniej zacisnęłam jego dłoń i popatrzyłam z wdzięcznością, kiedy odwrócił się zaraz przed progiem i pocałował mnie w czoło.

Pierwsze, co zobaczyłam, to gigantyczna choinka, a pod nią góry prezentów. Później popatrzyłam na cudownie zastawiony stół z milionami świec i ozdób. Kiedy przekręciłam głowę w stronę głosów, które umilkły, aż zaniemówiłam.

– Wszystkiego najlepszego, kochanie. – Massimo mocno mnie przytulił i pocałował w czubek głowy.

Podniosłam na niego oczy z niedowierzaniem, po czym przeniosłam spojrzenie na stojących ludzi, później jeszcze kilkakrotnie to na Massima, to na zebranych wokół, aż po policzkach popłynęły mi łzy.

Widząc to, mama ruszyła w moją stronę, wyrywając z objęć męża i tuląc mocno do siebie.

– Przepraszam, córciu – wyszeptała.

Nie byłam w stanie odpowiedzieć, bo właśnie dławiłam się własnym płaczem. Kiedy tata dołączył do tego uścisku, zrobiło się jeszcze gorzej; zdawało mi się, że od łez aż nie mogę oddychać. Tkwiliśmy tak, a ja czułam, jak cały mój misterny makijaż spływa po twarzy.

– Podobno, jak się ryczy w ciąży, to dziecko rodzi się płaczliwe. – Z osłupienia wyrwał mnie głos brata. – Cześć, Młoda – powiedział, lekko odpychając rodziców i przytulając mnie do siebie wolną ręką, w drugiej trzymając kieliszek z winem.

Tego było dla mnie już za wiele.

– Może pójdziemy do toalety – powiedziała Olga, podchodząc bliżej.

Pokiwałam bezmyślnie głową, a wszyscy buchnęli szczerym śmiechem, rozbawieni moim zdumieniem. Kiedy przechodziłam obok męża, jego dłoń delikatnie musnęła moją. Popatrzyłam na niego.

– Niespodzianka – powiedział, radośnie puszczając mi oczko.

Wytarłam powieki, policzki, generalnie całą twarz, i usiadłam na szezlongu w łazience, patrząc na moją przyjaciółkę.

– Zastanawiam się, jak zadać pytanie, żeby nie zabrzmiało dziwnie, ale co wy tu wszyscy robicie?

– Nie wiem jak oni, ale mnie chyba porwano – zaczęła ze śmiechem. – A tak serio, to przyjechał po mnie do rodziców, prosił, błagał, płakał – westchnęła. – Kiedy go olałam, namierzył mojego ojca i przekabacił. Wiesz, nie było mu trudno przeciągnąć zwykłego nauczyciela angielskiego na swoją stronę. Roztoczył przed nim wizję mojego dobrobytu do końca życia, swojej bezgranicznej miłości do mnie i zajebistych odwiedzin na Sycylii. – Wzruszyła ramionami. – Później zrobił coś jeszcze gorszego: namówił go do spisku, który miał zadać mi ostateczny cios.

– Jezu, co się stało? – Otworzyłam szeroko oczy.

– Wynajął teatr. – Popatrzyłam na nią pytająco. – Teatr, kurwa, wynajął, taki ze sceną. – Zaczęła machać rękami, nakreślając wygląd sali. – Teatr! – wrzasnęła, jakbym była głuchoniema. – Dobrze, że bez widowni chociaż. Tata mnie tam podstępnie zaciągnął, a tam co? Chór i orkiestra. – Kiwnęła głową. – Tak, moja droga, dziesiątki ludzi grające Guns N'Roses *This I Love*. I na środku tego całego burdelu on... Taki piękny, silny, wystrojony. – Jej oczy zaświeciły się i westchnęła. – I, kurwa, zaczął śpiewać, i to była kolejna rzecz, której o nim nie wiedziałam. Zajebał taki wykon, że nie miałam szansy odmówić. – Wyciągnęła rękę z pięknym pierścionkiem, podtykając mi ją pod nos. – Zgodziłam się.

Siedziałam, gapiąc się to na nią, to na brylant na przemian, buzię miałam otwartą i zastanawiałam się, jak to możliwe, że moje oświadczyny odbyły się w sypialni. Zawsze marzyłam o spektakularnych oświadczynach, które powalą mnie na kolana – i powaliły, tyle tylko, że nie moje. Po chwili, gdy doszłam do siebie, uścisnęłam ją.

– A wspomniał może w tej całej idylli i w trakcie mydlenia oczu rodzicom, że jest z rodziny mafijnej?

– Tak, od tego zaczął. – Wybuchnęła śmiechem. – Dodał też, że próbował mnie zabić, zdemolował dom i rozwalił samochód wart kilkaset tysięcy złotych. Ale wiesz, tata jest elastyczny i nie przejmuje się głupotami. – Popukała się w głowę. – Coś ty, on myśli, że ma zięcia anioła, artystę, włoskiego dżentelmena.

– I zasadniczo się nie myli. – Podniosłam tyłek z fotela i wyciągnęłam do niej rękę. – Ale fajnie, chodź.

Wróciłyśmy do jadalni, gdzie cała moja rodzina pogrążona była w rozmowie przy stole. Kiedy weszłam, usłyszałam jęk mojej mamy, do której

oczu znów napłynęły łzy. Podeszłam do niej i ucałowałam kolejny raz, prosząc, by nie zaczynała
płakać, bo pójdę w jej ślady. Uspokoiła się, objęta
ramieniem taty, i wytarła oczy chusteczką.

Massimo skinął na kelnera i po chwili rozpoczął się serwis dań. Byłam zaskoczona sposobem
połączenia potraw wigilijnych z mojego kraju
i przemycenia do nich włoskich akcentów. W miarę jak kolejne pyszności pojawiały się na stole,
atmosfera rozluźniała się. Nie wiem, czy był to wy-
nik kolejnych butelek doskonałego wina, czy może
potrzebowaliśmy wszyscy czasu, aby oswoić się ze
sobą.

W pewnym momencie Jakub, tata i don zniknęli w sąsiedniej sali, z której po chwili zaczął do-
biegać swąd cygar. Boże, jakie to filmowe, po kolacji kieliszeczek i cygarko. Mama porwana przez
Olgę zwiedzała rezydencję, a ja chwyciłam ramię
Domenica, kiedy usiłował dołączyć do mojego
męża.

– Pogadajmy – powiedziałam poważnie, ciągnąc go w stronę wielkiej kanapy. – Domenico,
czy ty jesteś pewien, tego co robisz? – zapytałam,
siadając i sadzając go obok.

– Jesteś hipokrytką. – Jego utkwiony we mnie
wzrok był martwy, a usta ścisnęły się w cienką linię. – Przypominam ci, że wyszłaś za mojego
brata po miesiącu, o ile dobrze pamiętam.

– Po półtora – warknęłam, przenosząc spojrzenie na dywan. – Poza tym ja nie miałam

wyjścia, jeśli nie pamiętasz, Massimo mnie porwał.

– Ale do ślubu nie zmusił. – Przerwał mi.

– Do zajścia w ciążę też nie. – Popatrzyłam na niego kpiąco. – No dobra, dziecko może i było jego zasługą, ale Laura, zobacz... Na co ja mam czekać? Zakochałem się w niej, chcę, żeby ze mną była, nic nie tracę, mogę tylko zyskać. Zawsze są rozwody, a poza tym ja czuję, że to jest właśnie ona. – Zacisnął mocno pięści, a jego oczy zapłonęły gniewem. – A poza tym to, co dla mnie zrobiła, dowiodło, że ona czuje do mnie to samo.

Pokiwałam głową, w niemy sposób przytakując temu, co mówił. Właściwie byłam chyba ostatnią osobą, która powinna umoralniać go w tym momencie. Wyciągnęłam rękę, dając mu sygnał, żeby mnie przytulił.

– Ej, to mój narzeczony! – usłyszałam głos i poczułam, jak przyjaciółka odpycha mnie.

Olo usiadła Domenicowi na kolanach i złożyła na jego ustach bezwstydny pocałunek, zupełnie nie przejmując się obecnością mojej mamy.

– Czemu nie ma tu twoich rodziców? – zapytałam, patrząc na nią.

– Nie mogli zostawić babci, a ona nie mogła przyjechać. – Wzruszyła ramionami.

Dalsza część wieczoru upłynęła przy kominku. Śpiewaliśmy kolędy – każdy swoje – co wprowadzało lekki zamęt, i otwieraliśmy prezenty. Ola dostała samochód, czerwony – cudowny kabriolet alfa romeo spider. Oczywiście, nie obyło się bez uszczypliwej uwagi, czy to auto także zostanie zdewastowane w przypadku spięcia. Na co obdarzyłam Olgę solidnym ciosem w potylicę. Nie spodziewałam się, że prezenty w wykonaniu mojego męża będą tanie, ale kiedy zobaczyłam, co dostali rodzice, trochę mnie przytkało. Futro z rosyjskich soboli, które wyciągnęła z pudła mama, zatamowało mi dopływ tlenu do mózgu, jej chyba zresztą też. Tata natomiast z radością odkrył, że jest posiadaczem żaglówki zaparkowanej na Mazurach i niemal się popłakał, bo zawsze o takiej marzył. Popatrzyłam z dezaprobatą na Massima i popukałam się w głowę.

– Przesadzasz, kochanie – wyszeptałam wprost do jego ucha. – Nikt nie oczekuje takich prezentów, zwłaszcza że nie mamy jak ci się zrewanżować.

Czarny uśmiechnął się lekko i pocałował mnie w czoło, przyciskając do siebie.

– Mała, a komu ja mam to dawać? Poza tym nie oczekuję rewanżu. Otwórz swój prezent. – Lekko szturchnął mnie w stronę choinki, bym odszukała to, co przygotował dla mnie.

Grzebałam wśród rozłożystych gałęzi, szukając czegoś dla siebie, a nie mogąc nic znaleźć, usiadłam na podłodze, wydymając dolną wargę. Massimo wstał z rozbawieniem i sięgnął na gałązkę nade mną, na której wisiała czarna koperta. Podał mi ją, stojąc naprzeciwko, i czekał.

Byłam zaskoczona, a zarazem przerażona – nienawidziłam kopert, które mi dawał, bo przypominało mi to noc, w której oznajmił, że zostałam porwana. Obracałam papier w palcach, przyglądając się mojemu mężowi, który chyba wyczytał w spojrzeniu, o czym myślę, i pokręcił delikatnie głową.

– Możesz otworzyć. – Na jego wargach igrał delikatny uśmiech.

Rozerwałam kopertę i wyciągnęłam z niej dokumenty. Zaczęłam czytać, ale niestety wszystko było po włosku.

– Co to? – Zmarszczyłam brwi, nie mając pojęcia, co dostałam.

– Firma. – Ukląkł obok i chwycił moją dłoń. – Chciałem ci dać niezależność, a jednocześnie pozwolić, byś robiła to, co kochasz. Stworzymy ci markę odzieżową. – Kiedy to powiedział, aż mnie zatkało. – Będziesz miała atelier w Taorminie, Emi pomoże ci w doborze projektantów. Ustalisz sobie...

Nie dałam mu dokończyć, rzucając mu się w ramiona, co przyniosło taki skutek, że don się przewrócił, a ja zaległam na nim w nieprzyzwoicie długim pocałunku. Jego dłonie bez żenady odnalazły moje pośladki i zaczęły miarowo je ugniatać. Nawet wymowne chrząknięcie mojej mamy niewiele zdziałało. Był to najlepszy prezent, jaki mógł mi ofiarować, i coś, czego się nie spodziewałam – praca.

– Kocham cię – wyszeptałam, kiedy wreszcie odessałam się od jego ust.

– Wiem. – Chwycił mnie i podniósł, stawiając obok siebie.

Moi rodzice patrzyli na nas i zdawali się być zadowoleni. Dziękowałam Bogu za fakt, że jest spokojnie i nic się nie dzieje. Wiedziałam jednak, że święta trwają dłużej niż jeden dzień i znając moje szczęście, coś się stanie, ale wolałam o tym nie myśleć. Cieszyłam się, iż nie mają pojęcia, że znajdują się w rezydencji mafijnego dona, której strzegą dziesiątki ochroniarzy, a na podjeździe kilka miesięcy wcześniej ich zięć zastrzelił człowieka.

– Ja też mam prezent. – Odsunęłam się od niego i stanęłam tak, by wszyscy mnie widzieli. – Ciężko jest dać prezent komuś, kto ma absolutnie wszystko – powiedziałam w dwóch językach i delikatnie pogłaskałam dół brzucha, a oczy mojego męża zrobiły się gigantyczne i czarne. – Dam ci coś, czego bardzo pragniesz... – Głos mi się załamał, więc złapałam głęboki wdech. – Dam ci syna. – Massimo skamieniał. – To chłopiec, kochanie, i wiem, że mieliśmy nie sprawdzać, ale...

Wielkie ramiona Czarnego porwały mnie w górę, a z moich ust wyrwał się pisk, kiedy szybowałam nad rodziną. Don uśmiechał się szeroko i triumfalnie, gdy odstawiał mnie na ziemię, całując.

– Mówiłem! – wykrzyknął, przybijając piątkę Domenicowi. – Mówiłem, że będzie następca, Luca Torricelli.

Obdarzyłam go spojrzeniem pełnym piorunów, ale nic sobie z tego nie zrobił i nadal odbierał gratulacje. Zostanie następcą, mafiosem – po moim trupie, pomyślałam.

Kiedy wszyscy powoli zaczęli ziewać, okazując wszem i wobec zmęczenie, zdecydowałam, że idziemy spać. Massimo przezornie ulokował rodziców w skrzydle najbardziej oddalonym od naszej sypialni i wszelkich newralgicznych punktów posiadłości, które mogły zdradzać inne niż znane im oblicze Czarnego.

– Kochanie – zwróciłam się do męża, gładząc go po policzku, kiedy stanęliśmy w garderobie, by pozbyć się oficjalnych strojów. – Jak to zrobiłeś? – Patrzył na mnie zaskoczony, lekko się uśmiechając. – Moi rodzice – wyjaśniłam, kiedy nadal nie wiedział, o co pytam. – Jakim cudem znaleźli się tutaj?

Czarny zacisnął ramiona wokół mnie i szelmowsko się zaśmiał.

– Pamiętasz, jak w dzień, kiedy aresztowali Domenica, musiałem coś załatwić? – Pokiwałam głową, potwierdzając. – Wtedy właśnie byłem umówiony na rozmowę z twoimi rodzicami. Wyjaśniłem im poniekąd całą sytuację i zapewniłem o swoich uczuciach i zamiarach wobec ciebie. Przeprosiłem za całą sytuację, biorąc winę na

siebie, a także obiecałem Klarze powtórny ślub
i wesele. – Pogłaskał mnie po włosach, jakby
chciał uspokoić moje myśli. – Oczywiście oszczę-
dziłem im wiedzy o tym, czym się zajmuję.
– Jesteś najlepszym mężem na świecie. – Mój
język usiłował wślizgnąć się w jego usta, niestety
bezskutecznie.

– Muszę porozmawiać z Domenikiem – powiedział Massimo, całując mnie w czoło. – Wrócę, nim skończysz prysznic.

Skrzywiłam się ostentacyjnie, bo miałam nadzieję, że do mnie dołączy, ale niestety moje
nadzieje na zaspokojenie wybujałego libido zostały rozwiane. Don raz jeszcze złożył pocałunek,
tym razem na moim policzku, i zniknął na schodach. Stałam jak słup, wrośnięta w ziemię
i wściekałam się bezgłośnie, wiedząc, że głośne
wściekanie się i tak nic mi nie da. Kiedy drzwi na
dole zamknęły się, wydałam z siebie dziki ryk
i tupiąc mocno piętami, poszłam pod prysznic.

Nie spieszyłam się, musiałam ogolić nogi,
czego nienawidziłam najbardziej na świecie,
i umyć włosy, czego nienawidziłam jeszcze bardziej. Ilość lakieru, jaką dziś nałożył mój fryzjer,
była zabójcza i przytłaczająca. Postanowiłam
obdarować swoje zniszczone końcówki długą re-
generacją, więc wymyślałam kolejne zabiegi,
stojąc pod gorącą wodą. Prawie godzinę później
byłam już czysta, pachnąca i bez jednego kłacz-
ka na ciele.

Wyszłam z łazienki zawinięta w wielki czarny szlafrok Massima, a z włosów kapała mi woda. Weszłam do sypialni i stanęłam na szczycie schodów prowadzących do salonu. Mój mąż wrzucał drewno do kominka i popijał bursztynowy płyn ze szklanki. Na mój widok obrócił się i wsadził rękę do kieszeni, biorąc kolejny łyk. Tkwiliśmy jak zahipnotyzowani sobą; jego długie nogi były lekko rozstawione, miał bose stopy, a białą koszulę rozpiętą do połowy.

Chwyciłam pasek, który przytrzymywał szlafrok, i rozwiązałam go. Na ten widok Massimo zaczął rytmicznie przygryzać dolną wargę i wyprostował się nieco. Upuściłam go na ziemię i rozchyliłam poły ciemnego materiału, zsuwając go z ramion. Kiedy upadł na podłogę, zrobiłam pierwszy krok w stronę męża. Stał z lekko przymrużonymi oczami, a ja niemal widziałam, jak jego spodnie w kroku pęcznieją.

– Odstaw szklankę – powiedziałam, stając na ostatnim stopniu.

Czarny posłusznie, choć niespiesznie wykonał moją prośbę, pochylając się nad ławą i stawiając na niej bursztynowy płyn. Kiedy się wyprostował, stałam już kilka centymetrów od niego. Powoli rozpinałam kolejne guziki, spinki od mankietów, a na koniec zdjęłam koszulę, gładząc delikatnie jego nagą skórę. Stał z rozchylonymi ustami, kiedy całowałam każdą bliznę na jego ramionach, klatce i brzuchu. Pocałunkami podążałam w dół jego ciała, aż uklękłam na wysokości rozporka. Głośno przełknął ślinę, kiedy zaczęłam rozpinać pasek, a jego dłonie powędrowały ku mojej twarzy. Patrząc mu w oczy, walczyłam najpierw z zapięciem, a później z rozporkiem. Ta sytuacja wyraźnie go podniecała, bo nim suwak zablokował się na końcu, miałam już przed oczami jego buzującą erekcję, która wydostała się ze spodni. Ręce Czarnego sprawnie przemieściły się na tył mojej głowy i zdecydowanym ruchem popchnął mnie w stronę swojego gotowego kutasa.

Wielkie zdziwienie wywołał w nim mój opór, więc poluźnił uścisk, a ja do końca ściągnęłam mu spodnie.

– Dlaczego nie masz bielizny? – zapytałam, udając gniew, kiedy podnosiłam się z kolan.

Z nieukrywanym rozbawieniem wzruszył ramionami i zupełnie nagi chwycił w dłoń wcześniej odstawioną szklankę. Obróciłam się i odprowadzana jego wzrokiem podeszłam do kanapy, po czym usiadłam na niej i rozłożyłam szeroko nogi.

– Chodź tu – nakazałam, wskazując palcem miejsce na podłodze między nimi.

Uśmiech na twarzy Massima zmienił się w lekko cwaniacki. Dopijając do końca, mój mąż padł na kolana przede mną. Złapałam go za włosy, mocno zaciskając na nich dłoń, i zanim przyciągnęłam go do swojej mokrej szparki, patrzyłam przez chwilę. Jego oczy płonęły żywym ogniem, a wysuszone wargi co jakiś czas się zaciskały. Kręcił się niecierpliwie, a ja karałam go za samotny prysznic. Przesuwałam kciukiem po jego ustach, wkładając palec do środka. Delikatnie wyrywał głowę, dając mi znak, że chce już zacząć, ale ignorowałam to.

W pewnym momencie nie wytrzymał tej tortury i chwytając mnie za uda, pociągnął w dół tak, że moja cipka znalazła się dokładnie pod jego brodą. Spodziewając się ataku, chwycił mnie za szyję i przygwoździł do siedziska. Jego język jednym wprawnym ruchem wkradł się między śliskie wargi i zaczął zachłannie pieścić. Głośno krzyknęłam, chwytając się kanapy. Usta Massima ssały nabrzmiałą łechtaczkę, a mi zdawało się, że dojdę, zanim on rozkręci się na dobre. Rozchylił palcami wargi i docierając do najwrażliwszego miejsca, przyglądał się temu, jak rozkosz wykręca moje ciało. Próbowałam patrzeć na niego, ale ten widok doprowadzał mnie do szaleństwa, więc zamknęłam oczy i zagryzłam pluszową poduszkę. Do energicznej tortury dołączył swoje smukłe palce, które jednym pchnięciem wsadził we mnie. Wkładał i wyciągał je w rytmie swojego wprawnego języka. Jęczałam, wierciłam się i wiłam pod nim, kiedy nabijał mnie coraz silniej. Wtedy poczułam, jak robi mi się gorąco, a dreszcze wstrząsają ciałem. Orgazm rodził się z taką prędkością, że nie mogłam złapać oddechu, kiedy nadchodził. Wybuchłam, zaciskając się wokół jego palców, a on jeszcze bardziej przyspieszył. Kiedy kończył się jeden, nadchodził kolejny, aż po trzecim odepchnęłam go, nie mogąc znieść więcej przyjemności.

Massimo ściągnął mnie jeszcze odrobinę z kanapy, tak że dotykałam stopami ziemi, i nabił na siebie. Wszedł niemal zupełnie bez tarcia, bo moja mokra od jego śliny szparka była bardzo gotowa na przyjęcie tej grubości. Byłam wpółprzytomna, gdy natarł biodrami, wprawiając je najpierw w powolny ruch, a później systematycznie przyspieszając. W mokrych wciąż palcach zaciskał mój sutek, przekręcając go i szczypiąc.

– Chce poczuć cię mocniej – wydyszał i wsunął mi pod pupę poduszki, a moje plecy wygięły się w łuk. – Teraz lepiej – warknął z zadowoleniem i zaczął pieprzyć mnie tak mocno, że nie byłam w stanie nawet krzyknąć.

Tlące się we mnie resztki orgazmów zaczęły przebijać się kolejny raz przez bezlitosne pchnięcia jego bioder. Otworzyłam oczy i napotkałam owładnięte szaleństwem spojrzenie mojego męża. Przez rozchylone usta widziałam mocno zaciśnięte zęby; był w amoku. Po klatce spływały mu krople potu i z trudem łapał powietrze. Ten widok, jego zapach i to, co robił, sprawiało, że nie byłam w stanie dłużej ze sobą walczyć.

– Mocniej – wrzasnęłam, uderzając go jednocześnie w twarz, kiedy wszystkie mięśnie na moim ciele napięły się przy potężnej fali przyjemności, która mnie zalała.

Cios, który mu zadałam, sprawił, że wydając z siebie potężny ryk, doszedł, wybuchając zaraz za mną. Jego biodra nie zwalniały, a on krzyczał i trząsł się, po czym opadł na mnie zupełnie wycieńczony.

Leżeliśmy zdyszani, usiłując dogonić swoje oddechy. Spocona klatka Massima falowała w górę i w dół, kiedy drżącymi rękami przegarnęłam jego włosy. Delikatnie całowałam starannie wypielęgnowany zarost na jego twarzy, przesuwając usta po szorstkiej powierzchni. Patrzyłam na jego zupełnie gładką i idealną skórę, była nieskazitelna.

– Czemu nie masz żadnych tatuaży? – zapytałam, kładąc się na plecach.

– Nie lubię tatuaży, po co znaczyć i kaleczyć swoje ciało? – Obrócił się i popatrzył na mnie. – Poza tym jestem dość konserwatywny w tej kwestii, dla mnie tatuaże to domena więźniów, a ja nie chciałbym, by cokolwiek kojarzyło mi się z takim miejscem.

– To po co w nowym domu zatrudniłeś ogrodnika, który jest cały nimi pokryty? Wydawało mi się, że...

– Ogrodnika? – Massimo przerwał mi, a wesołość zniknęła z jego spojrzenia.

Otworzyłam szeroko oczy, zaskoczona jego reakcją, i lekko zmarszczyłam brwi, zastanawiając się, o co mu chodzi.

– Nacho, nasz łysy wytatuowany ogrodnik z Hiszpanii, chciał się z tobą widzieć wczoraj w sprawie ogrodu.

Czarny złapał głęboko powietrze i głośno przełknął ślinę. Usiadł, pociągając mnie za sobą.

– Kochanie, czy możesz dokładnie opowiedzieć mi, o co ci chodzi – wydusił bardzo spokojnie, mimo że widziałam, iż w środku aż trzęsie się ze złości.

Ten widok przeraził mnie. Wstałam, wyrywając się z jego dłoni, które spoczywały na moich barkach, i zirytowana zaczęłam krążyć wokół niego.

– Może ty mi powiesz najpierw, o co chodzi tobie?

Przez chwilę milczał, nie spuszczając ze mnie wzroku, a dolna warga tkwiła w uścisku jego zębów.

– Nie zatrudniłem jeszcze ogrodnika – odparł poważnym tonem, wstając. – A teraz, Lauro, powoli i ze szczegółami chcę usłyszeć całą historię tego „ogrodnika".

Aż się pode mną nogi ugięły, kiedy usłyszałam, co powiedział. Jak to: nie ma ogrodnika?, pomyślałam. Przecież rozmawiałam z nim, był przemiły, przystojny i nieco dziwaczny, ale raczej nie zagrażał mi.

Usiadłam na kanapie, podczas gdy Massimo klęczał obok, słuchając krótkiej opowieści o łysym człowieku. Kiedy skończyłam, chwycił za telefon i kiedy osoba po drugiej stronie odebrała, rozmawiał z nią kilka minut po włosku, co jakiś czas zerkając na mnie. Gdy skończył, rzucił telefonem o ścianę z taką mocą, że ten roztrzaskał się na kawałki.

– Kurwa! – wrzasnął po angielsku, przeciągając sylabę, a ja skuliłam się na kanapie, widząc jego wściekłość. Po chwili, kiedy jego złość niemal widocznym płomieniem spalała go od środka, wstałam i podeszłam do niego.

– Massimo, co się dzieje? – Oparłam dłonie o jego falujące w górę i w dół spięte barki. Milczał. Nie odzywał się przez chwilę, jakby chciał przetrawić to, co usłyszał, i myślał, jak mi to przekazać.

– To Marcelo Nacho Matos, członek hiszpańskiej rodziny mafijnej i... – Zaciął się, a ja wiedziałam, że to, co za chwilę usłyszę, niezbyt mi się spodoba. – Lauro, kochanie. – Czarny odwrócił się do mnie, chwytając w dłonie moją twarz. – Człowiek, którego spotkałaś, to egzekutor.

– To znaczy?

– Zabójca. – Jego szczęki zaczęły rytmicznie się zaciskać. – Nie wiem, po co pokazał ci się, skoro... – Urwał, a mnie przeszedł dreszcz.

– Skoro żyję? – westchnęłam. – To właśnie chciałeś powiedzieć, Massimo. Że dziwisz się, że żyję.

Całą cudowną atmosferę szlag trafił, miałam wrażenie, że don za sekundę eksploduje ze złości. Minął mnie bez słowa i poszedł do garderoby, by za chwilę wrócić przebrany w dres. Siedziałam na kanapie zwinięta pod kocem i gapiłam się w ogień. Zatrzymał się i popatrzył na mnie, a później usiadł, przekładając sobie na kolana moje owinięte tkaniną ciało. Wtuliłam się w jego klatkę; ciasno oplatające mnie ręce dawały poczucie bezpieczeństwa.

– Czemu chciał mnie zabić? – zapytałam, zaciskając oczy.

– Gdyby chciał, to już byś nie żyła, więc podejrzewam raczej, że chciał czegoś zupełnie innego. – Jego ręce na mnie zacisnęły się tak mocno, że aż jęknęłam z bólu. – Przepraszam – wyszeptał, poluźniając uścisk. – Kilka miesięcy temu miałem pewne spięcie z jego ludźmi. – Zamilkł nagle, jakby zastanawiał się nad czymś. – Lauro, nie będziesz nigdzie jeździła sama, mówię poważnie. – Jego lodowate oczy, patrzące na mnie, przeraziły mnie. – Będziesz miała zdwojoną ochronę i nie ma mowy o samotnych wypadach do Messyny. – Ponownie przerwał. – A najlepiej byłoby, gdybym cię gdzieś wysłał...

– No chyba zwariowałeś! – krzyknęłam oburzona. – Twoi ludzie nie są w stanie mnie upilnować. Jeszcze nigdy mi się nic nie stało, kiedy byłam przy tobie, a kiedy zostawiasz mnie z nimi, zawsze coś. – Chciałam wyrwać się z jego objęć, ale mnie nie puścił, więc zrezygnowana dałam za wygraną. – Massimo, nie chcę nigdzie jechać. – Do oczu napłynęły mi łzy. – A moi rodzice?

420

Czarny wciągnął głośno powietrze.

– Jutro wszyscy popłyniemy w rejs Tytanem, a po świętach, kiedy wrócą do Polski, będą mieli ochronę od Karola, obiecuję zadbać o nich. – Jego poważny ton upewniał mnie w tym, że wie, co robi. – Im nic nie grozi, nikt na was nie poluje. Jedyne, czego mogą chcieć Hiszpanie, to skrzywdzić mnie, a jedynym sposobem na to jesteś ty. – Przekręcił mi głowę tak, że nasze oczy niemal się stykały. – A gwarantuję ci, że prędzej pozbędę się wszystkiego, co mam, i poświęcę swoje życie, niż pozwolę, by włos z głowy spadł tobie albo mojemu synowi.

Po tym, jak mnie uspokoił, zniknął, gdy do drzwi zapukał Domenico, informując go o czymś. Położyłam się i całą noc walczyłam z koszmarami, w których głównym bohaterem był seksowny Hiszpan. Nie mogłam zrozumieć, jak ten radosny człowiek, którego poznałam, siedząc w ogrodzie, może być płatnym zabójcą. Jego wesołe oczy były tak sprzeczne z tym, co mówił Massimo. Analizowałam całe nasze spotkanie, to, co robił i mówił, ale nie przychodziły mi do głowy żadne wnioski. Jak zacięty film przez mój przewrotny umysł przelatywało pytanie, dlaczego mnie nie zabił, przecież spokojnie mógł zrobić to co najmniej kilka razy w trakcie naszej rozmowy. Po co pozwolił mi zobaczyć siebie, przedstawił się; a może uznał, że wszystko to wyda mi się tak nieistotne, że nie wspomnę o tym mężowi. Albo chciał mnie zabić i zabiłby, ale coś mu przeszkodziło, może wyrzuty sumienia, a może zwyczajnie mnie polubił. Zmęczona rozmyślaniami i ciągłym budzeniem się z przeświadczeniem, że coś słyszę, wreszcie zasnęłam.

W bożonarodzeniowy poranek ocknęłam się standardowo sama w łóżku. Pościel po stronie Massima była nietknięta, co mogło oznaczać jedynie, że albo nie spał tej nocy, albo nie chciał spać ze mną.

Kiedy skończyłam szykować się do śniadania i schodziłam po schodach, drzwi się otworzyły i stanął w nich mój wymęczony mąż. Zamarłam bez słowa na przedostatnim stopniu i gapiłam się na niego.

– Musiałem zaplanować ochronę i sprawdzić teren posiadłości – wybełkotał.

– Osobiście?

– Kiedy chodzi o twoje bezpieczeństwo, wszystko robię osobiście. – Minął mnie i poszedł na górę. – Daj mi pół godziny i dołączę do was.

Zeszłam do jadalni i zobaczyłam komplet gości siedzących przy stole. Wszyscy byli radośni i z ożywieniem dyskutowali w co najmniej trzech językach. Kiedy mnie zauważyli, cała ich uwaga skupiła się na mnie. Mama niemal na siłę karmiła mnie wszystkim, co znajdowało się na stole, a tata po raz siedemdziesiąty opowiadał o tym, jak to mama była ze mną w ciąży. Kolejny raz słyszałam historię, jak w środku nocy zachciało jej się czekolady, o którą nie było zbyt łatwo w czasach długich kolejek i kartek. Tata stanął na głowie, by zdobyć dla niej słodycze, których chciało jej się ponad wszystko, a kiedy wzięła pierwszy kęs, wyrzygała się, informując go, że to jednak nie tego się jej chciało. Cała opowieść odbywała się po polsku, dlatego Ola wtulona w ramię przyszłego męża, szeptem tłumaczyła mu całą sytuację.

— Lauro, mogę cię prosić? — zapytała mama, stojąc po przeciwnej stronie pomieszczenia.

Wstałam i ruszyłam w jej stronę, kiedy patrzyła za okno obok wyjścia na taras, trzymając w ręku papierosa.

— Co to za ludzie? — Wskazała palcem dwóch ochroniarzy obok zejścia na plażę, a później kolejnych rozmieszczonych w zasięgu jej wzroku.

— Ochrona — wymamrotałam, nie patrząc na nią.

— Dlaczego jest ich aż tylu?

— Zawsze ich tylu jest. — Kłamałam bez zająknięcia, bojąc się choćby zerknąć w jej stronę. — Massimo ma manię prześladowczą, poza tym teren posiadłości jest ogromny, więc wcale nie jest ich zbyt wielu. — Pogłaskałam ją po plecach i niemal uciekłam w stronę stołu, bojąc się kolejnych pytań.

Chryste Panie, pomyślałam, siadając, wykończę się przez te dwa dni ze strachu, że zorientują się w sytuacji.

Zastanawiałam się, po co Czarny ich tu ściągnął. Równie dobrze mógł zaplanować święta w Polsce, oszczędzając mi nerwów. W głębi duszy modliłam się, by już zszedł do nas, a najlepiej, byśmy wszyscy wsiedli na Tytana i odpłynęli stąd. Choć pogoda niespecjalnie nas rozpieszczała, wolałam już marznąć na jachcie, niż popadać w paranoję w domu. Nie miałam jednak prawa narzekać, bo kiedy w Polsce padał śnieg i było na minusie, tu bezchmurne niebo i piętnaście stopni w cieniu wydawały się przyjemną odmianą.

– Moi drodzy – powiedział Massimo, wchodząc do jadalni. – Chciałbym coś ogłosić.

Niemal uderzyłam czołem o stół, czując ulgę, że po pierwsze już tu jest, a po drugie zaraz ich wszystkich stąd zabierze. Ochoczo zaczęłam tłumaczyć z angielskiego na polski, by rodzice zrozumieli.

– Dziś wieczorem udamy się do Palermo na bożonarodzeniowy bal.

– Ja pierdolę – jęknęłam, już tym razem opierając się czaszką o blat.

Moja mama z przejęcia niemal zerwała się z krzesła, ale tata lekko chwycił ją za bark, sadzając z powrotem. Zdezorientowana obróciłam się do dona i z przemiłym sztucznym uśmiechem przywarłam do jego ucha.

– Mieliśmy płynąć w rejs?

– Plany się zmieniły. – Pocałował mnie w czubek nosa.

Boże, jakże ja w tej chwili marzyłam o tym, by moje życie było uporządkowane i normalne,

standardowe i przede wszystkim nudne. Chciałabym posiedzieć w domu na kanapie, jedząc cały
dzień i pijąc wino. Chciałabym oglądać *Kevina
samego w domu* i delektować się nicnierobie-
niem.

– O co tu chodzi, kochanie? – Podenerwowa-
ny głos matki świdrował mi uszy. – Ja się nie
mam w co ubrać, poza tym to dość nieoczekiwana informacja.

– Witaj w moim świecie. – Rozłożyłam ręce
z ironicznym uśmiechem na twarzy.

Massimo wyczuł zdenerwowanie mojej mamy,
co mnie nie zaskoczyło, bo by go nie wyczuć, mu-
siałby być głuchy, ślepy i stać gdzieś w okolicy
pomostu. Przechodząc płynnie na rosyjski, zwrócił się do niej, obdarzając powalającym uśmiechem, który widziałam po raz pierwszy. Klara
Biel wdzięczyła się do niego, trzepocząc rzęsami,
a ja zastanawiałam, co za kit jej właśnie wciska.
Po kilku chwilach siedziała już cała promienna,
głaszcząc zupełnie niezainteresowanego ojca po
ramieniu.

– Załatwione – szepnął Massimo, zaciskając
mi dłoń na udzie. – Chodź.

Poderwał się z miejsca, czym zaskoczył wszystkich zebranych, i pociągnął mnie za sobą.

– Zaraz wrócimy! – krzyknęłam z uśmiechem,
znikając na korytarzu.

Wleczona przez kolejne pomieszczenia nawet
nie miałam możliwości spytać, co się dzieje.

Kiedy przechodząc przez kolejne drzwi, znaleźliśmy się w bibliotece, Czarny trzasnął nimi i przywarł do mnie w namiętnym pocałunku. Jego wargi, zęby i język błądziły po mojej twarzy, zachłannie zdobywając każdy jej kawałek.

– Potrzebuję adrenaliny – wydyszał. – Bo kokaina nie wchodzi w grę...

Jego dłonie wkradły się pod niezbyt długą sukienkę i chwyciły za pośladki, unosząc mnie w górę. Przeszedł przez pomieszczenie i postawił mnie koło biurka, opierając się o nie. Zdezorientowana patrzyłam na niego, czując, jak z podniecenia wali mi serce. Ręce Massima rozpięły pasek, a później rozporek. Wkładając kciuki za pas spodni i gumkę majtek, jednym ruchem obsunął je na ziemię, uwalniając sterczącego kutasa.

– Klękaj – warknął, opierając dłonie o brzeg biurka. – Obciągnij mi! – nakazał, kiedy moje kolana dotknęły podłogi.

Zaskoczona i lekko zdezorientowana uniosłam oczy i popatrzyłam na niego, odnajdując niemal czarne spojrzenie owładnięte dzikim pożądaniem. Chwyciłam wolno jego członek w palce i niespiesznie zbliżyłam do niego wargi. Usta Czarnego rozchyliły się, łapiąc coraz szybsze hausty powietrza, a z wnętrza wydobył się cichy jęk. Przesuwałam rękę od nasady aż po czubek, nie spuszczając oczu z twarzy mojego męża.

– Jak mam to zrobić, don Torricelli? – zapytałam uwodzicielsko, co zupełnie zignorował.

– Szybko i mocno. – Na twarzy Massima widać było krople potu, a jego nogi lekko drżały.

Zebrałam w ustach ślinę i wyplułam na jego coraz twardszego kutasa, zapewniając sobie poślizg. Z gardła dona wydobył się ryk, a jedna z jego dłoni powędrowała na tył mojej głowy, zmuszając mnie, bym wzięła jego buzującą erekcję do ust; na to czekałam. Otworzyłam usta i przyjęłam całą długość, co nagrodził kolejną dłonią na mojej potylicy. Jego biodra wyszły na spotkanie moim ruchom i już po chwili to nie ja mu obciągałam, tylko on pierdolił moje usta. Głośno jęczał i mamrotał coś po włosku, kiedy brałam go coraz szybciej, coraz głębiej wsadzając do gardła ulubioną część mojego męża. Niepotrzebne mi ręce wędrowały po jego pośladkach, a paznokcie głęboko wbiły się w ich gładką skórę. Uwielbiał to, chciał nie tylko dawać mocne doznania, ale także otrzymywać je w zamian. Ból był nieodłącznym elementem naszego życia erotycznego, ale oboje nas stymulował w identyczny sposób, więc żadne nigdy nie oponowało. Czułam, jak jego penis obijał mi się o gardło, przekraczając granicę moich możliwości, gdy wbijałam się zębami w jego brzuch. Zaczęłam dławić się i krztusić, chciałam się wycofać, ale przytrzymał mnie jeszcze mocniej. Do oczu napłynęły mi łzy, a oddech uwiązł w gardle. Jeszcze mocniej wbiłam paznokcie w skórę Czarnego i wtedy poczułam, jak ciepła ciecz zalewa moje usta. Jego dłonie zatrzymały się, ale kutas nadal tkwił głęboko we mnie. Starałam się łykać każdą kroplę, ale ledwo mogłam oddychać. Wtedy odsunął mnie odrobinę i zaczął powoli poruszać biodrami, dając możliwość wdechu. Skończył i oparł dłonie na powrót o brzeg biurka. Niespiesznie wyciągnęłam z ust jego wciąż twardego penisa i wytarłam mokre od łez policzki. Chwyciłam go prawą ręką i lubieżnie patrząc w oczy Massima, wylizałam, aż był zupełnie czysty.

Kciuk Czarnego gładził mój policzek, kiedy podciągałam jego bokserki, a później spodnie. Zapięłam rozporek, pasek i stanęłam przed nim, wygładzając koszulę, którą upchnęłam do środka.

– Obudzony? – zapytałam, lekko unosząc brwi i wycierając tusz, który mi spłynął.

– Pobudzony – wyszeptał, całując mnie w czoło.

Don niezbyt lubił smak spermy, co zdawało się dość oczywiste, ale ja lubiłam przeciwstawiać mu się i przesuwać pewne granice. Kiedy jego usta odsuwały się ode mnie, chwyciłam dłońmi jego twarz i brutalnie wdarłam się językiem między jego wargi. Ciało Massima zesztywniało, ale nie odepchnął mnie. Stał i czekał, aż skończę, podczas gdy ja starałam się oddać mu jak najwięcej jego smaku.

– To za mój rozmazany makijaż – syknęłam, całując go jeszcze kilka razy w wargi, które ułożyły się w szelmowski uśmiech.

Ogarnęliśmy się nieco i resztę przedpołudnia spędziliśmy raczej spokojnie, rozmawiając, spacerując po posiadłości i wspominając – zwłaszcza niestety moje dzieciństwo. Rodzice nie omieszkali opowiedzieć o tym, jak mając kilka lat, lubowałam się w jedzeniu piachu. Na co Czarny odparł, że ma żwirownię, i zaproponował lunch składający się ze smakowitej hałdy.

W trakcie krótkiego spaceru mama nie mogła zrozumieć, dlaczego na każdym kroku chodzi za mną czterech ludzi, ale postanowiłam ignorować jej ciekawość, bojąc się, że powiem zbyt dużo. Gdyby nie wzmożona ochrona, już dawno zapomniałabym o spotkaniu z ogrodnikiem i niebezpieczeństwie, które zdaniem mojego męża czaiło się za każdym rogiem. Ja jednak byłam przekonana, że ze strony hiszpańskiego mordercy niewiele mi grozi. Sposób, w jaki na mnie patrzył, nie wskazywał na chęć zrobienia mi krzywdy, dlatego wyjątkowo tym razem nie podzielałam paranoi Massima.

ROZDZIAŁ 17

Było około godziny piętnastej, kiedy w posiadłości zjawiło się trzech fryzjerów i wizażyści. Tata
i Czarny odetchnęli z ulgą, udając się na sjestę,
a ja wraz z mamą i Olo poszłyśmy nieco się ogarnąć. W trakcie czesania dowiedziałam się, co mój
mąż z takim promiennym uśmiechem tłumaczył
mojej rodzicielce. Okazało się, że opowiadał
o czekających na jej wybór sukniach, które wisiały w garderobie jej pokoju. Słuchając tego, doszłam do wniosku, że albo mój mężczyzna mnie
okłamał, albo jego władza jest wszechmocna,
włączając w to również czary i przewidywanie
przyszłości. Miał być rejs statkiem, a teraz jest
bal – niby nieoczekiwany, a Czarny przygotowa-
ny był na każdą ewentualność. Dziwne. Im dłużej
nad tym myślałam, tym logiczniejsze stawało się,
że podróż Tytanem od początku była bzdurą, która miała uspokoić mnie wczorajszej nocy. Nie
chciałam się na niego wściekać, bo czekała nas
wspólna impreza ze mną jako bransoletką w roli
głównej, postanowiłam więc się nie nakręcać.

Kiedy weszłam do garderoby, Massimo stał
przed lustrem, wiążąc muszkę. Zatrzymałam się
w progu i ubrana jedynie w miękki szlafrok, patrzyłam na ten boski widok. Miał na sobie szare

spodnie od smokingu i białą koszulę, włosy starannie zaczesał do tyłu, układając na gładko. Wyglądał jak prawdziwy mafijny Sycylijczyk. Skończył czynność, którą w skupieniu wykonywał, i zanim jego ręce swobodnie spoczęły wzdłuż ciała, wbił we mnie czarne spojrzenie. Jego oczy patrzyły w moje odbicie, a zęby powoli zagryzały dolną wargę. Obrócił się i zdjął z wieszaka marynarkę, którą energicznym ruchem włożył i zapiął guzik. Poprawiał mankiety, świdrując mnie spokojnymi oczami, w których czaiła się niespodzianka.

– Wybrałem ci sukienkę – powiedział, stając kilka centymetrów ode mnie.

Wciągałam w nozdrza jego obezwładniający zapach, od którego aż kręciło mi się w głowie, i knułam, jak wykręcić się z imprezy i zostać z nim w łóżku do końca życia.

– A nie mogę iść tak? – Chwyciłam pasek szlafroka i rozluźniłam go, pozwalając, by zsunął się na podłogę. Szczęki Czarnego zacisnęły się, a źrenice zalały oczy, kiedy zobaczył ulubioną, czerwoną koronkę na moim ciele. – Mam dla ciebie propozycję. – Sięgnęłam do guzika w marynarce i rozpięłam go. – Położysz mnie na blacie umywalki i wyliżesz. – Zsunęłam ją z jego ramion i odłożyłam na oparcie fotela, patrząc, jak jego usta coraz szerzej się rozchylają. – Kiedy dojdę, obrócisz mnie tyłem do siebie i patrząc w moje odbicie w lustrze, wejdziesz...

Sięgnęłam do paska i wtedy złapał moje dłonie.

– Gdzie? – To pytanie było jak cięcie miecza. – Gdzie wejdę?

– W moją pupę – szepnęłam, przejeżdżając językiem po jego brodzie, wardze i wdzierając się do ust.

Czarny warknął i porwał mnie na ręce, szaleńczo całując. Poczułam, jak palce jego dłoni wchodzą we mnie, rozcierając wilgoć w środku i na nabrzmiałej łechtaczce.

– Nie mogę. – Te słowa były jak cios pięścią w przeponę. Mój mąż odsunął się ode mnie i przechodząc obok, klepnął w nagie pośladki.

– Ta bielizna ci się nie przyda. Ubieraj się, bo mamy pół godziny. – Lubieżnie oblizał palce wyjęte ze mnie.

Wiedziałam, co robi, nie był to pierwszy raz, kiedy jego okrucieństwo wobec mnie było niemal namacalne. Zacisnęłam ręce w pięści i przez chwilę telepałam się, wykrzykując w głowie wszelkie znane mi wulgaryzmy, po czym złapałam głęboki oddech i poszłam w stronę przygotowanego pokrowca.

Rozpięłam suwak materiału z logo polskiej marki La Mania i aż zaparło mi dech. Jasna, niemal biała suknia ze srebrnymi aplikacjami wyglądała jak uszyta z pajęczyny. Delikatna, zwiewna i niezwykle seksowna. Mocno wycięta po bokach piersi, zapinana na szyi i zupełnie bez pleców. W niektórych miejscach przezroczysta, w innych wkomponowane coś na kształt srebrno-szarych kwiatów. Smukła u góry i mocno rozkloszowana na dole kreacja patrzyła na mnie z wieszaka. Widząc ją, zrozumiałam, co miał na myśli Massimo, mówiąc, że bielizna mi się nie przyda. Stanik był tu wykluczony, a stringi musiały być cieliste i mikroskopijne. Kiedy zdjęłam ją z wieszaka, odkryłam kolejny pokrowiec, w którym, jak się okazało, jest srebrno-szara peleryna. Tom Ford w swojej kolekcji z 2012 roku wprowadził ten trend, ale wtedy nawet przez myśl mi nie przeszło, że założę coś równie olśniewającego.

– Samochody czekają – powiedział Czarny, wchodząc do garderoby dwadzieścia minut później. – Moja królowa – dodał, patrząc na mnie, kiedy stałam ubrana w zniewalającą kreację. Wziął mnie za rękę i pocałował w dłoń, spoglądając zachwyconymi oczami na moją sylwetkę.

Faktycznie, wyglądałam olśniewająco. Krótki i odświeżony bob na mojej głowie był idealnie wymodelowany, przydymiony szary makijaż doskonale współgrał z ciemniejszymi elementami stroju, a krótkie czubki butów od Manolo Blahnika dopełniały całości. Chwyciłam maleńką kopertówkę od Valentino i nonszalancko obróciłam się w stronę męża.

– Idziemy? – Tą ambiwalentną postawą rzucałam mu wyzwanie.

Mój piękny mężczyzna stał z uśmiechem od ucha do ucha, prezentując mi szereg białych równych zębów. Nie odezwał się nawet słowem, tylko chwycił mocniej dłoń, którą trzymał, i pociągnął mnie w stronę schodów.

– Długo będziemy tam jechać? – zapytałam, kiedy zmierzaliśmy w stronę wyjścia.

– Jedziemy na lotnisko, a lot zajmie nam dosłownie kilkanaście minut.

Na dźwięk słowa „lot" mocniej ścisnęłam jego rękę, ale pogładził mnie kciukiem po wierzchu dłoni i wiedziałam, że zajmie czymś moją uwagę mimo obecności bliskich.

W ogromnym korytarzu przed drzwiami wyjściowymi spotkałam resztę wesołej ekipy, której humor dodatkowo poprawiał popijany alkohol. Cała piątka prezentowała się nieziemsko. Panowie w czarnych smokingach wyglądali jak gwiazdy filmowe, natomiast moją uwagę bardziej przykuła Olga. Pierwszy raz nie postawiła na styl dziwki; a może to Domenico wybrał jej strój? Czarna, opięta, długa do ziemi suknia bez ramiączek podkreślała krągłe kształty, a małe futrzane bolero okrywało szczupłe ramiona.

– Jesteście wreszcie. – Jak sztylet przeszył mnie głos mamy. Obróciłam się, by na nią spojrzeć.

Szczęka niemal mi opadła, kiedy stanęła przede mną w cielistej sukni na jedno ramię. Gapiłam się przez chwilę, po czym przypomniałam sobie, że to mój mąż obdarował ją tym prezentem, i przeniosłam wzrok na niego, tym razem okazując lekką dezaprobatę. Czarny natomiast wzruszył wesoło ramionami i wskazał wszystkim drogę do samochodów.

– Jak są z nami twoi rodzice, to mam wrażenie, że znowu jesteśmy w liceum – wyszeptała Olga, kiedy wysiedliśmy z samochodów pod zabytkowym hotelem w Palermo. – Muszę być taka poprawna, miła i w dupę kulturalna, bo każdy na ziemi rozumie po angielsku słowo *fuck*, kurwa!

– Z tego, co wiem, to jutro lecą do Polski. – Zaśmiałam się, łapiąc ją za rękę. – Też mam dość tej napiętej atmosfery i ciągłego strachu, że stanie się coś, co zapali im lampkę bezpieczeństwa, i domyślą się, kim jest Massimo.

– A właśnie, zapomniałam cię zapytać. – Ściszyła konspiracyjnie głos. – Czemu nagle w domu jest tyle ochrony? Domenico nie chce mi nic powiedzieć.

– Oj, bo... – zaczęłam i wtedy Czarny chwycił mnie za rękę.

– Gotowa? – Wskazał głową na fotografów stojących przy wejściu i tłum ludzi kłębiący się obok.

Jezu Chryste, nigdy nie będę na to gotowa ani tym bardziej nie poczuję się swobodnie. Zacisnęłam rękę na ramieniu męża, a on pokrzepiająco położył dłoń na mojej i wtedy rozległy się krzyki. Fotografowie jeden przez drugiego pchali się naprzód, by zrobić jak najlepsze zdjęcie. Massimo stał spokojnie, przybierając maskę obojętności, a ja próbowałam otworzyć oczy, gdy miliony fleszy rozbłysły, oślepiając mnie.

– Signora Torricelli! – Wrzask nie ustawał.

Uniosłam więc głowę wysoko i obdarzyłam wszystkich zebranych najpromienniejszym z uśmiechów, jakie miałam w palecie min i sztucznych wyrazów twarzy. Po chwili don skinął ręką i spokojnie weszliśmy do środka.

– Jesteś w tym coraz lepsza. – Czarny ucałował mnie w dłoń, prowadząc przez hol na salę balową.

Kiedy zajęliśmy miejsca przy stoliku, ucieszyłam się, że tym razem nie ma z nami obcych, choć wiedziałam, że w końcu zjawią się smutni panowie. Omiotłam wzrokiem monumentalne otoczenie. Sufit na wysokości trzeciego piętra był bogato zdobiony, a kolumny podtrzymujące dach zakończone rzeźbionymi łukami odbierały mowę. Wszędzie paliły się świece, stały piękne gigantyczne choinki i świąteczne stroiki. Na stołach zalegały srebra, a bufety, których było co najmniej kilkanaście, uginały od międzynarodowych pyszności. Kelnerzy w białych frakach serwowali przekąski, a ja kolejny raz zastanawiałam się, co tu robię. Co innego zapewne miała w głowie moja mama, która w takich okolicznościach czuła się jak ryba w wodzie, skupiając na sobie uwagę większości mężczyzn. Tata siedział dumny i zupełnie niewzruszony faktem, że od kiedy przyszliśmy, a było to jakieś pięć minut wcześniej, mamę już sześciokrotnie proszono do tańca.

– Co to za impreza? – Pochyliłam się do Massima, lekko gładząc jego udo.

– Charytatywna – odszepnął. – I przestań mnie prowokować. – Przesunął moją dłoń na swoje krocze i pogłaskał nią twarde wybrzuszenie między nogami.

– Nie mam na sobie majtek. – Uśmiechnęłam się do niego promiennie, bo poczułam, że mama przygląda się nam.

Dłoń Czarnego zacisnęła się na mojej, niemal miażdżąc ją, a jego czarne oczy wbiły we mnie.

– Kłamiesz – odchrząknął delikatnie, kiwając do Klary kieliszkiem szampana.

– Mam suknię bez materiału z tyłu, zsuń rękę po moich plecach i sam sprawdź. – Uniosłam brwi i skinęłam w stronę mamy kieliszkiem z wodą.

Poczułam, jak ramię mojego męża przesuwa się niżej, a dłoń wędruje pod sukienkę, po czym zastyga. Kiedy włożyłam w domu bieliznę, odkryłam, że niestety widać każdy kolor, więc po upewnieniu się, że bez niej także niczego nie pokażę, postanowiłam wyjść bez.

Don siedział sztywny jak kij i delikatnie gładził palcem miejsce, w którym zaczynały się moje pośladki. Wciągnął głęboko powietrze i położył obie ręce na stole. Mam cię, pomyślałam.

Zsunęłam prawą dłoń na dół, udając, że poprawiam but, i unosząc warstwy materiału, odnalazłam swoją mokrą cipkę. Bawiłam się nią przez chwilę, a kiedy już miałam pewność, że oddała cały mój zapach i smak, roztarłam je po palcach, wyjęłam rękę i powoli podałam Massimowi.

– Pocałuj mnie i poczuj. – Zagryzłam płatek jego ucha.

Wykonał posłusznie polecenie, delikatnie przesuwając wargami po mokrym miejscu na dłoni. Jego źrenice rozszerzyły się, a oddech wyraźnie przyspieszył, kiedy zaciągnął się zapachem i poczuł smak.

– Mi... się... nie... odmawia – wycedziłam szeptem każde słowo z osobna i zabrałam rękę.

Don palił się mocniej i jaśniej niż świece na stole, ale popatrzył na moich rozbawionych rodziców, upił łyk wina i oparł plecy o oparcie. Jego klatka falowała z każdą sekundą bardziej miarowo, a usta, które jeszcze chwilę temu miał rozchylone, zamknął, pozostawiając na nich cień uśmiechu. Byłabym pełna podziwu dla jego samokontroli, gdyby nie fakt, że kutas w jego spodniach niemal rozrywał mu rozporek.

– Te szpilki od Louboutina mnie wykończą – powiedziała Olga, opadając po trzech godzinach imprezy na krzesło obok. – Domenico nie umie tańczyć, ja też nie jestem w tym najlepsza, a wlecze mnie po tym parkiecie, jakby to był „Taniec z gwiazdami", i to finał. – Wytrzeszczyła oczy, unosząc ręce w górę.

Popatrzyłam na nią ze współczuciem. Wiem, co czuła – na festiwalu w Wenecji po dwóch kawałkach miała go serdecznie dość. Zerknęłam na Massima, który zawzięcie o czymś dyskutował z Jakubem, i ucieszyłam się, że przynajmniej on jest doskonałym tancerzem. Tego wieczoru mój mąż nie odstępował mnie na krok. Nie wiem, czy była to zasługa rodziców, czy może braku majtek, ale przylepił się do mnie jak plaster.

Było przed pierwszą, kiedy mama i tata pożegnali się, a jeden z ludzi dona odeskortował ich do pokoju. Wtedy do naszego stolika przysiadł się starszy mężczyzna. Przywitał wszystkich, łącznie z moim bratem, i po chwili wszyscy czterej pogrążyli się w rozmowie.

– Aha, zaczyna się – wymamrotałam do masującej wciąż stopy Olo.

– Oj, kurwa, Lari, a czego ty się spodziewałaś? – Wzruszyła ramionami. – Chodźmy spać.

Jej propozycja wydała mi się najlepszą opcją z możliwych, zwróciłam się więc w stronę męża z prośbą, byśmy już poszli do pokoju. Niestety, napotkałam opór i rozdrażnione spojrzenie zmęczonego Massima.

– To my idziemy – oznajmiłam, wstając.

Czarny skinął na dwóch ochroniarzy, którzy tkwili pod ścianą, i po kilku sekundach jak mur wyrośli przede mną. Zrobiłam niezadowoloną minę, pokręciłam głową i poszłyśmy w stronę wyjścia.

Dwaj goryle najwyraźniej znali drogę do mojego pokoju, posłusznie więc zdążałam za nimi. Uświadomiłam sobie nagle, że mój telefon został w marynarce dona, bo niestety torebka, którą wzięłam, okazała się zbyt mała.

– Zaraz wrócę – warknęłam do ochrony, która stanęła w połowie drogi, i zawróciłam. Jeden z mężczyzn ruszył za mną, ale machnęłam mu ręką, żeby został. – Sama będę szybciej! – krzyknęłam.

Weszłam na salę i z zaniepokojeniem odkryłam, że nasz stolik jest pusty. Stałam chwilę obok swojego krzesła, rozglądając się dookoła, aż dojrzałam kelnera, który nas obsługiwał. Podeszłam i zapytałam go, czy wie, w którą stronę udali się mężczyźni siedzący tu jeszcze pięć minut temu, a wtedy wskazał mi drzwi na końcu sali. Podeszłam tam i chwyciłam za klamkę.

Za drewnianymi wrotami panowała zupełna ciemność, a drogę oświetlały jedynie małe lampki rozwieszone na ścianach. Szłam, wspierając się o ścianę, aż poczułam kolejne drzwi. Usłyszałam głosy, więc nacisnęłam klamkę i weszłam do środka. Przy stole w niewielkim pomieszczeniu siedziało kilku mężczyzn, a wśród nich ci, których szukałam.

– Kurwa mać – warknęłam, widząc, jak Massimo pochyla się nad stołem i wciąga kreskę białego proszku. Skończył, odłożył zwinięty banknot i popatrzył na mnie, tak jak wszyscy pozostali.

– Zgubiłaś się, kochanie? – wycedził przez zęby, a mi zrobiło się niedobrze.

Otoczona salwami śmiechu podeszłam do niego i wyciągnęłam rękę.

– Daj mi telefon. – Massimo sięgnął do kieszeni i wyjął smartfona, po czym pochylając się nad stołem, podał mi go. – I pierdol się..., donie!

W pokoju zaległa grobowa cisza, a siedzący obok mężczyźni popatrzyli na niego wyczekująco.

– Wyjdź – warknął, wskazując dłonią kierunek, a jeden ze smutnych panów otworzył mi drzwi.

Rzuciłam mu nienawistne spojrzenie i zacisnęłam szczęki, by nie wybuchnąć płaczem. Obróciłam się na pięcie i unosząc wysoko głowę, opuściłam pokój. Kiedy wychodziłam, Czarny powiedział coś po włosku i znowu wszyscy siedzący tam roześmieli się.

Byłam wściekła. Wiedziałam, że przy ludziach musi grać twardego dona, ale dlaczego, na Boga, musi ćpać? Przebiegłam przez salę, wciąż tłumiąc szloch, i ruszyłam tam, gdzie zostawiłam Olo.

Przechodząc przez korytarz pełen drzwi hotelowych, uświadomiłam sobie, że źle skręciłam.

– Kurwa jego mać – zaklęłam, tupiąc w miejscu jak rozwścieczone małe dziecko.

Orientacja w terenie nigdy nie była moją mocną stroną, ale w złości przechodziłam samą siebie.

Obróciłam się, by zawrócić i wtedy poczułam lekko słodki smak w ustach.

ROZDZIAŁ 18

Bolała mnie głowa, jakbym miała kaca, ale przecież byłam w ciąży i nie miałam kaca od wielu dni. Powoli uchyliłam powieki. W pomieszczeniu panowała nieprzyjemna jasność, a światło nie było najlepszym lekarstwem na taką migrenę. Boże, czy ja znowu straciłam przytomność?, pomyślałam, nie pamiętając wydarzeń z ostatniej nocy. Jęknęłam, przekręcając się na bok, i przykryłam głowę kołdrą. Próbując się nią otulić, przesunęłam ręką po swoim ciele i zamarłam. Miałam na sobie bawełniane bokserki, a przecież nie miałam nawet jednej pary bawełnianej bielizny. Otworzyłam szerzej oczy, ignorując ból głowy. Zrzuciłam z siebie okrycie i spanikowana popatrzyłam w dół.

– Co jest, kurwa?! – wycedziłam.

– Nie znam polskiego – usłyszałam męski głos, a moje serce niemal stanęło. – Ale jeśli źle się czujesz, tabletki na serce masz przy łóżku.

Czułam, jak rośnie mi tętno, a oddech przyspiesza. Zamknęłam powieki i wzięłam głęboki wdech, przekręcając się w stronę, z której dobiegał dźwięk.

– Cześć – powiedział Nacho, uśmiechając się promiennie. – Tylko nie krzycz.

Usiłowałam oddychać, ale czułam, że mój znienawidzony stan zbliża się wielkimi krokami. Łapałam wdech, ale tlen nie chciał przepłynąć do płuc.

– Lauro. – Mężczyzna usiadł na łóżku, łapiąc mnie za rękę. – Nie zrobię ci krzywdy, nie bój się. – Chwycił fiolkę z lekami i wyciągnął tabletkę. – Otwórz buzię.

Patrzyłam na niego przerażona, słysząc gwizd w uszach, a wtedy wcisnął mi ją pod język i zaczął głaskać po głowie, którą w sekundę zabrałam.

– Uprzedzali mnie, że tak zrobisz. – Jego głos był spokojny i wesoły.

Zamknęłam oczy, próbując się uspokoić. Nie wiem, czy zasnęłam, czy otworzyłam je po kilku sekundach, ale kiedy znowu zmrużyłam powieki oślepiona światłem, wciąż siedział przede mną.

– Nacho – wyszeptałam, zerkając na niego. – Zabijesz mnie?

– Marcelo, ale możesz mówić do mnie Nacho. Chyba jesteś głupia, jeśli sądzisz, że to zrobię. – Jego dłoń chwyciła mój nadgarstek, badając tętno. – Po co bym cię ratował, gdybym chciał cię zabić?

– Gdzie jestem?

– W najpiękniejszym miejscu na ziemi – powiedział, nie odrywając wzroku od zegarka. – I będziesz żyła. – Ponownie utkwił we mnie oczy. Ich wesołość w ogóle mnie nie przerażała.

– Gdzie Massimo?

Zaśmiał się i podał mi wodę, lekko podnosząc głowę, tak bym mogła się napić bez oblania wszystkiego.

– Pewnie szaleje z wściekłości na Sycylii. – Wyszczerzył zęby i rozciągnął się. – Jak samopoczucie?

Jego pytanie wydało mi się co najmniej nie na miejscu. Zabrałam szklankę z jego rąk i odsunęłam.

– Jesteś zabójcą, a ja żyję.

– Cenna uwaga i zasadniczo prawdziwa. – Oparł się o materac, przerzucając jedną rękę nade mną. – A uprzedzając resztę pytań, żeby było szybciej. – Jego mina zrobiła się bardziej poważna, ale oczy nadal się śmiały. – Zostałaś porwana, ale to dla ciebie żadna nowość. – Wzruszył ramionami. – Nie zamierzam robić ci krzywdy, wykonuję tylko polecenia. Jeśli wszystko pójdzie, jak powinno, w ciągu kilku dni powinnaś wrócić do swojego męża. – Wstał z łóżka i popatrzył na zegarek. – Pytania?

Leżałam z otwartymi ustami i zdawało mi się, że to żart. Człowiek w białym podkoszulku, na którego patrzyłam, w niczym nie przypominał okrutnego zbrodniarza, o którym mówił don. Podciągnął lekko opadające dżinsy i uśmiechnął się do mnie, wkładając stopy w japonki.

– Skoro żadnych, to idę popływać.

– A ja? – Odstawiłam szklankę. – Gdzie dokładnie jestem i ile dni mnie więzisz? – zapytałam, nauczona przykładem pierwszego porwania.

– Dwa dni temu zniknęłaś, dziś jest dwudziesty siódmy grudnia, a jesteś na Wyspach Kanaryjskich, dokładnie na Teneryfie. – Nałożył okulary przeciwsłoneczne i ruszył w stronę drzwi. – Ja jestem Marcelo Nacho Matos, syn Fernanda Matosa, na którego polecenie przywiozłem cię tutaj. – Obrócił się. – I żeby była jasność, nic ci tu nie grozi, nikt cię nie zabije. Musimy tylko wyjaśnić sobie coś z twoim mężem i wyjedziesz. – Przeszedł przez drzwi i kiedy je zamykał, nagle ponownie zajrzał do środka. – Aha, a gdyby ci przyszło do głowy uciekać, pamiętaj, że jesteś na wyspie, dość daleko od lądu, a opaska, którą masz na nodze, to nadajnik. – Dotknęłam swojej kostki i poczułam plastikowo-gumową obręcz. – W każdej chwili wiem, gdzie jesteś i co robisz. – Zsunął okulary i popatrzył na mnie. – A jeśli spróbujesz skontaktować się z bliskimi bez mojej zgody, zabiję ich.

Drzwi się zamknęły, a on zniknął.

Leżałam, nie wierząc w to, co się dzieje. Dziękowałam Bogu, że jestem mężatką w ciąży, bo na myśl o tym, że ta chora sytuacja mogłaby się powtórzyć, aż ściskało mnie w mostku. Gapiłam się w sufit i trawiłam wszystko, co usłyszałam. Byłam zmęczona, chciało mi się płakać, a na domiar złego zaraz przed tym, jak zniknęłam, mój mąż potraktował mnie jak śmiecia, co dodatkowo nie przysparzało mi radości. Obróciłam się na bok i wtulając twarz w poduszkę, zasnęłam.

W nocy obudził mnie głód. Burczenie w brzuchu nie dawało spać i wtedy z przerażeniem przypomniałam sobie, że jestem w ciąży. Wstałam z łóżka i zapaliłam lampkę, która stała na nocnej szafce.

Wnętrze było nowoczesne, jasne i proste. Dominowały w nim biel, drewno, płótno i szkło. W poszukiwaniu ubrania podeszłam do rozsuwanej szafy i kiedy przesunęłam jedno skrzydło, moim oczom ukazało się kolejne niewielkie pomieszczenie: garderoba. Były w niej dresy, japonki, szorty, koszulki, trochę bielizny i kostiumy kąpielowe. Sięgnęłam po długą bluzę z kapturem na zamek i wsadziłam na tyłek małe spodenki. Zbyt małe, pomyślałam, obciągając ich nogawki.

Przez otwarte okno wpadało ciepłe powietrze i słychać było monotonny szum. Wyszłam na balkon i zobaczyłam ocean. Był niemal czarny i bardzo spokojny, zerknęłam w dół i ze zdziwieniem odkryłam, że nie jesteśmy w domu, lecz w apartamentowcu. Pode mną piętro niżej rozciągał się niewielki ogród z jacuzzi, wokół którego rosła trawa.

Podeszłam do drzwi, łapiąc za klamkę. Były otwarte, co uznałam za miłą odmianę po ostatnim razie, kiedy musiałam czekać, aż Domenico się łaskawie zjawi. Wyszłam na korytarz, chłód szklanej posadzki jeszcze bardziej mnie obudził, i dostrzegłam naprzeciwko schody. Zeszłam na dół, mijając w holu przed stopniami kilkoro drzwi, i od razu znalazłam się w kuchni.

– Lodówka! – jęknęłam, otwierając podwójne wrota do krainy pyszności.

W środku z radością odkryłam sery, jogurty, dużo owoców, hiszpańskie wędliny i napoje. Wyłożyłam wszystko, na co miałam ochotę, na blat i sięgnęłam po bułki, które stały pod szklaną pokrywą.

– Jeśli jesteś głodna, zagrzeję ci paellę. – Przerażona nagłym dźwiękiem wypuściłam z rąk talerz, który roztrzaskał się o podłogę. – Nie ruszaj się.

Nacho uklęknął obok, zbierając resztki szkła i wrzucając je do kosza. Kiedy uznał, że okruchów jest zbyt dużo, uniósł mnie i postawił metr dalej, a sam zamiótł skorupy. Przyglądałam się temu z lekkim niedowierzaniem.

– Słuchaj, czegoś nie rozumiem. – Zaplotłam ręce na piersiach. – Dbasz o mnie, martwisz się, wręcz bym powiedziała, że troszczysz, i porywasz?

Mężczyzna wstał i wyprostował się, patrząc mi w oczy.

– Jesteś w ciąży, a twój problem polega na tym, że wyszłaś za mąż za złego kolesia. – Podniósł mi kciukiem brodę, kiedy nie patrzyłam na niego. – Nic mi nie zrobiłaś, nie jesteś niczemu winna, a dodatkowo fajna z ciebie laska, więc czego tu nie rozumieć?

Usiadł na blacie, a ja zorientowałam się, że ma na sobie tylko bokserki.

– Laura – ciągnął – jesteś środkiem do celu, nie o ciebie nam chodzi. – Westchnął i oparł się obiema dłońmi o blat, wyciągając nieco. – Gdybyś była facetem, siedziałabyś w piwnicy willi mojego starego, przykuta do krzesła, pewnie naga. – Pokręcił głową. – A że jesteś ciężarną kobietą, to jesteś tu, a ja sprzątam po tobie talerz, żebyś się nie skaleczyła. Poza tym wiesz... – Pochylił się nieco. – My nie chcemy wojny z Torricellim, chcemy tylko, by podjął dialog.

Zeskoczył na ziemię, stając obok.

– To co, paella?

– Ja pierdolę, jakie to wszystko dziwne... – wymamrotałam, siadając na stołku barowym.

– Nic mi nie mów. Ja wolałbym prowadzić szkołę surfingu i kite'a, zamiast strzelać ludziom w głowę. – Schował wszystko, co ustawiłam na blacie, i wyciągnął wielką patelnię. – Owoce morza z ryżem, doprawione szafranem, sam zrobiłem. – Ponownie obdarzył mnie rozbrajającym uśmiechem.

Patrzyłam na niego, podziwiając kolorowe rysunki na jego ciele. Były wszędzie: na plecach, klatce, rękach, prawdopodobnie na pośladkach. Jedynie jego nogi zostały oszczędzone przez tatuażystę.

– A co na to twoja kobieta? – wyrwało mi się i zaraz skarciłam się za to pytanie.

Nacho postawił naczynie na gazie i podpalił ogień.

– Nie wiem, nie posiadam – odparł, nie patrząc na mnie. – Wiesz, ja mam wysokie oczekiwania wobec kobiet, inteligentna: ma być ładna, bystra, wysportowana, no i najlepiej, żeby nie miała pojęcia, kim jest mój ojciec, a to mała wyspa. – Wyciągnął dwa talerze z szafki. – A na kontynencie wszystkie one są jakieś takie... – Chwilę myślał. – *Loca*, wiesz, o co mi chodzi?

Nie miałam pojęcia, ale przytaknęłam, bo tak zgrabnie wyglądał, krzątając się po kuchni.

Obserwowałam, jak przygotowuje posiłek, i uzmysłowiłam sobie, że w ogóle się go nie boję. Mój intelekt jednak podpowiadał mi, że może tak właśnie miało być i do tego zmierzało całe jego zachowanie. Bym rozluźniła się, poczuła swobodnie i wtedy on zaatakuje. Umysł przez chwilę podsuwał mi różne scenariusze, aż pojawił się przede mną talerz pełen cudownych zapachów.

– Jedz – powiedział, siadając obok i chwytając widelec.

Było to tak pyszne, że nawet nie wiem, kiedy zjadłam dwie porcje i poczułam się pełna. Zeszłam z krzesła, zostawiając talerz i dziękując za nakarmienie, ruszyłam na górę.

– Jest dwudziesta, będziesz dalej spać? – zapytał, kiedy toczyłam się w stronę schodów.

– Dopiero? – Ze zdziwieniem otworzyłam oczy.

– Możemy pooglądać filmy. – Wskazał ręką biały prosty narożnik w otwartym salonie.

Patrzyłam na niego zdziwiona, nie mogąc pojąć, jak dokładnie wygląda moje położenie.

– Nacho, porwałeś mnie, grozisz moim bliskim, a teraz wydaje ci się, że będę z tobą spędzać przyjacielskie wieczory? – Mój ton był odrobinę zbyt agresywny. Nie czekając na odpowiedź, weszłam na schody.

– Z ostatnim, który to zrobił, będziesz miała dziecko – powiedział, nie odrywając wzroku od talerza.

Zamarłam i już miałam odszczeknąć się bezczelnemu Kanaryjczykowi, kiedy uświadomiłam sobie, że niestety ma rację. Ugryzłam się w język i wróciłam do swojego pokoju. Co za chora akcja, pomyślałam, włączając telewizor i zakopując się w pościeli.

Gdy otworzyłam oczy, wciąż było ciemno. Przerażona faktem, że przespałam kolejny dzień, niemal zerwałam się z łóżka. Nie chciałam, by moje dziecko głodowało kolejną dobę. Biały telewizor, który wisiał naprzeciw łóżka, pokazywał siódmą trzydzieści. Nawet w Polsce o tej godzinie nie było tak ciemno, pomyślałam i wcisnęłam się z powrotem pod kołdrę, zadowolona z tego, że jednak jest rano.

Kolejny raz obudził mnie już blask światła wpadający do pokoju. Przeciągnęłam się i nogami zepchnęłam kołdrę w dół łóżka.

– Nie oszukujesz mnie z tą ciążą? – Męski głos niemal przyprawił mnie o zawał. – Jesteś bardzo szczupła.

Przekręciłam się i popatrzyłam na popijającego coś z filiżanki Nacha, który, tak jak poprzednio, siedział obok łóżka. Czy on sypia na tym fotelu, pomyślałam.

– Zaczął się drugi trymestr, spodziewam się syna – warknęłam, wstając. – Wyjaśnij mi coś. – Stanęłam przed nim, a jego bezczelne spojrzenie spoczęło na moim brzuchu. – Czego chciałeś ode mnie wtedy w Messynie? – Zaplotłam ręce na piersiach i czekałam na odpowiedź.

– Tego samego, co w Palermo. Chciałem cię porwać. – Zaśmiał się drwiąco. – Ci debile, których Massimo nazywa ochroniarzami, nie zauważyliby, nawet gdybym usiadł im dupą na twarzach. – Pokręcił głową z kpiącą miną. – Tylko nie miałem informacji, że jesteś w ciąży. A środek usypiający, którego chciałem użyć, mógłby ci zagrozić. A raczej jemu. – Skinął głową w stronę mojego brzucha. – Dobra, dość tych porannych uprzejmości. – Wstał, wyciągając z kieszeni telefon. – Zadzwonimy teraz do Massima, powiesz mu tylko, że dobrze się czujesz i jesteś bezpieczna, to wszystko.

Wykręcił numer i kiedy po drugiej stronie odezwał się głos, płynnie przeszedł na włoski. Rozmawiał przez chwilę spokojnym cichym tonem, po czym podał mi słuchawkę. Chwyciłam ją i uciekłam w drugi koniec pomieszczenia.

– Massimo? – wyszeptałam przerażona.

– Dobrze się czujesz? – Jego spokojny głos był tylko przykrywką, bo mimo dzielących nas tysięcy kilometrów dobrze wiedziałam, że szaleje z niepokoju. Wzięłam głęboki oddech i patrząc na mojego oprawcę, postanowiłam zaryzykować.

– Jestem na Teneryfie w jakimś apartamentowcu z widokiem na ocean... – wypowiadałam słowa z prędkością strzelającego karabinu.

Nacho wyrwał mi ze złością telefon i rozłączył się.

– On dobrze wie, gdzie jesteś – warknął. – Póki mój ojciec na to nie pozwoli, twój mąż nie pojawi się na wyspie. – Wcisnął telefon do kieszeni.

– Dużo zaryzykowałaś, Lauro, mam nadzieję, że jesteś zadowolona, miłego dnia. – I wyszedł, trzaskając drzwiami.

Stałam kilka minut, patrząc na nie, i czułam, że ogarnia mnie furia. Bezradność, która mną owładnęła, zmieniła się w złość, a ona nie była najlepszym doradcą. Chwyciłam za klamkę i ruszyłam korytarzem w stronę schodów.

Wciągnęłam powietrze w płuca i nim jeszcze go zobaczyłam, zaczęłam wrzeszczeć:

– Co ty sobie wyobrażasz? Wydaje ci się, że będę tu siedzieć i czekać na to, co się stanie?! – Zbiegłam po schodach, uważnie patrząc pod nogi. – Jeśli sądzisz, że... – Urwałam, widząc młodą kobietę stojącą obok Nacha. Patrzyła na mnie z szeroko otwartymi ustami, które po chwili ciszy zamknęła i zwróciła się po hiszpańsku do niego. Przez moment rozmawiali, a ja jak rzeźba stałam na ostatnim stopniu, zastanawiając się, co jest grane.

– Amelio, to jest właśnie moja dziewczyna, Laura. – Łysy chwycił mnie i ściągnął na podłogę, mocno przyciskając do siebie. – Przyleciała kilka dni temu i dlatego nie byłem osiągalny. – Pocałował mnie w czoło, a kiedy próbowałam mu się wyrwać, dodał: – Mamy tu małe spięcie, daj nam chwilę.

Długie wytatuowane ręce chwyciły mnie i uniosły po schodach na górę.

– Jestem Amelia. – Dziewczyna z zaskoczeniem i promiennym uśmiechem pomachała mi, kiedy Nacho pokonywał ze mną kolejne stopnie.

Próbowałam się wyrywać, ale bezskutecznie, bo jego ramiona zakleszczyły mnie na dobre. Wszedł do pierwszej sypialni, zamykając drzwi, i postawił na podłodze. Kiedy moje stopy dotknęły dywanu, a ja poczułam, że twardo stoję na ziemi, zamachnęłam się, ale ręka nie dosięgła celu. Mój oprawca zdążył się uchylić, czym jeszcze bardziej mnie zirytował; ruszyłam w jego stronę, wymachując rękami jak wariatka, ale on tylko robił uniki. Kiedy dotarliśmy do ściany, chwycił moje nadgarstki jedną ręką i oparł mnie o nią, blokując możliwości ruchu. Sięgnął do szuflady szafki, obok której byliśmy, i kilka sekund później przyłożył lufę do mojej skroni.

– Oboje wiemy, że nie możesz mnie zabić – wycedziłam przez zęby, patrząc nienawistnie.

– To fakt – powiedział, odbezpieczając. – Ale czy jesteś tego pewna?

Zastanawiałam się przez chwilę nad swoim położeniem i po kilku sekundach uznałam się za pokonaną. Rozluźniłam ręce, a kiedy poczuł, że nie zamierzam z nim walczyć, puścił mnie i odłożył pistolet na miejsce, zamykając szufladę.

– Na dole stoi moja siostra, która nie ma pojęcia, czym się zajmuję. – Odszedł ode mnie na kilkanaście centymetrów. – Chciałbym, żeby tak zostało. Ona myśli, że prowadzę jedną z firm ojca, a ty jesteś moją dziewczyną z Polski. Poznaliśmy się kilka miesięcy temu na imprezie, kiedy byłem w Warszawie w interesach...

– Ciebie chyba pojebało?! – przerwałam mu, a on odsunął się jeszcze kawałek. – Nie będę nikogo udawać, a już na pewno nie twoją dziewczynę. – Podniosłam ręce i ruszyłam w stronę drzwi.

Nacho złapał mnie i popchnął na łóżko, siadając okrakiem na moich nogach.

– ...i wtedy przespaliśmy się ze sobą, dlatego teraz jesteś w ciąży – dokończył. – Nasz związek to trochę przymus, a trochę wielka miłość ponad podziałami. Rozumiesz?

Wybuchnęłam śmiechem, a on zgłupiał i puścił moje ręce. Zaplotłam je na piersiach, nadal się śmiejąc.

– Nie – wydusiłam, zmieniając wyraz twarzy na poważny. – Nie zamierzam w niczym ci pomagać.

Łysy pochylił się, jakby miał zamiar mnie pocałować, a ja zamarłam przestraszona, że nie mam gdzie przed nim uciec. Poczułam jego oddech na wargach i moje ciało przeszedł niekontrolowany dreszcz. Czułam miętę gumy, którą żuł, i świeżą wodę toaletową albo żel pod prysznic. Głośno przełknęłam ślinę, wytrzeszczając na niego oczy.

– Z tego, co się dowiedziałem i zauważyłem, twoi rodzice nie mają pojęcia, czym się zajmuje twój mąż – wyszeptał, patrząc na mnie zielonymi oczami z cwaniackim uśmiechem. – Więc jesteśmy w podobnym położeniu. – Zamilkł na chwilę, wąchając mnie. – Ty w nieco gorszym, jak widać. Więc zawrzyjmy układ: ja nie powiem im, że ich zięć jest donem, a ty Amelii, że jej brat jest porywaczem i mordercą. – Odsunął się nieco, a później wstał, wyciągając do mnie prawą dłoń. – Umowa?

Patrzyłam zrezygnowana, zdając sobie sprawę, że przegrywam. Wysunęłam rękę i podałam mu ją.

– Umowa – odparłam skrzywiona, kiedy pociągnął mnie, bym wstała.

Jego oczy znów zrobiły się wesołe i chłopięce, kiedy poprawił najpierw swój T-shirt, a później mój.

– Doskonale. Chodź kochanie, zapomniałem, że Amelia przychodzi na śniadanie. – Chwycił moją dłoń i pociągnął w stronę drzwi, a kiedy próbowałam ją wyrwać, dodał: – Jesteśmy parą, która właśnie się pogodziła, okaż mi trochę uczucia.

Zeszliśmy na dół, trzymając się za ręce, a kiedy stanęliśmy przed siostrą Nacha, soczyście pocałował mnie w usta. Znów się wściekłam, ale wiedziałam, że bardziej zależy mi na zachowaniu tajemnicy przed rodzicami i zaoszczędzeniu im szoku niż uderzeniu go teraz w twarz. Wyciągnęłam rękę do pięknej błękitnookiej dziewczyny, która siedziała na krześle barowym.

– Laura. – Uśmiechnęłam się przyjaźnie. – A twój brat to dupek.

Amelia wyszczerzyła szereg białych zębów i pokiwała głową, przytakując temu, co powiedziałam. Kiedy się uśmiechała, wyglądała dokładnie jak Nacho, z tą różnicą, że miała na głowie długie jasne włosy i zero widocznych tatuaży. Wyraźne rysy twarzy powodowały, że na pierwszy rzut oka odnosiło się wrażenie, że jest oschła i wyniosła, ale kiedy popatrzyło się w jej wesołe oczy, to przeświadczenie stawało się absolutnie mylne.

– Mój brat to dupek i egoista. – Wstała, klepiąc go po plecach. – Wdał się w ojca, ale przynajmniej umie gotować. – Pocałowała go w policzek.

Kiedy stali obok siebie, wyglądali przepięknie, ale zupełnie nie przypominali stereotypowych Hiszpanów.

– Pochodzicie z Hiszpanii? – zapytałam lekko skonfundowana. – Nie wyglądacie jak Południowcy.

– Mama była ze Szwecji i jak widać, jej geny pokonały geny ojca.

– I nie pochodzimy z Hiszpanii, tylko z Kanarów – poprawił mnie Nacho. – Co moje panie zjedzą? – zapytał wesoło, zbliżając się do lodówki i wskazując nam miejsce przy wyspie.

Rodzeństwo rozmawiało ze sobą po angielsku, abym rozumiała całość konwersacji, mimo że mnie nie dotyczyła. Mówili o świętach i przyjaciołach, którzy mieli przyjechać na sylwestra. Generalnie zachowywali się bardzo swobodnie, co rozluźniło nieco napiętą atmosferę.

– Kochanie, twój włoski zrobił na mnie spore wrażenie – zwróciłam się sarkastycznie do Nacha. – Ile znasz języków?

– Kilka – odparł, mieszając coś na patelni.

– Braciszku, nie bądź taki skromny. – Dziewczyna obróciła się do mnie. – Marcelo mówi po włosku, angielsku, niemiecku, francusku i rosyjsku. – Pokiwała z dumą głową.

– I japońsku, od niedawna – dodał, stojąc plecami do nas, z głową w lodówce.

Byłam pod wrażeniem, ale nie zamierzałam mu tego okazywać, więc pokiwałam przytakująco głową i nadal słuchałam, kiedy ponownie zatopili się w niezobowiązującej konwersacji.

Amelia miała rację, jej brat był wyjątkowo uzdolnionym kucharzem. Po kilkudziesięciu minutach blat uginał się od pyszności. Obie zabrałyśmy się do jedzenia. Dopiero kiedy zobaczyłam, jakie ilości wrzuca w siebie moja towarzyszka, zorientowałam się, że także jest w ciąży.

– Który tydzień? – Wskazałam na jej brzuch, a ona z radością go objęła.

– Jeszcze półtora miesiąca. – Uśmiechnęła się promiennie. – Będzie miał na imię Pablo.

Już chciałam odwdzięczyć się jej informacją o swojej radości, kiedy popatrzyłam na Nacha, który delikatnie kręcił głową na boki.

– I oby wdał się w matkę – dodał, pochłaniając pomidora. – Jego ojciec to kompletny dupek, a do tego troglodyta, który wygląda jak gil z nosa.

– Wybuchnęłam śmiechem, słysząc to, co mówi, i od razu przeprosiłam dziewczynę za swoje zachowanie. – Taka prawda – kontynuował. – Wzięła sobie chudego ćwoka, a jakby tego było mało, Włocha. Nie wiem, czemu ojciec go tak uwielbia.

W tym momencie wszystkie mięśnie na moim ciele spięły się. Nie czułam się tu źle, wręcz trochę jak na wakacjach, ale to słowo przypomniało mi, co tu robię. Odłożyłam sztućce i popatrzyłam na Nacha.

– Uwielbiam Włochów, to świetni ludzie – powiedziałam.

Amelia uniosła w górę dłoń, potakując.

Mężczyzna pochylił się nad wyspą i obrzucił mnie dzikim spojrzeniem.

– Nie, kochanie, ty uwielbiasz Sycylijczyków.
– Jego sarkastyczny uśmiech aż prosił się o ripostę.

– Masz rację, można by powiedzieć nawet, że kocham – odszczeknęłam się z równie ironiczną miną.

Amelia przyglądała się nam, zerkając raz to na jedno, to na drugie, aż w końcu przerwała ciszę.

– Idziesz dziś pływać? – zwróciła się do brata, a ten przytaknął. – Świetnie, pójdziemy na plażę? – Odwróciła się do mnie. – Nie ma upału, na dworze jest jakieś dwadzieścia sześć stopni, poopalamy się i popatrzymy, jak Marcelo surfuje.

– Surfuje? – zdziwiłam się, zerkając na Łysego.

– Oczywiście, mój brat jest przecież wielokrotnym międzynarodowym mistrzem, nie wspominał ci? – Pokręciłam przecząco głową. – No to dziś będziesz miała okazję zobaczyć, co potrafi. Zapowiadają się wysokie fale i jest silny wiatr. – Klasnęła w dłonie. – Wspaniale, zjemy obiad na plaży, przyjadę po ciebie przed piętnastą. – Pocałowała mnie w policzek, później brata. – *Adios*! – krzyknęła, znikając za drzwiami.

Siedziałam, patrząc, jak Nacho stuka nożem w pusty talerz, wyraźnie się nad czymś zastanawiając.

– Chcę pogadać – zaczęłam, nie mogąc znieść dźwięku. – Jak długo tutaj będę? – Podniósł na mnie oczy. – Mówiłeś, że musimy czekać na twojego ojca, ale nie powiedziałeś, kiedy wraca ani dlaczego mamy czekać. – Nic nie mówił, tylko patrzył poważniej niż dotychczas. – Marcelo, proszę. – Do moich oczu napłynęły łzy i zagryzłam dolną wargę, usiłując powstrzymać płacz.

– Nie wiem. – Schował głowę w dłoniach, wzdychając. – Nie mam pojęcia, jak długo tu będziesz. Ojciec nakazał uprowadzić cię przed świętami, ale jak sama wiesz, zaistniały pewne sytuacje. – Wskazał na mój brzuch. – Później musiał wyjechać, a niestety nie spowiada mi się ze swoich planów. Mam cię tylko tu zatrzymać, zapewniając bezpieczeństwo do czasu jego powrotu.

Wbiłam oczy w blat, skubiąc palce.

– Bezpieczeństwo? – zapytałam zirytowana. – Przecież to wy mi zagrażacie, a jedyne niebezpieczeństwo jest takie, że Massimo znajdzie mnie i zabierze stąd.

– Twój mąż ma więcej wrogów, niż ci się wydaje. – Odszedł od blatu i wstawił naczynia do zmywarki.

Po skończonej rozmowie, która nic nie wniosła do mojego życia, wróciłam do swojego pokoju. Weszłam do garderoby, szukając odpowiedniego ubrania, i gdy przypomniałam sobie słowa Amelii, nagle wszystko stało się jasne. Kolorowe koszulki, japonki, bluzy, szorty, które zastąpiły moją markową szafę, były dość logiczne w przypadku surfera, jakim był Nacho. Zapewne osobiście robił zakupy i postawił na to, co lubił najbardziej i sam nosił.

460

Stojąc w niewielkim wnętrzu, doszłam do wniosku, że nie warto cierpieć ani walczyć z tym, co znów mnie spotkało. Przypomniałam sobie, że kiedy poprzednio zaakceptowałam sytuację, wszystko stało się prostsze. Sięgnęłam po krótkie szorty z jasnego dżinsu, tęczowe bikini i białą koszulkę z grafiką zachodzącego słońca. Przygotowane ubrania zostawiłam na łóżku i poszłam w stronę łazienki.

Już wcześniej z przerażeniem odkryłam, że w domu jest tylko jedna, i będę zmuszona dzielić ją z facetem. Nacho na tyle, na ile potrafił, zadbał o mój komfort. Przy podwójnej umywalce stały z jednej strony jego rzeczy, z drugiej moje. Nie było tego wiele, ale wystarczyło, by zaspokoić moje podstawowe potrzeby. Krem do twarzy, balsam do ciała, szczoteczka do zębów i o dziwo, moje ulubione perfumy. Z zainteresowaniem podniosłam flakon Lancôme Trésor Midnight Rose i popatrzyłam na swoje odbicie. Skąd wiedział?

Umyłam zęby i poszłam pod prysznic. Kiedy skończyłam, zaplotłam dwa dobierane warkocze i nakremowałam twarz. Nie zamierzałam się malować, w końcu po pierwsze nie bardzo miałam czym, a po drugie byłam w miejscu, gdzie istniał cień szansy, że się choć trochę opalę.

Do drzwi rozległo się pukanie, więc narzuciłam szlafrok, który wisiał obok lustra i podeszłam do nich, uchylając je.

– Mamy tylko jedną łazienkę. – Nacho popatrzył na mnie przez szparę w drzwiach. – I jak widzę, jeden szlafrok.

Na jego ustach zatańczył szeroki uśmiech.

– Pospiesz się.

Wróciłam do środka i niespiesznie dokończyłam to, co robiłam. Poszłam do sypialni, ubrałam się i zeszłam do salonu, po drodze mijając łazienkę, która już została zajęta przez mojego oprawcę.

Telewizor grał, a na szklanej ławie stał otwarty laptop. Nasłuchiwałam parę sekund i uznałam, że dźwięk lejącej się pod prysznicem wody nie ustał, upewniając mnie, że mam chwilę. Podbiegłam do komputera i wcisnęłam guzik odpalający sprzęt. Stukałam nerwowo palcami w blat, jakbym mogła przyspieszyć włączanie się. Na monitorze wyświetliła się prośba o hasło.

– Kurwa mać! – warknęłam, trzaskając ekranem.

– To delikatny sprzęt. – Usłyszałam za plecami i znowu w duchu przeklęłam. – Potrzebuję czegoś.

Obróciłam się w stronę Nacha i zamarłam – stał na schodach nagi i ociekający wodą. Powinnam była odwrócić wzrok, ale niestety nie potrafiłam. Przełykałam ślinę i czułam, jak staje się coraz gęstsza. Prawą dłonią zasłaniał swój członek, trzymając go w garści, a drugą opierał o szklaną ścianę. Potrzebuje czegoś – te słowa jak dzwon dudniły w mojej głowie, zastanawiałam

462

się, co teraz nastąpi. Czy zejdzie niżej, odsłoni swoją męskość i wciśnie mi ją do ust, a może zerżnie mnie na blacie kuchennym rozłożoną na plecach, tak bym mogła podziwiać te zniewalające tatuaże.

– Zabrałaś mi szlafrok – oznajmił.

A jednak nie! Mój umysł właśnie sprzedał mi potężnego liścia jako karę za mentalną zdradę męża. Nie byłam w stanie nic poradzić na to, że jestem zdrową młodą kobietą z szalejącym przez ciążę libido i podoba mi się co drugi facet na ziemi. Zupełnie zignorowałam to, co powiedział, i wciąż wbijałam w niego zdziwione spojrzenie. Kiedy milczałam, nie odrywając od niego wzroku, zaśmiał się i odwrócił, wchodząc na górę. Na widok wytatuowanych pośladków z moich ust wyrwało się ciche stęknięcie, a w głowie rozbrzmiały modlitwy o siłę do odwrócenia głowy.

– Słyszałem! – krzyknął, znikając na górze.

Upadłam bokiem na miękką jasną kanapę i zakryłam twarz poduszką. Nienawidziłam tego, że w moim życiu nagle pojawiało się tak wielu atrakcyjnych facetów. A może to ciąża sprawiała, że wszyscy mi się podobali? Wydawało mi się to niemożliwe, by nagle na świecie mieszkali niemal sami seksowni i doskonale zbudowani mężczyźni; co za dramat. Po chwili rozpaczy podniosłam się i wzięłam pilota.

Przerzucałam kanały i wtedy mnie olśniło. Moi rodzice już wiedzieli, czym się zajmuje

Massimo, chyba że w jakiś tajemniczy sposób nie zauważyli mojego porwania i zapewne szału Czarnego. Podniosłam się i usiadłam. Myśl, która przyszła mi do głowy, dawała pozorną przewagę i szansę na negocjacje. Knując plan, usłyszałam kroki na schodach i przezornie, w obawie przed kolejnym atakiem nagości, nie odwracałam głowy. Nacho, ubrany w szorty i bluzę na zamek, usiadł obok.

– Porozmawiajmy – powiedziałam.

Ukrył twarz w dłoniach.

– Serio? – odparł. – A jest jakiś temat, którego nie omówiliśmy? – Rozszerzył dwa palce, nie odsuwając rąk od głowy, i zerknął na mnie z rozbawieniem.

– Moi rodzice już wiedzą, czym się zajmuje Massimo. Pewnie wydało się to dzięki temu, że mnie porwałeś. – Wstałam z kanapy, grożąc mu palcem. – A teraz daj mi dobry powód, bym nie powiedziała twojej siostrze, że zabijasz ludzi na zlecenie, bo poprzedni stracił moc.

Jego ręce zmieniły położenie, kiedy wsadził je pod głowę i wyszczerzył zęby, układając się na sofie.

– Kontynuuj. – Parsknął, ledwo powstrzymując śmiech. – Albo mam coś lepszego.

Energicznie usiadł i chwycił komputer z blatu. Wystukał hasło tak szybko, że nawet gdybym wiedziała, co napisał, wciskając miliony klawiszy, i tak nie byłabym w stanie nadążyć za jego palcami.

– Zadzwonimy do twojej mamy. – Przekręcił monitor, na którym widniała startowa strona Facebooka. – Loguj się i sprawdź sama, co wiedzą twoi rodzice. – Przysunął się kolejny raz na tyle blisko, że czułam ten fantastyczny świeży zapach. – Zaryzykujesz?

Nie wiedziałam, czy blefował, ale dawał mi szansę na rozmowę z mamą i ewentualne upewnienie jej, że nic mi nie jest. Wcisnęłam kilka klawiszy, logując się na swoje konto, niestety, mama była offline.

– Z tego, co wiem, twój mąż, zanim wsadził ich do samolotu, wcisnął im dobrą bajeczkę, dlaczego nie pożegnałaś się z nimi. – Ponownie obrócił komputer i wylogował mnie, po czym go wyłączył. – Nie byłoby mu na rękę, gdyby spanikowana Klara Biel zaangażowała w całą sprawę policję. – Puścił do mnie oczko. – Fajnie się gada, ale muszę iść. Pamiętaj, żeby nie informować zbyt rozlegle mojej siostry o naszym życiu.

– A co ona wie?

– Zasadniczo wszystko prócz ciąży, bo uważam, że tego nie zauważy. – Przewrócił oczami, wstając. – Ale jeśli faktycznie tylko ja jej nie widzę, a ona jednak dostrzeże ten mikroskopijny brzuch, to trzymaj się umówionej wersji. – Wyszedł na taras, za chwilę wracając z deską pod pachą. – Pamiętaj, wpadliśmy i dlatego kiedy się dowiedziałaś, przyjechałaś tu. Cześć.

– A jak wytłumaczysz jej moje zniknięcie, geniuszu, kiedy wyjadę? – zapytałam, mrugając słodko.

Zatrzymał się w pół kroku i włożył na nos tęczowe okulary.

– Powiem, że poroniłaś.

Chwycił torbę, która stała obok ściany, i wyszedł.

Siedziałam na kanapie z brodą opartą o jej zagłówek, zastanawiając się nad irracjonalnością sytuacji. Nacho miał odpowiedź na każde moje pytanie, opracował plan w każdym szczególe. Zastanawiałam się, jak długo przygotowywał całą akcję. Doszłam do wniosku, że zapewne długo, a to dla odmiany przygoniło myśli dotyczące powodu mojej obecności w jego domu. Zsunęłam się i położyłam na plecach, ciężko wzdychając.

Patrząc w sufit, zastanawiałam się, co robi Massimo. Pewnie zabił już połowę ochrony za nieupilnowanie mnie. Jeszcze jakiś czas temu taka myśl przyprawiłaby mnie o zawał, ale teraz nie było już na tym świecie rzeczy, która by mnie zdziwiła, przeraziła albo zaskoczyła. Ile razy jeszcze można mnie porwać i jak wielu przedziwnych ludzi spotkam?

Pogładziłam brzuch, który moim zdaniem był już gigantyczny.

– Luca – wyszeptałam. – Tata niedługo zabierze nas do domu, a tymczasem mamy wakacje.

W tym momencie rozległo się pukanie do drzwi, a później ktoś przekręcił zamek i w progu stanęła Amelia.

– Po co ja pukam, przecież mam klucze. – Uderzyła kilka razy palcem w głowę. – No chodź, gdzie masz torbę?

– Nie mam. – Skrzywiłam się. – Dość... nieoczekiwanie przyleciałam. – Wzruszyłam ramionami.

– Dobra, chodź. – Pociągnęła mnie za rękę. – W samochodzie mam okulary przeciwsłoneczne, a resztę kupimy ci na miejscu.

ROZDZIAŁ 19

Wyszłyśmy z apartamentu i przeszłyśmy do oszklonej windy, która zwiozła nas kilka pięter w dół. Przeszłyśmy przez gigantyczny hol, niemal cały przezroczysty, i mijając recepcjonistę, stanęłyśmy na skraju chodnika. Po chwili młody chłopak podstawił białe BMW M6 pod wejście, wysiadł z niego i zaczekał przy otwartych drzwiach, aż Amelia zajmie miejsce za kierownicą. Bordowa skóra w środku idealnie pasowała do jasnej karoserii, a automatyczna skrzynia znacznie ułatwiała jazdę.

– Nienawidzę tego auta – powiedziała, kiedy ruszyłyśmy. – Jest takie ostentacyjne, choć po Costa Adeje jeżdżą bardziej rzucające się w oczy samochody. – Zaśmiała się, zerkając na mnie. – Na przykład mojego brata.

Costa Adeje, powtórzyłam za nią w myślach, gdzie to, do cholery, jest? Rozglądałam się, kiedy jechałyśmy wzdłuż malowniczej promenady. Amelia opowiadała mi o rodzinie i o tym, jak straciła matkę w wypadku samochodowym. Dowiedziałam się, że ma dwadzieścia pięć lat, a Marcelo jest od niej dziesięć lat starszy. Z jej wypowiedzi wywnioskowałam, że tylko częściowo zna specyfikę działalności swojego ojca, a o tym, co robi jej brat, nie ma pojęcia.

Była bardzo otwartą osobą, poza tym sądziła chyba, że jestem miłością życia Nacha, co sprawiało, że chciała jak najszybciej przybliżyć mi rodzinę. Aż przebierała nogami, kiedy mówiła o powrocie ojca z kontynentu i spędzeniu sylwestra w gronie rodziny i przyjaciół. To mi uświadomiło, że skoro ona wie, kiedy zleceniodawca mojego porwania wraca, to jej brat mnie okłamał. Przytakiwałam, nie przerywając jej, co jakiś czas jedynie wtrącając pytanie, bo miałam nadzieję, że dowiem się kolejnych ciekawostek.

– Jesteśmy – powiedziała, parkując pod jednym z hoteli. – Mam tu apartament na czas, kiedy Flavio wyjeżdża. – Popatrzyłam na nią pytająco. – Mój mąż pojechał z ojcem, ja lubię być blisko Marcela, a tu jestem najbliżej. – Ruszyła do wejścia. – Na plaży surferów są raczej spartańskie warunki, tak że kazałam zanieść tam dwa leżaki i jeszcze kilka rzeczy. – Wzruszyła ramionami. – Co prawda będziemy wyglądać jak turystki albo groupies, ale co mnie to obchodzi, kręgosłup zaraz mi pęknie, nie zamierzam siedzieć na ziemi.

Przeszedłszy przez cały hotel, znalazłyśmy się w ogrodzie, a później na deptaku i w końcu na plaży. To nieprawdopodobne, ale cały ocean wzdłuż brzegu spokojnie falował, natomiast na kilkusetmetrowym odcinku plaży fale osiągały niebotyczne wysokości. Kilkadziesiąt osób wystawało z wody jak boje, siedząc na deskach w oczekiwaniu na

469

idealną falę, która da radę ich ponieść. W tym widoku było coś magicznego: z jednej strony słońce, z drugiej ośnieżony szczyt wulkanu Teide górującego nad wyspą. Ludzie skupieni w małych grupkach siedzieli na plaży, pili wino, śmiali się i palili trawę, sądząc po zapachu potu grubej baby, z którym kojarzył mi się swąd konopi.

Nie było trudne do przewidzenia, gdzie zasiądziemy. Dwa ogromne, miękkie leżaki ustawione były, dzięki Bogu, lekko z boku. Obok stał gigantyczny zamknięty parasol, stolik, koszyk z jedzeniem, koc i jak sądzę kelner, który także pełnił funkcję ochroniarza – albo odwrotnie. Miał chociaż na tyle przyzwoitości, by zająć miejsce na niewielkim rozkładanym fotelu, który stał metr za całą konstrukcją. Nie ubrał się tak oficjalnie jak nasi na Sycylii, miał na sobie jasne lniane spodnie i rozpiętą koszulę. Kiedy podeszłyśmy, pomachał do nas i nadal, jak przypuszczam, patrzył na ocean. Trudno było stwierdzić, bo zza ciemnych okularów nie widziałam jego oczu.

– Jak dobrze – westchnęła Amelia, rozbierając się i kładąc w kostiumie na leżak.

– Opalasz się w ciąży? – Zaskoczona ściągałam szorty.

– Oczywiście, zasłaniam tylko brzuch. – Zarzuciła chustę i popatrzyła na mnie spod okularów. – Ciąża to nie choroba, poza tym najwyżej dostanę plam hormonalnych. – Po co ci ta opaska? – zapytała, wskazując na moją kostkę, gdzie widniało coś na kształt czarnej szerokiej gumki.

– Długa historia i nudna. – Machnęłam ręką i ściągnęłam cały strój, kładąc się na miękkiej poduszce obok niej. Zerknęłam w prawo i uświadomiłam sobie, że gapi się na mnie z otwartymi ustami. Kurwa mać – zauważyła.

– Jesteś w ciąży? – Milczałam. – To dziecko Marcela?

Wsadziłam palec do ust i zaczęłam gryźć paznokcie.

– Dlatego tu jestem – jęknęłam i zamknęłam oczy, dziękując Bogu za ciemne okulary na nosie. – Wpadliśmy, kiedy był w Polsce, dowiedziałam się, że jestem w ciąży, i kiedy powiedziałam mu o tym, porwał mnie, by zająć się nami.

Kiedy skończyłam mówić, do gardła napłynęła mi żółć i miałam wrażenie, że za chwilę zwymiotuję. Sięgnęłam po butelkę z wodą, by zapić to uczucie.

Amelia siedziała z otwartymi ustami, które po chwili przeobraziły się w cudowny uśmiech.

– Jakie to wspaniałe! – krzyknęła, podskakując. – Dzieci będą w tym samym wieku, który to miesiąc, czwarty? – Pokiwałam głową, nie do końca jej słuchając. – To zachowanie bardzo w stylu Marcela, zawsze był odpowiedzialny i troskliwy. – Pokiwała głową. – Kiedy byliśmy dziećmi, zawsze...

W tym momencie w głowie słyszałam już tylko szum oceanu, patrzyłam na niego tępo i czułam, jak do oczu napływają mi łzy. Tęskniłam za Czarnym, chciałam, żeby mnie przytulił, przeleciał, a później już nigdy nie wypuszczał z ramion. Tylko przy nim czułam się bezpieczna i tylko z nim chciałam dzielić radość z ciąży. Udawanie kobiety innego mężczyzny nie podobało mi się i z każdą sekundą wkurwiało coraz bardziej. A jeszcze bardziej irytował mnie fakt, że okłamuję kogoś tak słodkiego jak Amelia po to tylko, by kolejne sekrety nie wyszły na jaw.

– Jest i Marcelo! – wykrzyknęła, wskazując na coś palcem. Podążyłam za nim i zobaczyłam mężczyznę wstającego na desce. – Ten w okropnych seledynowych getrach. – Wzdrygnęła się.

Faktycznie były fatalne, ale wyróżniały się na tle pozostałych w wodzie. Większość z nich ubrana była w szare pianki z długim rękawem i pod samą szyję, on natomiast miał nagą kolorową klatkę i rażące spodnie, które pozwalały go dostrzec. Przecinał fale i wyglądał, jakby opierał się o nią jedną z dłoni, utrzymując równowagę. Jego zgięte kolana były niczym sprężyny; doskonale balansował ciałem, nie zważając na to, że fala za nim zaczyna się łamać i zamykać.

Niemal wszyscy pozostali patrzyli z podziwem i wiwatowali, kiedy na koniec wyskoczył w górę, łapiąc deskę jedną ręką.

– Też tak chcę – wyszeptałam, oszołomiona i zachwycona jednocześnie.

– Dziś fale są za duże i nie sądzę, by Marcelo pozwolił ci na naukę w ciąży, ale zawsze możesz popływać na desce z wiosłem. Nawet ja to czasem robię, mimo że niezbyt przepadam za słoną wodą.

Obróciłam się w stronę oceanu i zobaczyłam, jak kolorowy łysy mężczyzna idzie w naszą stronę, trzymając deskę pod pachą. Wyglądał nieziemsko w opiętych spodniach i z mokrymi od wody tatuażami. Gdyby nie fakt, że był porywaczem, mordercą, a ja miałam męża i byłam w ciąży, spokojnie zakochałabym się w nim właśnie w tej sekundzie.

– Cześć, dziewczyny! – Rzucił deskę i podszedł do mnie. Dobrze wiedziałam, co zamierza zrobić, dlatego w porę otrząsnęłam się z amoku i obróciłam twarz, a jego usta trafiły w mój policzek. Uśmiechnął się cwaniacko i zastygł przy moim uchu. – Jeden, jeden – wyszeptał, a później podszedł do siostry.

– Gratuluję, tato! – Uścisnęła go, a kiedy popatrzył na mnie, wzruszyłam przepraszająco ramionami.

– Mówiłam, że widać, to mi nie wierzyłeś – westchnęłam i wzięłam kolejny łyk wody.

– Tak strasznie się cieszę, będziemy mieli dzieci w tym samym wieku – trajkotała jak najęta, co chwilę go całując. – Powinniśmy zrobić przyjęcie, kiedy ojciec wróci, albo lepiej ogłosić to w sylwestra. – Aż zerwała się z leżaka.

– Wszystkim się zajmę, mamy mało czasu, ale powinniśmy zdążyć. Tak strasznie się cieszę. – Wyciągnęła z torby telefon i odeszła kilka kroków, pogrążając się w rozmowie.

– Kto jej powie, ja czy ty? – Obróciłam się na bok i zdjęłam okulary. – Albo wiesz co, to twój problem, więc sam się z tym zmierz. – Posłałam mu nienawistne spojrzenie. – Jak możesz tak krzywdzić siostrę? – Spojrzał na mnie pytająco. – Tak, krzywdzić. Czy ty wiesz, co ona przeżyje, kiedy ja... poronię? A później zniknę? Już teraz traktuje mnie jak członka rodziny, jesteś bez serca. – Obróciłam się na plecy, wystawiając twarz do słońca.

– Zabijam ludzi dla pieniędzy – usłyszałam cichy spokojny głos zaraz obok mojego ucha. – Nie ma we mnie czegoś takiego jak serce, Lauro. – Obróciłam głowę i zobaczyłam spojrzenie, którego jeszcze nie widziałam w jego wykonaniu. Teraz mężczyzna klęczący na piasku idealnie pasował do opisu Massima. Był zimnym, zawziętym i pozbawionym sumienia człowiekiem. – Poopalaj się jeszcze dwie godziny, ja popływam, a później wrócimy do domu i więcej się nie spotkasz z Amelią.

Wziął pod pachę deskę i poszedł w stronę wody.

Kiedy Amelia wróciła, dla jej dobra zasugerowałam, by odłożyła jeszcze plany imprezy z okazji poczęcia. Wytłumaczyłam, że mam chore serce, a ciąża jest zagrożona i w każdej chwili mogę stracić dziecko. Przejęła się tym bardzo, ale zrozumiała, dlaczego nie chcę obwieszczać tego całemu światu. Nie wyręczałam Łysego, chciałam jedynie oszczędzić zawodu jego siostrze, która wydawała mi się szczera i kochana.

Nacho faktycznie pływał jeszcze dobre dwie godziny, a kiedy słońce zaczęło zachodzić, rzucił deskę na piasek obok nas i wytarł ciało ręcznikiem.

– Zjemy razem kolację? – zapytała Amelia, patrząc na brata.

– Jesteśmy umówieni – rzucił krótko.

Ubierałam się, a ona siedziała na leżaku owinięta cienkim kocykiem i patrzyła na niego rozczarowana. Czułam się odpowiedzialna za jej niezadowolenie, podczas gdy to Łysy powinien odczuwać dyskomfort w związku z sytuacją. Ignorując dąsy siostry, wyciągnął bluzę z torby, i rzucił ją w moją stronę.

– Załóż, w samochodzie może być ci chłodno.

Pożegnaliśmy się z Amelią i po odprowadzeniu jej do apartamentu zeszliśmy na parking przy plaży. Nacho zapakował deskę do samochodu jednego z kolegów i chwycił mnie za nadgarstek, ciągnąc po deptaku.

– Nie zabierasz jej do domu?

– Mam wybór albo zabiorę ciebie, albo deskę. Zapraszam – powiedział, otwierając mi drzwi do samochodu.

– Co to jest? – Gapiłam się na najbardziej niezwykłe auto, jakie widziałam w życiu.

– Corvette stingray z sześćdziesiątego dziewiątego roku, zapraszam. – Jego lekko zirytowany ton skłonił mnie, bym wsiadła do czarnego cacka. Było błyszczące, wyjątkowe i miało opony z białymi napisami. Faktycznie, Amelia miała rację, twierdząc, że jej brat ma bardziej ostentacyjny samochód niż ona. Odpalił silnik, a wibrujący dźwięk ryknął tak głośno, że poczułam, jak drży mi mostek. Na mojej twarzy pojawił się niekontrolowany uśmiech, który nie umknął uwadze Łysego.

– Co? Sycylijczyk pewnie jeździ pedalskim ferrari? – Uniósł z rozbawieniem brwi i wcisnął gaz.

Słychać było bulgoczący dźwięk, kiedy mknęliśmy wąskimi uliczkami wzdłuż promenady. Na dworze zapadał zmrok, a ja byłabym niemal szczęśliwa, gdyby nie fakt, że byłam nie w tym kraju, co trzeba, z nie tym mężczyzną, z którym bym chciała.

Popatrzyłam w lewo na Nacha, którego głowa kiwała się w rytm *I want to live in Ibiza* Diego Mirandy. Kawałek gładko płynął, a on wystukiwał rytm na kierownicy, podśpiewując sobie. Oto mój oprawca, porywacz i morderca wczuwał się w delikatny housowy kawałek, który pasował do niego jak do mnie walenie młotkiem. Niesamowite było to, jak bardzo się go nie bałam. Nawet wtedy, kiedy próbował być niemiły czy wręcz straszny, cała moja podświadomość śmiała się z niego.

Wszedł do domu i rzucił torbę na podłogę przy wejściu, po czym wyciągnął z niej ręcznik i wyszedł na taras. Nie za bardzo wiedziałam, co ze sobą zrobić, więc siadłam przy blacie, skubiąc winogrona z miski. Amelia miała tak ogromny apetyt, że nasz lunch trwał tak długo jak pływanie Nacha, więc nie byłam w stanie zmieścić nic więcej.

– Okłamałeś mnie, po co? – powiedziałam, kiedy przypomniałam sobie, o czym doniosła mi jego siostra w aucie.

Oparł się o blat naprzeciwko, niemal kładąc na nim, i z uśmiechem wpatrywał we mnie.

– O które kłamstwo chodzi?

– A to jest ich aż tyle? – wrzuciłam do naczynia niedojedzone owoce.

– Sporo, zważywszy na fakt, czym się zajmuję, i okoliczności, w jakich się tu znalazłaś.

– Amelia powiedziała mi, kiedy wraca twój ojciec. Dziwne, że ty nie masz pojęcia, podobno pracujesz dla niego?! – Podniosłam głos, a on uśmiechnął się szerzej. – Po co mnie zwodzisz, Marcelo?

– Jakoś nie lubię, kiedy tak do mnie mówisz, wolę Nacho. – Odwrócił się do lodówki i otworzył ją. – Tak za dwa dni będziesz wolna. – Zerknął na mnie. – Prawdopodobnie.

– Prawdopodobnie?

– No wiesz, zawsze może wybuchnąć wulkan i twój sycylijski książę nie przyleci tu. – Postawił na blacie butelkę piwa. – Albo zabiję go i zostaniesz ze mną na zawsze. – Upił łyk i zamilkł, lekko mrużąc oczy.

Kompletnie zmieszana spoglądałam na niego, kiedy co jakiś czas popijał płyn, wpatrując się we mnie badawczo.

– Dobranoc – powiedziałam, odsuwając krzesło i idąc w stronę schodów.

– Nie powiedziałaś, że nie chcesz! – krzyknął, a ja nie zareagowałam. – Dobranoc!

Zamknęłam drzwi sypialni i oparłam się o nie, jakbym ciałem chciała zablokować możliwość wejścia do pokoju. Czułam, jak wali mi serce, a ręce mrowią w dziwny sposób. Co się ze mną dzieje?, schowałam twarz w dłonie i zamknęłam oczy, usiłując się uspokoić. Chciałam się rozpłakać, ale mój organizm zdecydowanie nie miał na to ochoty. Po kilku minutach odwróciłam się i poszłam pod prysznic. Najpierw oblewałam się zimną wodą, a kiedy dziwne odczucia ustały, umyłam się i nabalsamowałam. Pospiesznie uciekłam z łazienki, nie chcąc spotkać się w niej z Nachem, i wsunęłam pod kołdrę, przytulając do poduszki. Długo leżałam w ciemnościach, myśląc o mężu i wspominając wszystkie ukochane chwile z nim. Chciałam, żeby mi się przyśnił, a najlepiej, żebym otworzyła oczy i zobaczyła go.

Kroki. Obudziły mnie kroki, a raczej delikatne trzaśnięcie podłogi pod wpływem ruchu. Bałam się otworzyć oczy, choć podświadomie czułam, że to Nacho skrada się do mojego łóżka. Przed snem opuściłam rolety, dlatego w pokoju panowała zupełna ciemność. Deski delikatnie trzasnęły kolejny raz, a ja zamarłam, czekając na to, co zrobi. Po jego wieczornym wyznaniu, że zabije Massima, bym z nim została, mogłam spodziewać się, czego ode mnie chce. Na wpół obudzona usiłowałam wymyślić, co zrobię, jeśli moje obawy potwierdzą się, a on za chwilę wsunie rękę w moje majtki. Wszystkie mięśnie w moim ciele spięły się, kiedy w głuchej ciszy nocy usłyszałam jego płytki oddech. Stał blisko. Znieruchomiał, jakby czekał na coś, i wtedy usłyszałam odgłosy szamotaniny.

Przerażona, zerwałam się z łóżka, odsuwając od źródła dźwięku, i sięgnęłam ręką do nocnej lampki po drugiej stronie. Pstrykałam przełącznikiem, ale nie działał. Serce waliło mi w rytmie pędzącego konia, kiedy zsunęłam się z łóżka i na kolanach przepełzłam, aż dotknęłam ściany. Odgłosy walki nie ustawały, a ja miałam wrażenie, że za chwilę umrę. Wymacałam ręką przesuwne drzwi szafy i wczołgałam do niej, po czym usiadłam pod wieszakami na samym końcu i podciągnęłam nogi do piersi. Bałam się, a najgorsze było to, że nie miałam pojęcia, co się dzieje. Oparłam czoło o kolana i rytmicznie kiwałam się w przód i w tył. Nagle nastała cisza, a potem zobaczyłam blade światło niewielkiej latarki; zrobiło mi się niedobrze.

– Lauro! – Krzyk Nacha niemal doprowadził mnie do łez. – Lauro!

Chciałam odpowiedzieć, ale mimo usilnych prób z mojego gardła nie wydobywał się żaden dźwięk. Wtedy drzwi przesunęły się, a smukłe ramiona porwały mnie w górę. Wtuliłam się w jego szyję, zaciągając świeżym zapachem, a moje ciało zaczęło drżeć.

– Tabletki na serce, potrzebujesz? – zapytał, sadzając mnie na łóżku.

Pokręciłam przecząco głową i spojrzałam na pokój oświetlony bladym światłem latarki. Był zdemolowany: zrzucona, potłuczona lampa, porozrzucane świece, podarty dywan, zerwane zasłony i... – spojrzałam na podłogę przy wyjściu na balkon – ...trup. W głowie zaczęło mi dudnić, a do gardła podeszła cała zawartość żołądka. Obróciłam głowę i zaczęłam wymiotować; było mi słabo, niedobrze, miałam uczucie, że umieram. Po chwili konwulsje ustały, a ja niemal martwa opadłam na poduszkę.

Nacho chwycił koc i kiedy owinął moje na wpółprzytomne ciało, złapał za nadgarstek, badając tętno. Później podłożył pode mnie obie dłonie i zniósł na dół, gdzie po przełączeniu kilku guzików znowu rozbłysło światło.

– Już dobrze. – Jego ramiona ponownie otuliły mnie, dając pozory bezpieczeństwa.

– On... nie żyje – wydukałam, szlochając.

– Nie... żyje.

Jego dłonie gładziły mnie po włosach, a usta całowały głowę, kiedy ze mną na kolanach kiwał się delikatnie.

– Chciał cię zabić – wyszeptał. – Nie wiem, czy nie ma ich więcej, wyłączyli alarm, muszę cię stąd wywieźć. – Podniósł się i posadził mnie na blacie. – Pojedziesz do Amelii, powiesz jej, że się pokłóciliśmy, a ja przyjadę po ciebie, kiedy dowiem się, co jest grane. Ochrona ojca pilnuje jej całą dobę, poza tym tam nikt nie będzie szukał. Hej! – Chwycił moją twarz w dłonie, kiedy nie reagowałam. – Mówiłem ci, że jestem od tego, żeby nic ci się nie stało. Zaraz wrócę.

Chciałam go zatrzymać, ale nie miałam siły wydusić z siebie prośby, by został. Wydawało mi się, że wciąż śpię, a wszystko, co się stało, jest tylko złym snem, który zaraz się skończy. Obróciłam się i położyłam na boku, przytulając twarz do zimnego blatu. Po moich policzkach płynęły oczyszczające myśli łzy, a oddech stawał się coraz bardziej miarowy.

Po paru minutach Nacho wrócił ubrany w ciemny dres, a nim zapiął bluzę, dostrzegłam pod nią szelki i dwa pistolety. Leżałam jak martwa, poruszając jedynie oczami, kiedy on, sfrustrowany, usiłował wydusić ze mnie choć słowo.

– Lauro, jesteś w szoku, ale to minie. – Z jego gardła wydobył się krzyk bezradności. – W takim stanie nie dotrzesz do mojej siostry. Chodź! – Ponownie chwycił mnie na ręce i zawiniętą w koc wyniósł z apartamentu, po czym zatrzasnął za nami drzwi.

Kiedy zjeżdżaliśmy do garażu, postawił mnie i oparł o ścianę, a sam rozpiął bluzę i odbezpieczył broń. Po upewnieniu się, że droga jest bezpieczna, znów wziął mnie w ramiona i ułożywszy na siedzeniu, zapiął pas. Silnik ryknął, a auto wyrwało do przodu.

Nie wiem, jak długo jechaliśmy, słyszałam, że Łysy kilka razy rozmawiał przez telefon, ale hiszpański był mi tak samo obcy jak włoski, więc nie miałam pojęcia, czego dotyczyła rozmowa. Co kilka minut sprawdzał mi tętno i odgarniał włosy z twarzy, by popatrzeć, czy żyję. Bo zdecydowanie musiałam wyglądać jak nieboszczka, nie mrugając oczami i tępo patrząc na kierownicę.

– Chodź do mnie. – Dźwignął mnie z fotela pasażera i zaczął iść.

Widziałam najpierw tylko piasek, później ocean, a kiedy skręcił – niewielki dom stojący niemal na plaży. Wszedł po trzech stopniach i po chwili znaleźliśmy się w środku; zamknęłam oczy. Poczułam, jak kładzie mnie na miękkim materacu, i za chwilę jego ramię obejmuje mnie. Zasnęłam.

– Kochaj się ze mną. – Dźwięk jego szeptu był jak zaproszenie. – Kochaj się ze mną, Lauro.

Kolorowe ręce błądziły po moim nagim ciele, kiedy do pokoju wpadały pierwsze promienie słońca. Przez uchylone powieki ledwo widziałam smukłe palce, które mocno zacisnęły się na moich piersiach. Jęknęłam i szeroko rozłożyłam nogi, kiedy wślizgnął się pomiędzy nie. Nasze usta pierwszy raz się spotkały, a jego delikatne i jędrne wargi niespiesznie głaskały moje. Nie używał języka, obejmował moje swoimi, powoli delektując się ich smakiem. Byłam zniecierpliwiona tą powolną torturą, a jednocześnie budził tym we mnie podniecenie, które świdrowało w podbrzuszu, coraz wyraźniej dając mi sygnał, że już czas rozładować to napięcie. Jego biodra ocierały się o moje udo, a ja czułam, jak twardy i gotowy jest jego członek. Palce splotły się z moimi i zacisnęły, kiedy wsunęłam język do jego ust, odpowiedział natychmiast, nacierając na mnie. Był subtelny, robił to rytmicznie i z uczuciem. Wtedy lekko uniosłam biodra, a on nie czekając na kolejne zaproszenie, wszedł w mój gotowy mokry środek. Krzyknęłam głośno, stłumiona pocałunkiem, a jego ciało napięło się nade mną. Twarz Nacha przesunęła się na szyję, którą kąsał, lizał i delikatnie całował, leniwie wchodząc i wychodząc ze mnie...

– Albo śni ci się koszmar, albo właśnie uprawiasz seks – usłyszałam w głowie jego cichy pomruk i otworzyłam oczy.

Leżał obok mnie lekko zaspany i uśmiechał się promiennie. Po chwili zamknął oczy i przekręcił się lekko, zdejmując rękę, którą tulił mnie do siebie.

– A więc seks czy koszmar? – Milczałam. – Po krzyku wnioskuję, że seks. – Otworzył jedno oko, patrząc na mnie. – Ze mną czy z Massimem?

– Jego zielone spojrzenie uważnie badało moją reakcję na jego słowa.

– Z tobą – odpowiedziałam bezmyślnie, czym totalnie go zaskoczyłam.

– Byłem dobry? – zapytał z bezczelnym wyrazem twarzy.

– Delikatny – westchnęłam, przekręcając się na plecy. – Bardzo delikatny. – Przeciągnęłam się.

Zapadła cisza, a ja ponownie zamknęłam oczy, usiłując obudzić się w spokoju. Po chwili seksowny obraz odchodzącego snu zastąpiły wydarzenia minionej nocy. Poczułam, jakby ktoś z całej siły walnął mnie w przeponę, a oddech uwiązł mi w gardle na myśl o martwym człowieku w mojej sypialni. Przełknęłam ślinę i kiedy otworzyłam oczy, zobaczyłam wiszącego nade mną Nacha.

– Wszystko okej? – zapytał, ponownie łapiąc mój nadgarstek.

– Skąd wiesz, że ten facet chciał mnie zabić? – Lekko otępiała patrzyłam na niego, kiedy liczył kolejne sekundy.

– Może stąd, że gdy zacząłem go dusić, stał przy twoim łóżku ze strzykawką płynu, który spowodowałby u ciebie rozległy zawał. Podejrzewam, że chcieli upozorować naturalny zgon. – Puścił rękę i odgarnął mi włosy ze spoconego czoła. – Znasz tego człowieka?

– Jakim cudem widziałeś coś w takich ciemnościach i skąd wziąłeś się w pokoju? – zapytałam, kiedy dotarło do mnie, co powiedział.

– Ten debil najpierw wszedł do mnie... Co za amatorka... – Pokręcił głową. – Więc kiedy wyszedł, a ja nadal oddychałem, wiedziałem, że chodzi o ciebie. Nałożyłem noktowizor i poszedłem za nim. – Usiadł na łóżku. – Wiesz, kto to był?

– Nie pamiętam, jak wyglądał – odparłam.

Sięgnął po telefon i wyświetlił mi zdjęcie trupa, zrobiło mi się słabo.

– To Rocco – wydusiłam, zakrywając usta dłońmi. – Ochroniarz Massima. – Do oczu napłynęły mi łzy. – Mój mąż usiłuje mnie zabić? – Sama nie wierzyłam w to, co mówię.

– Bardzo bym chciał, żeby tak było, ale nie sądzę.

Podniósł się i przeciągnął.

– Ktoś go przekupił i myślę, że jeszcze dziś dowiem się kto. – Stanął przy oknie, po czym popchnął szybę i otworzył je, a do pomieszczenia wpadło świeże oceaniczne powietrze. – Gdybyś umarła, oznaczałoby to wojnę, a więc równie dobrze to wrogowie mojego ojca mogli być zleceniodawcami Rocca.

Zerwałam się z łóżka i stanęłam naprzeciw niego, paląc się od środka niemal namacalnym gniewem.

– Podobno bez zgody twojej rodziny nikt nie może pojawić się na wyspie – wrzasnęłam. – Podobno o wszystkim wiecie. – Moje dłonie zacisnęły się w pięści. – Chuja wiecie – warknęłam i obróciwszy się, przeszłam przez drzwi, a później przez kolejne, by po chwili znaleźć się na plaży.

Usiadłam na schodach werandy, a łzy zalały mi oczy; ryczałam. Nie był to płacz, lecz czysta rozpacz, która przypominała bardziej wycie dzikiego zwierzęcia niż dźwięki, jakie wydają ludzie. Waliłam rękami o drewniane schody tak długo, aż poczułam w nich ból. Wtedy Nacho minął mnie bez słowa ubrany w piankę zapinaną na plecach i trzymając deskę pod pachą, poszedł w stronę wody. Patrzyłam, jak odchodzi, by po chwili rzucić ją na wodę i zniknąć za kolejną falą. Był bezczelny, a kiedy rozmowa nie szła po jego myśli albo słyszał coś, co mu się nie podobało, uciekał. A może było coś, czego nie chciał mi powiedzieć?

Wróciłam do środka i zrobiłam sobie herbatę, usiadłam przy stole i zaczęłam rozglądać się po pomieszczeniu. Była to jedna otwarta przestrzeń z niewielką kuchnią, salonem, w którym stał wielki kominek, a nad nim wisiał telewizor, i jadalnią. Całość była bardzo minimalistyczna, ale dominujące tu kolory ziemi dawały wrażenie domowego ciepła. Przy drzwiach oparta o ścianę stała deska, w rogu obok jadalni kolejna. Popatrzyłam dookoła i odkryłam, że jest ich jeszcze kilka. Wisiały na wieszakach albo stały w stojaku. Z niektórych, chyba starych, zrobione były meble: ławeczka, stolik, półka. Kolorowe dywany na drewnianej posadzce ożywiały pomieszczenie, a ogromne miękkie kanapy zachęcały do odpoczynku. Z trzech stron okna domu wychodziły na ocean. Cały dom okalał biegnący wokół niego taras.

Otworzyłam lodówkę i z zaskoczeniem odkryłam, że jest pełna jedzenia. Nie było możliwe, żeby planował przyjazd tu... A może jednak? Wyjęłam zapakowane próżniowo wędliny, sery, jajka i kilka innych rzeczy, zabierając się do przygotowania śniadania. Kiedy skończyłam i ustawiłam wszystko na stole, poszukałam łazienki. Była obok drzwi do sypialni, w której spędziliśmy noc. Wzięłam prysznic i zawinięta w ręcznik poszłam do szafy, którą widziałam obok łóżka. Otworzyłam ją i odkryłam niezwykły porządek. Wyciągnęłam jeden z kolorowych T-shirtów Nacha i włożyłam na siebie, po czym wróciłam do łazienki. Stanęłam przy umywalce i wzięłam szczoteczkę do zębów, która na niej stała. Później przekopałam wszystkie szafki w poszukiwaniu drugiej, ale po kilku minutach uznałam się za pokonaną.

– Jest tylko jedna. – Obróciłam się i zobaczyłam ociekającego wodą Nacha, który stał w progu tylko w bokserkach. Na moje nieszczęście były białe i mokre, a co za tym szło, zupełnie przezroczyste. Podszedł do mnie, kiedy obróciłam się w stronę umywalki, i stanął za mną.

– Będziemy musieli wymienić płyny ustrojowe. – Odbicie wesołych zielonych oczu w lustrze odciągało moją uwagę od krocza.

Odkręciłam wodę, nałożyłam pastę na kolorowe włosie i włożyłam je do ust. Po czym pochyliłam głowę i nie patrząc na jego odbicie, zaczęłam szorować zęby.

– Jak małżeństwo – usłyszałam rozbawiony głos i gdy podniosłam wzrok, by zorientować się, o co mu chodzi, zobaczyłam, jak Łysy zupełnie nagi wchodzi pod prysznic.

Szczoteczka wypadła mi z ust i uderzyła o kamienną powierzchnię, a spływająca z ust pasta wyglądała jak piana toczona z pyska wściekłego zwierzęcia. Najszybciej, jak to było możliwe, wbiłam wzrok w czarny granit umywalki i wypłukałam usta. Pochylona rozważałam swoje położenie i możliwości jak najszybszego wydostania się z tej sytuacji. Obmyłam szczoteczkę i odstawiam ją do kubka, w którym stała, po czym odwracając głowę od prysznica, poszłam w kierunku drzwi. Już łapałam za klamkę, kiedy dźwięk wody umilkł.

– Wiesz, dlaczego tak uciekasz ode mnie? – zapytał, a ja usłyszałam dźwięk jego mokrych stóp na posadzce. – Bo się boisz. – Parsknęłam i obróciłam się do niego. Stał tuż obok.

– Ciebie?! – Z drwiącym uśmiechem patrzyłam mu prosto w oczy, kiedy owijał biodra ręcznikiem. W myślach odetchnęłam z ulgą: dzięki Ci Boże, że okrył go.

– Siebie. – Jego brwi uniosły się, a on sam lekko pochylił w moją stronę. – Przestałaś sobie ufać i wolisz zapobiegać, niż zrobić coś, na co masz coraz większą ochotę.

Zrobiłam krok w tył, ale on zrobił jeden w przód, kolejny raz cofnęłam się, ale podążał za mną. Z każdym centymetrem wpadałam w coraz większą panikę, bo wiedziałam, że za chwilę na plecach poczuję drzwi. Uderzyłam plecami w drewno, oto i one; byłam w potrzasku. Staliśmy tak w ciszy, otoczeni jedynie coraz szybszymi oddechami.

– Jestem w ciąży – wyszeptałam bez sensu, a on wzruszył ramionami, jakby chciał mi dać znak, że zupełnie go to nie obchodzi.

Dłonie Nacha oparły się po obydwu stronach mojej głowy, a jego twarz znalazła niebezpiecznie blisko mojej. Zielone wesołe oczy przeszywały mnie na wylot, sprawiając, że zaczynałam drżeć.

Wtedy nadszedł nieoczekiwany ratunek – dźwięk jego dzwoniącej rytmicznie komórki rozrzedził gęstniejącą od hormonów atmosferę. Przesunęłam się odrobinę, umożliwiając mu otwarcie drzwi i przejście do pomieszczenia. Odebrał, wyszedłszy na dwór, i opadł na miękki fotel obok wejścia.

– Jutro – warknął beznamiętnie, siadając obok mnie przy stole. – Jutro przylecą Sycylijczycy... Podaj mi, proszę, jogurt. – Jego dłoń zawisła na wysokości mojej twarzy, kiedy czekał, aż wykonam prośbę. – Dzięki. – Uniósł się lekko i chwycił miskę z białą mazią.

Siedziałam sztywno jak rażona piorunem, a w głowie z radości aż kręciłam bączki. Jutro zobaczę Czarnego, już jutro przytuli mnie i zabierze stąd. Nie wytrzymałam, zerwałam się z miejsca i po krótkim uściskaniu Nacha, podskakując, zaczęłam biegać jak wariatka. Hiszpan pokręcił tylko głową i nadal nakładał jogurt na płatki. Otworzyłam drzwi, a potem wybiegłam na miękki, jeszcze chłodny piasek. Skakałam po nim chwilę, na koniec padłam na plecy, gapiąc się w błękitne bezchmurne niebo.

Przyleci po mnie, dogada się z nimi i wszystko będzie jak dawniej. Ale czy na pewno? Usiadłam i zerknęłam w stronę domu, gdzie oparty o futrynę, z miską płatków w ręce stał Nacho ubrany tylko w surferskie kolorowe szorty. Jego wytatuowane ciało było rozluźnione, a on spokojnie przeżuwał każdy kęs, nie spuszczając ze mnie wzroku. Czy po spotkaniu tego dzieciaka uwięzionego w ciele mężczyzny będę umiała tak po prostu wrócić?

Gapiliśmy się na siebie, z niewiadomych przyczyn nie mogąc oderwać od siebie oczu. Wtedy w dole brzucha poczułam jakby bulgotanie i kotłowanie. Chwyciłam go obiema dłońmi i zaczęłam głaskać, uciszając dźwięki. Nie był to pierwszy raz, kiedy mój syn upominał mnie, przypominając o swoim istnieniu. Wstałam, otrzepałam ciało z piasku i ruszyłam w stronę werandy.

– Może popływamy? – Nacho uśmiechnął się promiennie, odstawiając miskę. – Nauczę cię pływać na desce z wiosłem, Amelia wspominała mi, że chciałaś. – Chwycił mnie za barki i lekko je przycisnął. – Nie martw się, nic wam nie grozi.

Pierwszy raz potraktował mnie w liczbie mnogiej. Patrzyłam na niego, a on wolno kiwał głową.

– Nie mam kostiumu. – Wzruszyłam przepraszająco ramionami.

– No tu akurat to żaden problem, w promieniu kilkudziesięciu kilometrów nie ma żywego ducha.

Popukałam się w głowę i pokręciłam nią z dezaprobatą.

– Można pływać w ubraniu albo samej piance, znajdę ci jakąś małą. – Wszedł do domu. – Poza tym i tak już widziałem cię nagą! – krzyknął, znikając za rogiem.

Utkwiłam wzrok w miejscu, w którym się rozpłynął, i przerażona, tasowałam w głowie momenty, w których mogło to nastąpić. Weszłam do kuchni, masując skronie, i zastanawiałam się, przygryzając nerwowo dolną wargę.

– Pierwszej nocy – odpowiedział, jakby czytał mi w myślach. – No, nie spodziewałem się, że nie będziesz mieć pod suknią bielizny. – Powiesił piankę na krześle obok mnie. – Masz słodką cipkę – szepnął z uśmiechem, pochylając się nade mną i odchodząc w stronę zlewu.

– To nie jest śmieszne. – Zerwałam się z wrzaskiem i wycelowałam w niego wskazujący palec. – Ten żart zupełnie mnie nie bawi, Marcelo.

491

Położył naczynia na szafce i obrócił się ku mnie, zaplatając ręce na klatce.

– A kto powiedział, że to żart? – Zmrużył powieki i po kilku sekundach wyczekiwania, jak puma, jednym skokiem skrócił dystans, stając obok mnie i obejmując ciasno ramionami. – Nie mogłem sobie odmówić, kiedy byłaś nieprzytomna. – Jego zielone oczy przesuwały się po mojej twarzy od ust do oczu. – Byłaś taka mokra. – Dolną wargą szturchnął mój nos. – Dochodziłaś głośno i długo, mimo że bardzo mocno spałaś po środkach, które ci podałem. Pieprzyłem cię pół nocy... Jesteś taka ciasna... – Przesunął nas, opierając moje plecy o lodówkę. – Wkładałem ci go powoli i delikatnie, dlatego we śnie wiedziałaś, jaki jestem. – Jego krocze zaczęło rytmicznie ocierać o mój bok.

Słuchałam tego, co mówił, i czułam, jak rośnie we mnie eksplozja przerażenia. Otępiała znaczeniem jego słów stałam jak słup wkopany w ziemię, który nie ma szans na ruch. Do oczu napłynęły mi łzy na myśl o tym, że zdradziłam męża. Nie zrobiłam tego świadomie, ale liczył się fakt, nie byłam już czysta. A dodatkowo jego syn został skalany. Przecież on tego nie przeżyje.

Przelewały się przeze mnie kolejne fale strachu, aż w pewnej chwili poczułam, że robi mi się słabo. Nacho zobaczył tę rozpacz i puścił mnie, nieco się cofając.

– Dobrym jestem kłamcą, co? – Wyszczerzył zęby, a ja poczułam żądzę mordu. Tym razem nie zdążył się uchylić, kiedy moja otwarta dłoń walnęła go z impetem w policzek, aż odskoczyła mu głowa.

– Zajebistym – warknęłam, biorąc piankę i na miękkich nogach poszłam w stronę łazienki.

Ubrałam się w koszulkę na ramiączkach, w której spałam, i włożyłam piankę. Nie mogłam uwierzyć w to, jak łatwo dałam się wkręcić. Klęłam pod nosem i waliłam rękami we wszystko co popadnie.

Kręcąc z niedowierzaniem głową, stanęłam przed lustrem i spuściłam wcześniej założony kombinezon do połowy ciała, bo od tej furii aż się cała zgrzałam. Zaplotłam na głowie dwa warkocze i nakremowałam twarz. Co za palant, pomyślałam, prychając.

Nacho smarował czymś deski na werandzie, ubrany jedynie w obcisłe błękitne spodnie ze sztucznego tworzywa. Widok jego małego, wypiętego w moją stronę tyłka aż prosił się o dobrego karnego kopa.

– Nie radzę – powiedział, kiedy brałam zamach nogą. – Bierz wosk i smaruj.

Uklękłam obok niego, wzięłam w rękę mały krążek i patrząc na to, co robi, usiłowałam go naśladować.

– Po co to robimy? – zapytałam, machając ręką.

– Żebyś nie spadła. Nie mam dla ciebie butów na deskę, więc wolę nie ryzykować. – Zawahał się i odwrócił w moją stronę. – Ale umiesz pływać?

Oburzona zrobiłam nadąsaną minę, czym tylko jeszcze bardziej go rozbawiłam.

– Mam patent młodszego ratownika – oświadczyłam dumnie.

– Chyba medycznego. – Sarkastycznie zripostował i postawił pionowo deskę, upuszczając wosk. – Wystarczy. Gotowa do nauki?

Chwycił obydwie deski pod pachę i ruszył w stronę wody.

– Jest kilka rzeczy, o których musisz pamiętać – powiedział, kiedy dotarliśmy, a on rzucił deski na piasek.

Instruktaż teoretyczny trwał krótko i był dość lakoniczny, bo i czynność, którą miałam wykonywać, nie wydała się skomplikowana.

Na moje szczęście nie było wysokich fal, ale Nacho wyjaśnił mi, że są godziny, w których pojawiają się i znikają, zupełnie jak wiatr. Wyspy Kanaryjskie były dziwne, przewidywalne i zdawać by się mogło, że możliwe do okiełznania. Zupełnie inaczej niż mój towarzysz.

Po kilku albo nawet kilkunastu kąpielach w słonym oceanie wreszcie załapałam, o co chodzi z równowagą. Oczy mnie piekły i trochę chciało mi się wymiotować, bo opiłam się wody, która nie smakowała najlepiej, ale byłam dumna i szczęśliwa. Nacho nie popędzał mnie, płynął obok, a jego umięśnione ramiona przegarniały wodę.

– Zegnij kolana i nie ustawiaj się bokiem do fali. – Zdążyłam usłyszeć jego złotą radę, kiedy jedna z fal nadpłynęła, zmiatając mnie z deski.

Wpadłam do wody i spanikowałam. Było dość głęboko, a ja straciłam orientację, gdzie jest góra, a gdzie dół. Próbowałam płynąć, ale kolejna fala przetoczyła się i znów zakręciła mną pod wodą.

Poczułam pod piersiami, jak smukłe ręce owijają się wokół mnie i wyciągają na powierzchnię. Krztusiłam się, nie pierwszy już raz dzisiaj, kiedy oparł mnie o deskę.

– W porządku? – zapytał przejęty, a ja pokiwałam potakująco głową. – Wracamy na brzeg.

– Ale ja nie chcę – wydusiłam między kaszlnięciami. – To fajne i wreszcie mam okazję popływać.

Wczołgałam się, usiadłam okrakiem na szerokiej desce i zawiedziona wlepiłam w niego oczy, gdy uczepiony jej boku unosił się na wodzie. Słońce świeciło, ogrzewając mnie, a cudowne widoki długich czarnych plaż sprawiały, że niczym się przejmowałam.

– Proszę. – Zrobiłam słodką minkę, która zupełnie nie podziałała. – Jesteś mi to winien za to podłe kłamstwo.

Przyłożyłam mu wiosłem, wstając.

Zaśmiał się i wskoczył na swoją deskę, odpływając kawałek.

– A jaką masz pewność, że kłamałem? – zapytał, będąc na tyle daleko, że nie miałam możliwości go znów zdzielić. – Masz małe znamię na prawym pośladku, wygląda jak oparzenie, skąd się wzięło?

Słysząc to, zachwiałam się, niemal spadając w słone odmęty. Skąd, do cholery, wiedział o bliźnie? Nie chodziłam przy nim w stringach, bo takowych nie miałam w szufladzie z bawełnianymi barchanami. Wściekła zaczęłam wiosłować jak opętana, usiłując go dogonić, a on widząc pościg, rzucił się do ucieczki. Jak dzieci ganialiśmy się, aż w końcu poczułam, jak wyczerpujący jest to sport, i zawróciłam w stronę plaży.

Odpięłam deskę od kostki i zostawiłam ją w wodzie, wychodząc na ląd. Rozpięłam suwak na plecach i ściągnęłam piankę do połowy, a kiedy weszłam na werandę, zdjęłam ją całkiem, rozwieszając na przygotowanym kołku.

Nacho wyszedł z oceanu i niosąc deski, podszedł pod dom, opierając je o balustradę. Podniósł wzrok i z otwartymi ustami patrzył na mnie, a cwaniacki uśmiech zastąpił wyraz twarzy, którego jeszcze nie widziałam. Rozejrzałam się, zastanawiając, co wprawiło go w takie osłupienie, i dopiero kiedy spojrzałam w dół, zrozumiałam. Pod kombinezon włożyłam białą koszulkę na ramiączkach, w której spałam poprzedniej nocy, a ta, kiedy zamokła, zupełnie prześwitywała.

– Zacznij uciekać – oznajmił poważnym tonem, nie odrywając zielonych dzikich oczu od moich sterczących sutków.

Zrobiłam krok w tył, a on ruszył za mną biegiem. Skręciłam za dom i pędem rzuciłam się do ucieczki. Wtedy chwycił mnie za nadgarstek i jednym ruchem przyciągnął do siebie, a jego język bez żadnego ostrzeżenia wsunął się w moje usta. Puścił rękę i ujął w dłonie moją twarz, całując zachłannie. Nie wiem, dlaczego nie byłam w stanie się bronić, nie chciałam, nie mogłam, a może zwyczajnie miałam na niego ochotę. Moje ręce zwisały bezwładnie wzdłuż ciała, kiedy jego język tańczył z moim, a wargi namiętnie, acz delikatnie pieściły się nawzajem. Mijały kolejne sekundy, a ja stałam z głową zadartą do góry, czując, jak w moim podbrzuszu wzbiera fala pożądania. Otrzeźwiona raptem, zamknęłam usta, a on zatrzymał się i oparł czoło o moje, zaciskając oczy.

– Przepraszam, nie wytrzymałem – wyszeptał zagłuszany przez zrywający się wiatr.

– No widzę właśnie. – W moim głosie dało się wyczuć irytację. – Puść mnie.

Zabrał ręce, a ja bez słowa obróciłam się i poszłam w stronę drzwi. Kolana mi się trzęsły, a wyrzuty sumienia, które w sekundę pojawiły się w mojej głowie, odbierały zdolność oddechu. Co ja najlepszego wyprawiam. Jestem na pustkowiu z mordercą, który mnie porwał, i zdradzam męża, który pewnie szaleje z niepokoju.

Rozebrałam się w sypialni, wcześniej zamykając drzwi, włożyłam bokserki i koszulkę, którą znalazłam w szafie, po czym wcisnęłam się pod kołdrę. Zakryłam głowę i czułam, jak słona woda spływa mi z włosów na twarz. Dźwięk naciskanej klamki sprawił, że przestałam oddychać, nasłuchując, co będzie dalej.

– Wszystko okej? – zapytał Nacho, nie podchodząc.

Mruknęłam potakująco bez wystawiania głowy i usłyszałam, jak drzwi znów się zamykają. Zasnęłam.

Obudziłam się po kilku godzinach, kiedy słońce zachodziło, owinęłam kocem i wyszłam z pokoju. Dom był pusty, a przez otwarte drzwi z zewnątrz dobiegała cicha gitarowa muzyka. Przeszłam przez próg i zobaczyłam Nacha, który popijając piwo, stał przy grillu. Miał na sobie podarte dżinsy, które spadając mu z tyłka, uwidaczniały białą gumkę majtek z napisem „Calvin Klein". Obok niego paliło się niewielkie ognisko, a z podłączonego do głośnika telefonu sączyły się dźwięki Eda Sheerana *I See Fire*.

– Właśnie miałem cię budzić – powiedział, odstawiając butelkę. – Zrobiłem kolację.

Nie byłam pewna, czy chcę przebywać w jego towarzystwie, ale burczenie w brzuchu dawało mi do zrozumienia, że raczej nie mam wyjścia. Usiadłam na miękkim fotelu niedaleko niego i podciągnęłam kolana pod brodę, szczelnie zakrywając się kocem. Nacho przesunął niewielki stolik i kolejne siedzisko tak, że siedzieliśmy naprzeciw siebie. Rozejrzałam się po stole i pokiwałam z uznaniem głową, widząc prawdziwie romantyczną kolację. W wiklinowym koszyku był podpiekany nad ogniem chleb, obok niego stały oliwki, pokrojone pomidory i marynowane cebulki. Wszystko oświetlał blask świec niedbale ustawionych na blacie. Nacho postawił talerz przede mną, a drugi naprzeciwko, i usiadł.

– Smacznego – powiedział, nabijając jedzenie na widelec.

Zapach grillowanej ryby, ośmiornicy i kilku innych pyszności obudził we mnie demona. Olewając konwenanse, pochłonęłam całość, zagryzając cudownym chlebem i oliwkami.

– To mój azyl – powiedział, rozglądając się na boki. – Tu uciekam przed wszystkim, a najchętniej bym tu zamieszkał. – Zawiesił się. – Z kimś...
– Podniosłam oczy znad talerza i patrzyłam, jak wzrok Nacha zmienia się pod wpływem mojego.
– On by się nigdy nie dowiedział. – Łysy rozparł się w fotelu, a po jego cudownym uśmiechu nie został nawet ślad. – Jesteśmy tu tylko ty i ja...
– Uniosłam rękę, by zamilkł.

– Nie interesujesz mnie. – Oczywiście była to wierutna bzdura, ale starałam się być najbardziej przekonująca, jak to tylko możliwe. – Kocham Massima, jest miłością mojego życia i nikt nigdy go nie zastąpi. – Mój głos brzmiał tak, jakbym chciała zapewnić o tym samą siebie. – Już nie mogę się doczekać momentu, kiedy urodzi się Luca. Massimo was wszystkich pozabija, jeśli spróbujecie mu nas odebrać. – Pokiwałam głową z pełnym przekonaniem, ale moja miłosna oracja tylko rozbawiła Hiszpana.

– A gdzie jest teraz? – Uniósł brwi, czekając na odpowiedź. – Ja ci powiem, gdzie jest twój ukochany mąż. Zarabia kasę. – Odstawił butelkę na stolik. – Bo widzisz, moja naiwna, ciężarna Lauro, Massimo Torricelli najbardziej na świecie kocha pieniądze. Ubzdurał sobie jakąś wizję i dla zaspokojenia własnego egoizmu wplątał cię w swoje popierdolone życie. – Pochylił się nieco, zbliżając do mnie twarz. – Może mi powiesz, że zanim go poznałaś, porywano cię co trzy dni?! – Ponownie zamilkł, czekając na moją reakcję, ale nie zareagowałam. – Tak sądziłem. Mało tego, nie potrafi upilnować tego, za co wziął odpowiedzialność. Ale jeśli chcesz, ja mogę rozwiać twoje wątpliwości względem niego. – Zmrużył oczy i pochylił się w moją stronę. – Decyzja należy do ciebie, mogę pokazać ci materiały, które nakreślą ci prawdę o nim i mrzonce, w jakiej żyjesz od kilku miesięcy. Mogę zdemaskować go przed tobą, wystarczy, że powiesz, że chcesz...

– Chce mi się rzygać, jak cię słucham! – warknęłam, wstając od stołu. – Nie próbuj obrzydzać mi mężczyzny, którego kocham. – Obróciłam się i poszłam w stronę drzwi. – A ty co, lepszy jesteś? – Obrzuciłam go nienawistnym spojrzeniem. – Porwałeś mnie, szantażujesz, a później liczysz, że zakocham się w tobie i rzucę ci się w ramiona?!

Patrzył na mnie przymrużonymi oczami, aż w pewnym momencie jego mina całkowicie się zmieniła, a na twarzy znów pojawił się szeroki uśmiech. Zaplótł ręce za głową, przeciągając się wcześniej.

– Ja?... Nie, ja chciałem cię tylko przelecieć. – Uniósł wysoko brwi, lekko nimi ruszając.

Wyciągnęłam rękę i pokazałam mu środkowy palec, przechodząc przez drzwi.

– Co za jebany cham – powtarzałam w ojczystym języku. – Zwykły śmieć.

Mamrotałam tak jeszcze chwilę, aż w końcu uspokoiłam się i wzięłam prysznic, po czym zamykając na drzwi sypialni na klucz, poszłam spać.

ROZDZIAŁ 20

Następnego dnia zaraz po zjedzeniu cichego śniadania ruszyliśmy z powrotem do miasta. Nacho wykonał kilkadziesiąt telefonów i nie odezwał się do mnie ani słowem, nie licząc „jedziemy", kiedy był gotów do wyjazdu. Wjechaliśmy do podziemnego garażu apartamentowca, a ja przypomniałam sobie wydarzenia sprzed dwóch dni.

– Co z Rocco? – zapytałam, nie wysiadając z samochodu.

– No, chyba nie sądzisz, że nadal tam leży? – Trzasnął drzwiami i poszedł w stronę windy.

Kiedy przekręcał klucz w zamku i przekraczał próg, zrobiło mi się niedobrze. Coraz płycej łapałam powietrze i za nic nie mogłam zmusić nóg, by zrobiły krok. Hiszpan zobaczył, że coś jest nie tak, i chwycił mnie za rękę.

– Dom jest bezpieczny. – Wesołość, którą powstrzymywał, lekko przebijała przez obojętne zielone oczy. – Moi ludzie posprzątali tu tej samej nocy, chodź. – Wciągnął mnie do środka. – Muszę się przebrać i pojedziemy do starego. Tobie radzę to samo. – Wszedł po schodach, znikając za szklaną ścianą.

Pokonywałam stopnie powoli, jakbym nie do końca wierzyła jego słowom. Rozsądek podpowiadał mi jednak, że nie mógł być aż tak okrutny, żeby zostawić trupa w pokoju. A może?

Kiedy łapałam za klamkę, czułam, jak ze strachu cała zawartość żołądka podchodzi mi do gardła. Zerknęłam przez szparę i z ulgą odkryłam, że wszystko jest naprawione i poukładane, a po uduszonym Sycylijczyku nie ma nawet śladu. Poszłam do szafy i odszukałam w niej najbardziej poprawne ubranie. Dziś, po prawie tygodniu, miałam pierwszy raz zobaczyć mojego ukochanego i chciałam wyglądać godnie, jak żona bossa, a nie dziewczyna wytatuowanego surfera. Ubranie się nie było łatwe, bo do wyboru miałam szorty albo szorty, ale w końcu udało mi się wygrzebać coś mniej kolorowego. Szare wytarte dżinsy i biała koszulka z krótkim rękawem były maksimum elegancji, biorąc pod uwagę asortyment. Włożyłam jasne mokasyny i wymodelowałam, choć to może zbyt dużo powiedziane, umyte wcześniej włosy. Wśród rzeczy w łazience znalazłam tusz do rzęs i ucieszyłam się, że moja skóra jest opalona, bo podkładu już nie uświadczyłam.

– Jedziemy! – usłyszałam krzyk z dołu. – Lauro, rusz się.

Ostatni raz zerknęłam na pokój, irracjonalnie sprawdzając, czy nic w nim nie zostawiłam. Po chwili dopiero dotarło do mnie, że przecież nic nie przywiozłam, bo to nie wakacje, a porwanie sprowadziło mnie na wyspę. Zeszłam po schodach i zamarłam na ostatnim stopniu. Na środku salonu stał ubrany w garnitur Nacho. Jego opalona skóra i idealnie ogolona głowa doskonale pasowały do białej koszuli i czarnej marynarki. Jedną rękę trzymał w kieszeni, drugą przy uchu z telefonem; obrócił się w moją stronę i nie przerywając rozmowy, oglądał od góry do dołu. Ten strój dziwnie na nim wyglądał, ale był miłą odmianą i w jakiś tajemniczy sposób sprawiał, że ten arogancki dupek był zajebiście przystojny.

– Ładnie wyglądasz. – Usiłował się nie uśmiechać, ale mu nie wyszło i wyszczerzył białe zęby.

– No, do ciebie to mi daleko – powiedziałam, a na mojej twarzy pojawił się uśmiech, którego także nie mogłam powstrzymać.

– Jedźmy już, chcę się ciebie jak najszybciej pozbyć – wydusił, kolejny raz zmieniając minę na beznamiętną.

Zmrużyłam oczy wkurzona jego uwagą i mimo że wiedziałam, iż to tylko gra pozorów, i tak zrobiło mi się przykro. Nie myślał tak, ale chciał, bym myślała, że to była tylko praca. I wtedy coś do mnie dotarło – polubiłam tego człowieka. Mimo wszystkich jego wad, a przede wszystkim głównej, czyli faktu, że był porywaczem i mordercą, lubiłam go. Z jednej strony cieszyłam się, że Massimo zabierze mnie stąd, z drugiej nie mogłam znieść myśli, że już więcej nie zobaczę Nacha. Gdyby rozpatrywać tę sytuację pod kątem całkowitej normalności, czyli eliminując fakt, że zostałam uprowadzona – traciłam zajebistego kumpla. Faceta, który mi imponował i z którym miałam dużo wspólnego, faceta, który mnie bawił, wkurzał i z którym uwielbiałam spędzać czas. To był niby tylko tydzień, ale przebywając z kimś niemal dwadzieścia cztery godziny na dobę, można przywyknąć.

Corveta mknęła przez autostradę, a ja dziękowałam Bogu, że Łysy założył dach, bo po mojej skrzętnie układanej fryzurze nie byłoby śladu. Pięliśmy się coraz wyżej, a droga stała się wąska i kręta; nagle zatrzymał się.

– Chodź, coś ci pokażę – powiedział, wysiadając. Chwycił mnie za rękę i poprowadził przez uliczkę, aż doszliśmy do barierki. – Los Gigantes. – Wskazał ręką nieziemski widok, który rozpostarł się przed nami. – Nazwa miasteczka wzięła się od tych wysokich klifów, niektóre mają nawet sześćset metrów. Można podpłynąć pod nie i dopiero wtedy widać, jakie są ogromne. – Patrzyłam na niego i słuchałam jak zaczarowana. – W okolicznych wodach są wieloryby i delfiny, chciałem pokazać ci też wulkan Teide, ale...

– Będzie mi cię brakować – wyszeptałam, przerywając mu, a na dźwięk wypowiadanych słów, aż go zamurowało. – To jest takie niesprawiedliwe, że tak zajebistego człowieka poznałam w takich okolicznościach. – Oparłam czoło o jego nieruchome ciało. – Normalnie moglibyśmy się przyjaźnić, pływać razem – wypowiadałam kolejne słowa pełne żalu i czułam, jak pod koszulą wali mu serce.

– Możesz zostać – wyszeptał.

Uniósł mi brodę, zmuszając, bym popatrzyła na niego, ale zamknęłam oczy.

– Mała, popatrz na mnie. – Dźwięk tych słów dosłownie rozerwał mnie na kawałki. Zwrot, którego użył, był ulubionym sposobem zwracania się do mnie Massima. Pod powiekami wezbrał mi potok łez, który z siłą wybuchającego wulkanu wydobył się na zewnątrz. Sięgnęłam dłonią do jego kieszeni i wyjęłam z niej okulary przeciwsłoneczne. Włożyłam je na nos, schowałam się za nimi i bez słowa poszłam w stronę auta.

Dom Fernanda Matosa trudno było nazwać inaczej niż zamkiem. Usytuowany na skale z widokiem na ocean był jak twierdza, której nie dało się zdobyć. Za wielkim murem rozpościerał się monumentalny ogród, który raczej przypominał park. Na drzewach siedziały kolorowe rozwrzeszczane papugi, a w sztucznym jeziorze pływały ryby. Nie mam pojęcia, jak dużą powierzchnię zajmowało to wszystko, ale jeśli sądziłam, że posiadłość w Taorminie była wielka – myliłam się.

Zaparkowaliśmy pod wejściem, mijając kilku uzbrojonych ludzi na podjeździe. Wysiadłam niepewnie, nie mając pojęcia, jak powinnam się zachować, i podeszłam do czekającego Nacha. Na progu pojawiło się dwóch osiłków, otaczając mnie. Łysy przez chwilę mówił coś do nich dość agresywnym tonem, a później zaczął wrzeszczeć. Rośli mężczyźni w ciemnych garniturach stali ze zwieszonymi głowami, ale ewidentnie nie chcieli się poddać. Zirytowany Nacho złapał mnie za łokieć i zaczął ciągnąć po monumentalnych korytarzach.

– Co się dzieje? – zapytałam zdezorientowana.

– Chcą cię zabrać, moja rola już się skończyła. – Był poważny i niesamowicie wkurzony. – Nie oddam cię im. – Na te słowa mój żołądek zacisnął się w supeł. – Osobiście odstawię cię do mojego ojca.

Szliśmy ogromnym holem, który na końcu, po przejściu przez niebotycznie wielkie drzwi, zamienił się w pokój. Pomieszczenie było ogromne, wysokie na jakieś cztery metry, a jego okna wychodziły na ocean. Nic nie zasłaniało widoku, bo ta część zamku jakby lewitowała nad wodą, wystając kilka metrów za klif. Ten przerażający i zachwycający zarazem widok zupełnie odwrócił moją uwagę od pozostałej części pokoju.

– A więc to ty?! – usłyszałam męski głos z silnym akcentem.

Obróciłam się i zobaczyłam, jak obok Nacha staje starszy mężczyzna z dłuższymi włosami. Nie dało się ukryć, że ten człowiek bezapelacyjnie był Hiszpanem czy Kanaryjczykiem, jak woleli tutejsi ludzie, kiedy się ich określało. Śniada cera,

ciemne oczy i te charakterystyczne rysy sprawiały, że nie miałam wątpliwości. Mężczyzna był
wiekowy, ale czuło się, że kiedyś zapewne łamał
kobiece serca, bo bycia przystojnym nie dało się
mu odmówić. Ubrany w jasne materiałowe
spodnie i koszulę w tym samym kolorze, podszedł bliżej.

– Fernando Matos. – Chwycił moją dłoń i ucałował ją. – Laura Torricelli – powiedział, kiwając
głową. – Kobieta, która okiełznała bestię. Usiądź,
proszę.

Wskazał mi fotel, a sam usiadł na innym. Nacho nerwowo nalał sobie przezroczystego płynu,
który stał na stoliku, i zdjął marynarkę, odsłaniając szelki i zawieszone na nich dwie sztuki broni.
Wlał w siebie zawartość szklanki i powtórzył tę
czynność, tym razem siadając na kanapie i przekręcając szkło w dłoni.

– Panie Matos, bardzo dziękuję panu za opie-
kę, ale chciałabym wrócić już do domu – powiedziałam spokojnym i kulturalnym tonem. – Nacho świetnie się mną opiekował, ale jeśli
skończyliście tę waszą zabawę w mafię, to chętnie...

– Słyszałem o tym, że jesteś pyskata. – Fernando podniósł się z miejsca. – Tylko że widzisz,
moja droga, twój ukochany mąż jakoś nie pali się
do przyjazdu tutaj. – Rozłożył ręce. – Doszły
mnie wieści, że jego samolot nie wystartował.
– Obrócił się do syna. – Marcelo, wyjdź.

Nacho posłusznie podniósł się z miejsca i dopił płyn, odstawiając szklankę na blat, po czym chwycił marynarkę i usiłując nie patrzeć na mnie, wyszedł z pomieszczenia. Poczułam się osamotniona i przerażona. Nie znałam zamiarów człowieka stojącego obok, a ten, który wyszedł, dawał przynajmniej pozorne poczucie bezpieczeństwa.

– Twój mężulek potraktował mnie jak śmiecia, zadrwił ze mnie! – wrzasnął, opierając się rękami po dwóch stronach fotela, na którym siedziałam. – I któreś z was za to zapłaci!

Nagle drzwi do pomieszczenia ponownie się otworzyły, ale nie byłam w stanie obrócić głowy. Wbita w fotel z przerażeniem patrzyłam, jak starszy mężczyzna odchodzi i znika za moimi plecami, witając się z kimś. Rozmowa odbywała się po hiszpańsku, rozumiałam tylko wymieniane kilka razy nazwisko mojego męża. Później głosy umilkły i kiedy usłyszałam szczęk zamka, odetchnęłam z ulgą, myśląc, że jestem sama.

– Ty głupia kurwo! – Jakieś wielkie łapsko chwyciło mnie za włosy i poderwało z miejsca, ciskając o podłogę. Upadając, uderzyłam głową w niewielką ławę i poczułam, jak po skroni leci mi krew. Przyłożyłam rękę do głowy i podniosłam wzrok. Przede mną stał człowiek w wieku Nacha, który z odrazą patrzył na mnie. Dziwnie sztywną dłonią poprawił zalizane wcześniej do tyłu czarne włosy i ruszył w moją stronę. Odepchnęłam się piętami, by uciec przed nim, ale nie zdążyłam nawet się podnieść, kiedy wymierzył mi siarczystego kopniaka w okolice nerek. Objęłam rękami brzuch, chcąc ochronić dziecko przed atakującym mnie szaleńcem. Czułam, jak z nerwów robi mi się niedobrze i dzwoni mi w uszach, ale wiedziałam, że nie mogę stracić przytomności. Bóg tylko raczył wiedzieć, co człowiek stojący nade mną chce mi zrobić.

– Wstań, szmato! – wrzasnął i sam usiadł na fotelu.

Przełykając z ledwością ślinę i wspierając się na trzęsących rękach, wykonałam jego polecenie, a on niemal szarmanckim gestem wskazał mi fotel naprzeciwko.

– Pamiętasz mnie? – zapytał, kiedy usiadłam, ścierając krew z twarzy.

– Nie – warknęłam.

– A Nostro pamiętasz? – Podniosłam oczy i zmarszczyłam brwi. – Klub w Rzymie, kilka miesięcy temu. – Zaśmiał się drwiąco. – Niedziwne, że nie pamiętasz, bo jak wszystkie inne dziwki byłaś zalana w trupa.

Kiedy to powiedział, przed oczami mignął mi niewyraźny obraz tamtego wieczoru.

– A to pamiętasz, szmato? – Zerwał się z miejsca i waląc mnie w twarz jedną ręką, podsunął dłonie pod twarz, przytrzymując za włosy. – Twój chłoptaś przestrzelił mi ręce. – Popatrzyłam na jego dłonie z dwiema niemal identycznymi okrągłymi bliznami.

W tym momencie, jak w czasoprzestrzeni, przeniosłam się do wieczoru w Nostro i przypomniałam sobie, jak po tańcu na rurce jeden z mężczyzn uznał, że jestem dziwką, i złapał mnie, a Massimo... Na myśl o tym zakryłam dłońmi usta. Przestrzelił mu ręce.

– Niedowład mam w prawej, a lewa jest niemal zupełnie bezużyteczna. – Obracał nimi, nie patrząc na mnie. – Upokorzony z powodu dziwki! – Ponownie wrzasnął i wstał z miejsca. – Długo zastanawiałem się, co ci zrobić. Ale później doszedłem do wniosku, że jednak wolę zlikwidować tego złamasa, twojego męża.

Podszedł do mnie i raz jeszcze uderzył w twarz, a ja poczułam, jak z pękniętej wargi sączy mi się krew. Zakatuje mnie tu na śmierć, pomyślałam, kuląc się w fotelu.

– Najpierw chciałem, żeby załatwiła cię ta kretynka Anna, ale niestety, mimo całej mojej wiary w jej umiejętności jazdy samochodem, a właściwie taranowania nim, nie podołała zadaniu. – Podszedł bliżej i nachylił się ku mnie. – Nie chciałem wciągać w to rodziny Matos. Wolałem sam to załatwić, ale niestety ta cipa później uległa czarowi Torricellich. – Walnął rękami w oparcie mojego fotela, a ja zamknęłam oczy z przerażenia. – Na całe szczęście wcześniej nakręciłem ją, by napuściła brata na Massima, informując go o śmierci nienarodzonego dziecka. – Parsknął drwiąco. – Sam spotkałem się z Emiliem i opowiedziałem mu, jak to na imprezie, kiedy twój don wypił odrobinę za dużo i wciągnął odrobinę za długie kreski, cieszył się ze skrobanki i braku problemów. To podkręciło sytuację. – Z rozbawieniem chodził po pokoju, opowiadając to jak dobrą anegdotkę zasłyszaną przy świątecznym stole. – Później było już tylko lepiej, kiedy próbowali się powystrzelać, niestety twój mąż znów miał wiele szczęścia. – Obrócił się i stanął przodem do mnie. – Ale przynajmniej pozbawił mnie problemu Emilia, a to pozwoliło Matosowi częściowo wejść do Neapolu.

Nieudolnie nalał do szklanki przezroczystego płynu z karafki i upił łyk, przesuwając ją po blacie i niemal nie podnosząc.

Głowa bolała mnie od uderzenia, ale zaschnięta na niej krew utworzyła coś w rodzaju korka i przestała się sączyć. Czułam, jak puchnie mi warga, ale i tak najbardziej martwiłam się o dziecko.

– Co ze mną zrobisz? – zapytałam najpewniejszym głosem, na jaki zdołałam się zdobyć.

Mężczyzna spokojnie podniósł się z miejsca i uderzył mnie raz jeszcze w to samo miejsce, a moje usta niemal eksplodowały krwią. Krzyknęłam głośno, czując niewyobrażalny ból.

– Nie przerywaj mi, szmato! – wrzasnął, wycierając się o mnie, i z powrotem usiadł. – Możesz drzeć się tu do woli, pomieszczenie jest dźwiękoszczelne. Gdybym cię zastrzelił, nikt by tego nie usłyszał. – Na jego twarzy pojawił się triumfalny uśmiech. Po chwili milczenia kontynuował: – Obserwowałem Massima i uznałem, że nic go nie zaboli tak jak strata ciebie, zwłaszcza że to z twojego powodu nie jestem w stanie sam chwycić szklanki wody. – Uniósł prawą rękę, której dłoń była sztywna. – Musiałem nauczyć się korzystać z drugiej. Niedowład dłoni po przestrzeleniu mi ich jest tak rozległy, że mam niewielką możliwość używania rąk. Musieli mi zrobić specjalną broń, której spust jestem w stanie nacisnąć. – Zaśmiał się obleśnie. – Ale jak widzisz, do zadawania przyjemności się nadają. Dziś, zanim cię zabiję, zamierzam dać ci tej przyjemności tyle, że wyplujesz tego bękarta, którego masz w sobie.

Usłyszałam gwizd w uszach i zaczęłam się modlić o siłę, gdy poczułam w mostku ból i pieczenie. Przez ogarniające mnie przerażenie nie byłam w stanie trzeźwo myśleć.

– I skoro twój mężulek postanowił nie przyjeżdżać, by nie narażać własnego życia, nagram mu naszą wspólną, ostatnią noc twojego życia. – Wyciągnął prawie sprawną rękę i pogłaskał mnie po nodze, którą od razu odsunęłam. – A później wyślę mu tego bachora w pudełku. – Wskazał głową na mój zaciskany w rękach brzuch. – A swoją drogą nie sądziłem, że Marcelowi pójdzie tak łatwo. Wiele razy próbowaliśmy cię porwać, ale za każdym razem Massimo czuwał. – Jego ironiczny ton wkurwiał mnie coraz bardziej. – Moi ludzie wywoływali awantury w jego klubach i hotelach,

by odciągnąć uwagę i wywabić go z domu. Zwró-
ciłem większość rodzin przeciwko twojemu mężowi, jednak strzegł cię tak dobrze, że porwanie
okazało się niełatwym zadaniem. – Uniósł palec
jednej ręki. – Wtedy pomyślałem o Marcelu. Jest
najlepszy w branży, bezwzględny i ślepo oddany
ojcu, a Fernando mi ufa. – Roześmiał się. – Ten
nienawidzący mnie kolorowy pomazaniec nie
miał o niczym pojęcia. Dostał zadanie i jak robot
wykonał je.

– Massimo znajdzie cię i zabije, ty kupo gówna!... – warknęłam.

– Och, szczerze wątpię – odparł rozbawiony.
– Cała jego furia skupi się na Marcelu; to on cię
porwał. Torricelli najpierw przyjdzie po niego,
a później po starego, wtedy ja stanę na czele rodziny Matos, namaszczony do tej roli jako jego
zięć. – Zaczęłam histerycznie chichotać, a on
z wściekłością cisnął szklanką o ścianę. – Co cię
tak bawi, dziwko?! – wrzasnął.

– To ty jesteś gilem z nosa. – Przypomniałam
sobie pełną niechęci i drwiny opowieść Nacha
o mężu Amelii. – Faktycznie... Flavio... Jak mogłam cię nie rozpoznać po tym skrupulatnym,
idealnie pasującym opisie? – Jego dłoń kolejny
raz poszybowała w kierunku mojej twarzy i poczułam, jak opuchlizna zaczyna obejmować mi
także oko.

Moje katusze przerwał dzwoniący w jego kieszeni telefon. Wyciągnął go i odebrał, po czym

słuchał chwilę, zakończył rozmowę i wsadził aparat do kieszeni.

– Sytuacja się nieco skomplikowała – warknął. – Twój mężulek jest w posiadłości.

Na te słowa serce niemal wyrwało mi się z piersi, a po twarzy popłynęły łzy ulgi i radości. Zamknęłam oczy. Jest tutaj, uratuje mnie, myślałam. Na mojej twarzy zatańczył uśmiech, którego Flavio już nie widział, bo szukał czegoś przy biurku.

Rozległ się hałas i nagle jak burza do pomieszczenia wpadł Massimo, a za nim Domenico i kilkunastu innych ludzi. Boże, był taki piękny, władczy i mój. Wybuchnęłam płaczem i kiedy wzrok Czarnego spoczął na mnie, widziałam, jak niemal eksploduje ze złości. Stał kilka metrów ode mnie, a jego przepełnione bólem oczy wpatrywały się w moją twarz. Z dzikim wrzaskiem wyciągnął broń i wycelował we Flavia. Wtedy dwoje bocznych wejść otworzyło się i do pokoju wbiegło kilkadziesiąt osób, w tym także Nacho, który zamarł na mój widok.

Na końcu, powoli i dostojnie, z cygarem w ręce, jak na prawdziwym gangsterskim filmie wtoczył się Fernando Matos.

– Massimo Torricelli – powiedział, kiedy wszyscy trzymali w górze wycelowaną w siebie broń. – Jak miło, że przyjąłeś moje zaproszenie.

Czułam na sobie czyjeś spojrzenie, a że wzrok miałam skupiony na Czarnym, zaczęłam rozglądać się na boki. Trzymając w obydwu rękach broń, Nacho patrzył na mnie wzrokiem pełnym bólu i rozpaczy. Widziałam, że czuje się winny temu, jak teraz wyglądałam. Wtedy jeden z ludzi Matosa przyłożył mi broń do głowy, przeładowując ją wcześniej.

– Opuśćie broń – powiedział Fernando. – Albo to, po co tu przyjechałeś, rozbryźnie się po ścianie.

Massimo warknął coś do mężczyzn, którzy z nim byli, i wszyscy schowali pistolety. Pozostali także to zrobili, wszyscy z wyjątkiem tego, który stał koło mnie.

Na polecenie Fernanda Matosa cała ochrona obydwu bossów zaczęła opuszczać pomieszczenie. Nacho przeszedł przez pokój, przybierając maskę obojętności i zatrzymując się obok mnie, poklepał po ramieniu człowieka mierzącego do mnie, po czym zamienił się z nim rolami.

– Lauro – szepnął, kiedy lufa ponownie oparła się o moją skroń. – Przepraszam.

Po moich policzkach pociekły łzy, a gula w gardle stawała się nie do przełknięcia. Massimo i Domenico stali naprzeciwko Flavia i Fernanda, a ja zastanawiałam się, czy choć jedna osoba wyjdzie stąd żywa.

Czterej mężczyźni rozmawiali przez chwilę, tkwiąc jak kamienie każdy na swoim miejscu. Po ich minach wnioskowałam, że chyba się dogadali. Chwilę później rozległ się spokojny głos mojego męża:

– Chodź do mnie, Lauro.

516

Nacho, rozumiejąc całość konwersacji, opuścił broń, a ja ledwo trzymając się na nogach, ruszyłam w jego stronę. Kiedy Łysy chwycił mnie, by pomóc mi iść, szczęki Massima zacisnęły się.

– Nie dotykaj jej, skurwielu – warknął, patrząc na Marcela, na co ten puścił mnie i odsunął się.

Nim doszłam do Czarnego, kątem oka zobaczyłam, jak Flavio wyciąga z szuflady pistolet i celuje w Fernanda Matosa, pociągając za spust, a ten pada. W tym samym czasie rozległ się drugi i jeszcze jeden strzał, Flavio opadł za biurko, a mój mąż chwycił mnie i schował za siebie, stojąc z wyciągniętą bronią wycelowaną prosto w Nacha, który właśnie zastrzelił znienawidzonego szwagra, który sekundę wcześniej zdążył zabić jego ojca.

Tkwiąc za plecami Czarnego, czułam, jak buzująca w moich żyłach adrenalina odpływa, a nogi robią się coraz słabsze. Byłam bezpieczna, mój organizm wiedział, że może przestać walczyć. Don poczuł, że zsuwam się po nim, i przekręcił mnie do siebie przodem, zostawiając Domenica i Nacha naprzeciwko siebie z wycelowanymi lufami.

Wtedy rozległ się huk, a ja poczułam coś jakby uderzenie i nagle po moim ciele rozlała się fala ciepła. Nie mogłam złapać tchu i coraz niewyraźniej widziałam twarz Massima. Poczułam, że nogi robią mi się jak z galarety, i obsunęłam się razem z nim na ziemię. Przerażony patrzył na moją twarz, coś do mnie mówiąc, ale nie słyszałam słów. Widziałam tylko, jak porusza ustami i podnosi do twarzy zakrwawioną dłoń. Powieki zrobiły mi się ciężkie i poczułam niebywałe wręcz zmęczenie, a wreszcie błogość. Czarny całował moje usta, chyba coś krzycząc. Obezwładniająca cisza wokół mnie stawała się coraz głębsza, aż wszystko zniknęło. Zamknęłam oczy...

***

– Massimo! – Z otępienia wyrwał mnie głos Domenica. – Oni nie mogą dłużej czekać. – Cichy, spokojny ton brata wydawał mi się wrzaskiem.

Odwróciłem się od okna w stronę pomieszczenia, patrząc na gromadę lekarzy stojących przede mną.

– Macie, kurwa, ratować oboje! – wycedziłem przez zaciśnięte zęby, trzęsąc się ze złości i ledwo powstrzymując łzy. – Albo wszystkich powystrzelam.

Sięgnąłem brudnymi od krwi rękami do paska u spodni, by wyciągnąć broń, ale Młody mnie powstrzymał.

– Bracie – wyszeptał ze łzami w oczach. – To już trwa zbyt długo, nie uratują Laury ani dziecka, a każda minuta...

Uniosłem rękę, by zamilkł, a chwilę później padłem na kolana, chowając głowę w dłoniach.

Nie wiedziałem, czy dam radę bez niej wychować syna, nie wiedziałem też, czy życie bez niej będzie miało sens. Moje dziecko... Część jej i mnie, dziedzic i następca. Przez głowę przelatywał mi milion myśli, ale żadna nie niosła ukojenia.

Podniosłem wzrok na lekarzy i wziąłem głęboki wdech.

– Ratujcie...

PODZIĘKOWANIA

Niezmiennie dziękuję rodzicom. Mamo, Tato, jesteście moją inspiracją, miłością i światem. Bardzo Was Kocham i nie wyobrażam sobie życia bez Was! Dziękuję, że nawet kiedy wątpiłam — Was rozpierała duma.

Dziękuję mężczyźnie, który udowodnił mi, że wiek nie ma znaczenia; że dorosłość to stan umysłu, a nie cyfry. Maciej Buzała, Kochanie — nie ma takich słów, którymi mogłabym wyrazić wdzięczność za Twoją cierpliwość, opiekuńczość i zaangażowanie. Te miesiące to był najtrudniejszy czas w moim życiu, bez Ciebie obok poddałabym się. Kocham Cię, Młody, i dziękuję, że jesteś!

Ania Szuber i Michał Czajka, dzięki, że na okładce wyglądam tak szałowo. Wasza fota jest boska, a zdolności graficzne niezawodne! No i jesteście tańsi od chirurga plastycznego.

Ale przede wszystkim dziękuję Tobie, Czytelniku — kimkolwiek jesteś. Dzięki temu, że trzymasz w rękach moją książkę, mam możliwość zmieniać świat. Mam nadzieję, że druga część była lepsza niż pierwsza, a Ty już nie możesz doczekać się trzeciej. Bo trzecia... to będzie dopiero odpał!